ro
ro
ro

Über die Autorin

Rosamunde Pilcher wurde 1924 in Lelant, Cornwall, geboren. Nach Tätigkeiten beim Foreign
Office und, während des Krieges, beim Women's
Royal Naval Service heiratete sie 1946 Graham
Pilcher und zog nach Dundee, Schottland, wo sie
seither wohnt. Rosamunde Pilcher schreibt seit
ihrem fünfzehnten Lebensjahr. Ihr Werk umfaßt
bislang dreizehn Romane, zahlreiche Kurzge-
schichten und ein Theaterstück.

Rosamunde Pilcher

Wechselspiel der Liebe

Roman

Deutsch von Dietlind Kaiser

Rowohlt Taschenbuch Verlag

Die Originalausgabe erschien unter dem Titel
«Under Gemini» bei St. Martin's Press, New York

20. Auflage März 2004

Deutsche Erstausgabe
Veröffentlicht im Rowohlt Taschenbuch Verlag,
Reinbek bei Hamburg, Oktober 1992
Copyright © 1992 by Rowohlt Taschenbuch Verlag GmbH,
Reinbek bei Hamburg
«Under Gemini» Copyright © 1976 by Rosamunde Pilcher
Alle Rechte vorbehalten
Umschlaggestaltung Barbara Hanke
(Illustration Birgit Schössow)
Satz Garamond (Linotronic 500)
Gesamtherstellung Clausen & Bosse, Leck
Printed in Germany
ISBN 3 499 12999 X

Isobel

Er hatte ihr den Rücken zugewandt, stand am Fenster, eingerahmt von den verschossenen Vorhängen, die sie vor vierzig
Jahren ausgesucht hatte. Die Sonne hatte die leuchtenden Rosen zu einem blassen Rosa ausgebleicht, und der Stoff war so
fadenscheinig, daß man ihn nicht mehr reinigen lassen
konnte, weil er sich sonst völlig aufgelöst hätte. Aber sie liebte
die Vorhänge; sie waren ihr vertraut wie alte Freunde. Seit
Jahren versuchte ihre Tochter Isobel, sie dazu zu überreden,
daß sie neue kaufte, aber Tuppy hatte gesagt: «So lange wie
ich werden sie noch halten», ohne sich viel dabei zu denken.
«So lange wie ich werden sie noch halten.»

Und jetzt sah alles danach aus, daß es so kommen würde.
Sie war siebenundsiebzig, und nachdem sie ein Leben lang
immer kerngesund gewesen war, hatte sie zu spät und zu
lange im Garten gearbeitet und sich eine Erkältung geholt, aus
der eine Lungenentzündung geworden war. Sie erinnerte sich
kaum an die Lungenentzündung – nur daran, daß der Arzt,
als sie aus einem langen, dunklen Tunnel des Unbehagens
wieder auftauchte, dreimal täglich kam und daß eine Krankenschwester da war, um Tuppy zu pflegen. Die Schwester,
eine Witwe aus Fort William, hieß Mrs. McLeod. Sie war
groß und hager, mit einem Gesicht wie ein verläßliches Pferd,
und trug eine marineblaue Tracht mit einem gesteiften Schür-
zenlatz, unter dem ihre flache Brust wie ein Brett aussah, und
Schuhe, die kein Ende nahmen. Trotz ihres wenig gewinnen-
den Äußeren war sie herzensgut.

Die Sache mit dem Tod war jetzt also keine ferne Möglichkeit mehr, über die man nicht nachdachte, sondern eine
unbarmherzig näherrückende Tatsache.

Sie hatte nicht die geringste Angst davor, aber es kam ungelegen. Ihre Gedanken glitten so mühelos wie immer in letzter Zeit in die Vergangenheit zurück, und sie dachte an sich als junge Ehefrau, zwanzig Jahre alt, der zum erstenmal bewußt wurde, daß sie schwanger war. Sie war verärgert und enttäuscht gewesen, weil das hieß, daß sie im Dezember so rund und riesig sein würde wie die Albert Hall und zu keinem der Weihnachtsbälle gehen könnte. Ihre Schwiegermutter hatte sie munter getröstet, indem sie sagte: «Ein Kind kommt nie zum gelegenen Zeitpunkt.» Vielleicht war es mit dem Sterben auch so. Man mußte es einfach hinnehmen, wenn es kam.

Es war ein strahlender Morgen gewesen, aber jetzt war die Sonne verschwunden, und ein kaltes Licht füllte das Fenster neben der Gestalt des Arztes. «Kommt Regen?» fragte Tuppy.

«Eher Nebel vom Meer», sagte er. «Man kann die Inseln nicht sehen. Eigg ist vor etwa einer halben Stunde verschwunden.»

Sie schaute ihn an, einen großen Mann, kräftig wie ein Felsen, ein tröstlicher Anblick in abgetragenem Tweed, der mit den Händen in den Taschen dastand, als habe er nichts Dringenderes zu tun. Er war ein guter Arzt, so gut, wie sein Vater gewesen war. Dennoch war es ihr anfangs etwas seltsam vorgekommen, daß jemand nach ihr sah und ihr Anweisungen gab, den sie als stämmigen kleinen Jungen in Shorts gekannt hatte, mit zerschrammten Knien und Sand im Haar.

Jetzt, als er im Licht stand, fiel ihr auf, daß dieses Haar an den Schläfen grau wurde. Plötzlich fühlte sie sich älter als je zuvor, älter noch als bei dem Gedanken an ihren bevorstehenden Tod.

«Du wirst grau», sagte sie mit einer gewissen Schärfe, als habe er nicht das Recht, sich solche Freiheiten herauszunehmen.

Er drehte sich um, lächelte schuldbewußt, fuhr sich mit der Hand an den Kopf.

«Ich weiß. Der Friseur hat es mir neulich gesagt.»

«Wie alt bist du?»

«Sechsunddreißig.»

«Noch ein Junge. Du dürftest noch nicht grau werden.»

«Vielleicht liegt es daran, daß es so anstrengend war, mich um Sie zu kümmern.»

Unter der Tweedjacke trug er einen gestrickten Pullover. Er löste sich am Kragen auf und hatte vorn ein Loch, das gestopft werden mußte. Tuppy blutete das Herz. Er wurde nicht versorgt, nicht geliebt. Und er hätte überhaupt nicht hier sein sollen, vergraben in den West Highlands, wo er sich um die Alltagswehwehchen einer Gemeinde aus Heringsfischern und vereinzelten Pachtbauern kümmern mußte. Er hätte in London oder Edinburgh sein sollen, mit einem großen, eindrucksvollen Haus, einem Bentley vor der Tür und einem Messingschild am Eingang. Er hätte lehren oder in der Forschung arbeiten sollen – Aufsätze verfassen, Medizingeschichte schreiben.

Er war ein glänzender Student gewesen, wunderbar begeisterungsfähig und ehrgeizig; alle hatten eine glorreiche Karriere von ihm erwartet. Aber dann hatte er in London dieses törichte Mädchen kennengelernt; Tuppy konnte sich kaum noch an ihren Namen erinnern. Diana. Er hatte sie nach Tarbole mitgebracht, und niemand hatte sie leiden können, aber alle Einwände seines Vaters hatten ihn in seiner Entschlossenheit, sie zu heiraten, nur noch bestärkt. (Das lag in seinem Charakter. Hugh war von jeher stur wie ein Maulesel gewesen, und Widerspruch machte das noch schlimmer. Sein Vater hätte das wissen müssen. Er hatte es ganz falsch angepackt, und wenn der alte Dr. Kyle noch am Leben gewesen wäre, hätte sie ihm das auch gesagt und kein Blatt vor den Mund genommen.)

Die Mesalliance war tragisch ausgegangen, und als alles vorbei war, sammelte er die Scherben seines Lebens auf und kehrte zurück nach Tarbole, um die Praxis seines Vaters zu übernehmen.

Jetzt lebte er allein, fristete das freudlose Dasein eines alternden Junggesellen. Er arbeitete zu schwer, und Tuppy wußte, daß er auf sich viel weniger achtete als auf seine Patienten und sein Abendessen meist aus einem Glas Whisky und einem Stück Pastete aus dem Pub bestand.

«Warum hat Jessie McKenzie denn deinen Pullover nicht gestopft?» fragte sie.

«Ich weiß nicht. Vielleicht habe ich vergessen, sie darum zu bitten.»

«Du solltest wieder heiraten.»

Er ging darauf nicht ein, sondern kam an ihr Bett zurück. Sofort löste sich das zusammengerollte Fellknäuel am Fußende von Tuppys Bett zu einem ältlichen Yorkshireterrier auf, fuhr von der Daunendecke hoch wie eine Kobra, knurrte wild und fletschte die vom Alter gelichteten Zähne.

«Sukey!» schimpfte Tuppy, aber der Arzt war unbeeindruckt.

«Sie wäre nicht mehr Sukey, wenn sie nicht damit drohen würde, mir an die Kehle zu gehen, sobald ich in Ihre Nähe komme.» Er streckte freundlich die Hand aus, und das Knurren schwoll zu einem grollenden Crescendo an. Er bückte sich nach seiner Tasche. «Ich muß gehen.»

«Wen besuchst du denn jetzt?»

«Mrs. Cooper. Und dann Anna Stoddart.»

«Anna? Was fehlt denn Anna?»

«Anna fehlt gar nichts. Im Gegenteil, es geht ihr bestens. Es verstößt zwar gegen meine Schweigepflicht, aber sie bekommt ein Kind.»

«Anna? Nach so langer Zeit?» Tuppy war hocherfreut.

«Ich habe mir gedacht, daß Sie das aufheitert. Aber sagen Sie nichts darüber. Sie möchte es noch geheimhalten, jedenfalls vorerst.»

«Ich sage keinen Mucks. Wie geht es ihr?»

«Bis jetzt ausgezeichnet. Nicht mal Übelkeit am Morgen.»

«Ich drücke ihr die Daumen. Dieses Kind muß sie behalten. Du betreust sie gut, nicht wahr? Was für eine dumme Frage, selbstverständlich tust du das. Oh, wie mich das freut.»

«Kann ich noch etwas für Sie tun?»

Sie musterte ihn und das Loch in seinem Pullover. Ihre Gedanken wanderten von Babys zu Hochzeiten und dann unausweichlich zu ihrem Enkel Antony. «Ja», sagte sie, «du kannst etwas für mich tun. Ich möchte, daß Antony mich mit Rose besucht.»

«Gibt es irgendeinen Grund, aus dem er das nicht tun sollte?»

Er hatte mit seiner Antwort kaum merklich gezögert – oder bildete sie sich das nur ein? Sie warf ihm einen scharfen Blick zu, doch er beschäftigte sich angelegentlich mit dem klemmenden Verschluß seiner Tasche.

«Es ist jetzt einen Monat her, seit sie sich verlobt haben», fuhr sie fort. «Und ich möchte Rose wiedersehen. Es ist fünf Jahre her, daß sie und ihre Mutter im Strandhaus gewohnt haben. Ich erinnere mich kaum noch, wie sie aussieht.»

«Ich habe gedacht, sie ist in Amerika.»

«Oh, das war sie auch. Sie ist nach der Verlobung abgereist. Aber nach dem, was Antony gesagt hat, muß sie jetzt wieder im Land sein. Er hat versprochen, sie mit nach Schottland zu bringen, aber weiter ist das noch nicht gediehen. Und ich möchte wissen, wann und wo sie heiraten wollen. Da gibt es soviel zu besprechen und zu erledigen, doch jedesmal, wenn ich Antony anrufe, sitzt er bloß in Edinburgh und murmelt Beschwichtigungen. Ich hasse es, wenn man mir mit Beschwichtigungen kommt. Es macht mich ausgesprochen gereizt.»

Er lächelte. «Ich spreche mit Isobel darüber», versprach er.

«Sie soll dir ein Glas Sherry geben.»

«Ich habe Ihnen doch gesagt, daß ich zu Mrs. Cooper muß.» Mrs. Cooper war die Posthalterin von Tarbole und eine strikte Abstinenzlerin. «Sie hat sowieso schon eine schlechte Meinung von mir, auch ohne daß ich ihr Alkoholdunst ins Gesicht blase.»

«Alberne Person», sagte Tuppy. Sie lächelten sich in vollkommener Übereinstimmung an; er ging und schloß die Tür hinter sich. Sukey schlich sich nach oben und kuschelte sich in Tuppys Armbeuge. Der Fensterrahmen knarrte leicht, als draußen Wind aufkam. Sie schaute aus dem Fenster und sah, daß Regendunst die Scheibe beschlug. Bald war Zeit zum Mittagessen. Sie legte sich auf die Kissen zurück und ließ sich, wie so oft in letzter Zeit, zurück in die Vergangenheit treiben.

Siebenundsiebzig. Wo waren die Jahre geblieben? Das Alter schien unmerklich zu ihr gekommen zu sein, und sie war überhaupt nicht darauf vorbereitet. Tuppy Armstrong war nicht alt. Andere Leute waren alt, wie die eigene Großmutter oder Gestalten in Büchern. Sie dachte an Lucilla Eliot in The Herb of Grace. Der Inbegriff der vollkommenen Matriarchin, sollte man meinen.

Aber Tuppy hatte Lucilla nie gemocht. Sie hielt sie für besitzergreifend und herrschsüchtig. Und sie verabscheute den Snobismus, der sich in Lucillas tadellos geschnittenen schwarzen Kleidern ausdrückte. Tuppy hatte ihr Leben lang nie ein tadellos geschnittenes schwarzes Kleid besessen. Sicher, eine Menge hübsche Sachen, aber nie ein tadellos geschnittenes schwarzes Kleid. Meistens begnügte sie sich mit alten Tweedröcken und Strickjacken mit Ellbogenflikken; robuste, unverwüstliche Kleidung, die nichts gegen das Stutzen von Rosen oder einen jähen Regenguß hatte.

Und doch, bei der richtigen Gelegenheit ging nichts über das alte Abendkleid aus blauem Samt, damit sie sich festlich und feminin fühlte. Vor allem, wenn sie etwas Eau de Cologne verspritzte und die altmodischen Brillantringe über die arthritischen Fingerglieder schob. Vielleicht würde sie ein Abendessen geben, wenn Antony mit Rose kam. Nichts Aufwendiges. Nur ein paar Freunde. Sie stellte sich die Platzgedecke aus weißem Leinen vor, die Silberleuchter und die Tischdekoration aus cremefarbenen Rosen.

Ganz leidenschaftliche Gastgeberin, fing sie mit der Pla-

nung an. Und falls Antony und Rose eine traditionelle Hochzeit wollten, mußte eine Gästeliste vom Armstrongschen
Zweig der Familie gemacht werden. Vielleicht sollte Tuppy
das jetzt tun und die Liste Isobel geben, damit sie wußte, wer
eingeladen werden sollte. Nur für den Fall…

Plötzlich ertrug sie es nicht mehr, daran zu denken. Sie zog
Sukeys kleinen Körper eng an den ihren und küßte den zer-
zausten, leicht stinkenden Kopf. Sukey leckte flüchtig in ihre
Richtung und schlief weiter. Tuppy schloß die Augen.

Dr. Hugh Kyle blieb auf der Treppe stehen, die Hand am
Geländer. Er machte sich Sorgen. Nicht nur um Tuppy, sondern auch wegen des Gesprächs, das er eben mit ihr geführt
hatte. Dort stand er, eine geistesabwesende, einsame Gestalt
mit besorgter Miene, weder oben noch unten.

Die große Halle unter ihm war leer. Auf der gegenüberlie-
genden Seite führte eine Glastür auf die Terrasse, in den Garten und zum Meer hinunter, das jetzt ganz im Nebel untergegangen war. Er sah die gebohnerten Böden, die abgetretenen
Teppiche, die alte Truhe mit der Kupfervase mit Dahlien
darin und die langsam tickende alte Standuhr. Es gab auch
andere, weniger pittoreske Gegenstände, die das Familienleben der Armstrongs dokumentierten: Jasons ramponiertes
Dreirad, aus dem Regen hereingeholt; die Körbe und Trink-
näpfe der Hunde; ein Paar verschlammte Gummistiefel, liegengelassen, bis ihr Besitzer daran dachte, sie in die Garderobe zu räumen. Hugh war das alles seit eh und je vertraut,
denn er hatte Fernrigg sein Leben lang gekannt. Aber jetzt
war es, als warte und lausche das ganze Haus auf Neuigkeiten
über Tuppy.

Es schien niemand dazusein, was allerdings nicht überraschte. Jason war in der Schule; Mrs. Watty war bestimmt in
der Küche, mit dem Mittagessen beschäftigt. Isobel – er fragte
sich, wo er sie finden könne.

Während ihm die Frage durch den Kopf ging, hörte er ihre

Schritte im Wohnzimmer und das Kratzen von Plummers Pfoten auf den Parkettstreifen zwischen den Teppichen. Im nächsten Augenblick kam sie durch die offene Tür, den fetten alten Spaniel im Schlepptau.

Sie sah Hugh sofort, blieb reglos stehen und schaute zu ihm hinauf. Sie sahen sich an, und dann, weil er merkte, daß sich seine Sorgen in ihren Augen widerspiegelten, riß er sich hastig zusammen und setzte einen Ausdruck unerschütterlicher Munterkeit auf.

«Isobel, ich habe mich gefragt, wo ich dich finde.»

Sie sagte, nicht lauter als ein Flüstern: «Tuppy?»

«Nicht allzu schlimm.» Er schwenkte die Tasche, steckte die andere Hand in die Hosentasche und kam herunter.

«Ich habe gedacht... Als ich dich da stehen sah... Ich habe gedacht...»

«Tut mir leid, ich war mit den Gedanken woanders. Ich wollte dich nicht erschrecken...»

Er hatte sie nicht ganz überzeugt, doch sie versuchte zu lächeln. Sie war vierundfünfzig, die ein wenig linkische Tochter, die nie geheiratet hatte, statt dessen mit ihrer Zärtlichkeit ihre Mutter überschüttete, das Haus, den Garten, ihre Freunde, ihren Hund, ihre Neffen und jetzt Jason, der in Fernrigg House wohnte, während seine Eltern im Ausland waren. Ihr Haar, das während ihrer Kindheit feuerrot geleuchtet hatte, war jetzt rotblond mit weißen Strähnen darin, aber die Frisur hatte sich nicht verändert, so lange Hugh sich erinnern konnte. Auch ihr Gesichtsausdruck hatte sich nicht verändert, war immer noch kindlich und unschuldig, vielleicht, weil sie ein so behütetes Leben geführt hatte. Ihre Augen waren so blau wie die eines Kindes und so empfindlich wie der Himmel an einem stürmischen Tag, zeigten jede Gefühlsbewegung wie ein Spiegel: sie glänzten vor Freude oder liefen über von den Tränen, die sie nie hatte zurückhalten können.

Als sie jetzt zu ihm aufschaute, waren sie voller Angst, und es war deutlich, daß Hughs Munterkeit sie nicht hatte beruhigen können.

«Ist sie… Wird sie…?» Ihre Lippen konnten, wollten das gefürchtete Wort nicht formen. Er legte ihr die Hand unter den Ellbogen, führte sie energisch ins Wohnzimmer zurück und schloß die Tür hinter ihnen.

«Sie könnte sterben, ja», sagte er. «Sie ist keine junge Frau mehr, und es hatte sie schlimm erwischt. Aber sie ist zäh. Wie altes Heidekraut. Sie hat eine gute Chance, durchzukommen.»

«Ich kann den Gedanken nicht ertragen, daß sie bettlägerig werden könnte – nicht mehr herumlaufen und tun könnte, was sie will. Das wäre ihr so zuwider.»

«Ja, ich weiß. Und ob ich das weiß.»

«Was können wir tun?»

Er räusperte sich, fuhr sich mit der Hand über den Nacken. «Ich glaube, es gibt etwas, was sie aufheitern könnte. Wenn Antony herkäme und vielleicht dieses Mädchen mitbringen könnte, mit dem er verlobt ist…»

Isobel warf ihm einen warnenden Blick zu. Auch sie konnte sich an ihn als kleinen Jungen erinnern, der manchmal eine rechte Plage gewesen war. «Hugh, nenn sie nicht auf diese abscheuliche Weise ‹dieses Mädchen›. Sie heißt Rose Schuster, und du kennst sie genauso gut wie wir alle. Nicht besonders gut, das gebe ich zu, aber du kennst sie.»

«Tut mir leid.» Isobel nahm stets jeden in Schutz, der auch nur entfernt mit der Familie zu tun hatte. «Also Rose. Ich glaube, Tuppy sehnt sich danach, sie wiederzusehen.»

«So geht es uns allen, aber sie war mit ihrer Mutter in Amerika. Die Reise war schon geplant, bevor sie und Antony sich verlobt haben.»

«Ja, ich weiß, aber vielleicht ist sie jetzt wieder da. Und Tuppy ist deshalb ganz unruhig. Vielleicht kannst du Antony einen kleinen Wink geben, ihn dazu überreden, daß er Rose herbringt, auch wenn es nur für ein Wochenende ist.»

«Er scheint immer soviel zu tun zu haben.»

«Ich bin mir sicher, wenn du ihm die Situation erklärst… Sag ihm, daß es vielleicht besser wäre, den Besuch nicht zu lange zu verschieben.»

Wie er befürchtet hatte, schimmerten sofort Tränen in Isobels Augen. «Du glaubst also, daß sie stirbt.» Sie tastete schon im Ärmel nach einem Taschentuch.

«Isobel, das habe ich nicht gesagt. Aber du weißt, wie Tuppy an Antony hängt. Er ist für sie eher ein Sohn als ein Enkel. Man kann sehen, wieviel ihr daran liegt.»

«Ja, ja, ich sehe es auch.» Isobel putzte sich tapfer die Nase und steckte das Taschentuch wieder weg. Auf der Suche nach einer Ablenkung fiel ihr Blick auf die Sherrykaraffe. «Trink einen Schluck.»

Er lachte; die Spannung löste sich. «Nein, danke. Ich muß zu Mrs. Cooper. Sie hat wieder Herzrasen, und das wird bestimmt schlimmer, wenn sie meint, daß ich getrunken habe.»

Wider Willen lächelte Isobel auch. Die Familie hatte sich von jeher über Mrs. Cooper lustig gemacht. Gemeinsam gingen sie aus dem Zimmer und durch die Halle. Isobel öffnete die Tür und ließ die Kühle des feuchten, nebelverhangenen Morgens ein. Das Auto des Arztes, unten an der Treppe geparkt, war naß vom Regen.

Er wandte sich ihr zu. «Und versprich mir, daß du mich anrufst, sobald du dir auch nur eine Spur Sorgen machst.»

«Mach ich. Aber mit der Schwester im Haus brauche ich mir ja keine allzu großen Sorgen zu machen.»

Es war Hugh gewesen, der darauf bestanden hatte, daß sie eine Schwester einstellten. Sonst, hatte er gesagt, müsse Tuppy ins Krankenhaus. Isobel hatte sofort panisch reagiert. Tuppy mußte schwer krank sein; und wo sollten sie eine Schwester finden? Ob Mrs. Watty etwas dagegen haben mochte? Würde sie Anstoß daran nehmen, würde es in der Küche böses Blut geben?

14

Aber Hugh hatte sich um alles gekümmert. Mrs. Watty und die Schwester hatten sich angefreundet, und Isobel konnte nachts ruhig schlafen. Hugh war wirklich ein Fels in der Brandung. Als sie sich von ihm verabschiedete, fragte sich Isobel, wohl zum hundertstenmal, was sie alle ohne ihn täten. Sie schaute ihm nach, als er in sein Auto stieg und abfuhr, die kurze Einfahrt zwischen den triefenden Rhododendronbüschen entlang, vorbei an dem Pförtnerhaus, in dem die Wattys wohnten, und durch das weiße Tor, das nie geschlossen wurde. Sie wartete, bis das Motorengeräusch verklang. Es war Flut, und sie hörte, wie sich die grauen Wellen an den Felsen unterhalb des Gartens brachen.

Sie fröstelte und kehrte ins Haus zurück, um Antony anzurufen.

Das Telefon stand in der Halle des altmodischen Hauses. Isobel setzte sich auf die Truhe und schlug die Nummer von Antonys Büro in Edinburgh nach. Sie konnte sich Telefonnummern nie merken und mußte die alltäglichsten Leute nachschlagen wie den Lebensmittelhändler und den Bahnhofsvorsteher. Mit einem Auge im Buch wählte sie sorgfältig und wartete, bis sich jemand meldete. Ihre ängstlichen Gedanken eilten in alle Richtungen: die Dahlien würden morgen verwelkt sein, sie mußte frische schneiden; war Antony schon beim Essen? Sie durfte nicht selbstsüchtig sein, was Tuppy anging. Für jeden Menschen kam die Zeit zum Sterben. Wenn sie nicht mehr in ihrem geliebten Garten arbeiten und keine kleinen Spaziergänge mit Sukey machen konnte, würde sie nicht mehr leben wollen. Aber was für eine unerträgliche Leere in ihrer aller Leben würde sie hinterlassen! Wider Willen betete Isobel heftig. *Laß sie nicht sterben. Laß nicht zu, daß wir sie jetzt schon verlieren. O Gott, sei uns gnädig...*

«McKinnon, Carstairs und Robb. Sie wünschen?»

Die muntere junge Stimme riß sie in die Realität zurück. Sie tastete wieder nach dem Taschentuch, wischte sich die Augen und faßte sich. «Oh, Entschuldigung, ich hätte gern Mr. Armstrong gesprochen. Mr. Antony Armstrong.»

«Wer spricht da, bitte?»

«Miss Armstrong. Seine Tante.»

«Augenblick.»

Es klickte zweimal, dann kam wunderbarerweise Antonys Stimme. «Tante Isobel?»

«Oh, Antony...»

Er war sofort auf das Schlimmste gefaßt. «Ist etwas passiert?»

«Nein. Nein, es ist nichts passiert.» Sie durfte keinen falschen Eindruck erwecken. «Hugh Kyle war hier. Er ist eben gegangen.»

«Geht es Tuppy schlechter?» fragte Antony unverblümt.

«Er... er sagt, sie hält sich wunderbar. Er sagt, sie ist stark wie altes Heidekraut.» Sie versuchte, unbeschwert zu klingen, aber ihre Stimme versagte kläglich. Der todernste Ausdruck auf Hughs Gesicht ging ihr nicht aus dem Sinn. Hatte er ihr wirklich die Wahrheit gesagt? Hatte er sie nur schonen wollen? «Er... er hat sich jedenfalls kurz mit Tuppy unterhalten, und offenbar will sie dich unbedingt sehen, dich und Rose. Und ich habe mich gefragt, ob du etwas von Rose gehört hast – ob sie aus Amerika zurück ist?»

Am anderen Ende der Leitung herrschte Schweigen. Isobel sprach hektisch weiter.

«Ich weiß, wieviel du immer zu tun hast, und ich will nicht, daß du dir Sorgen machst...»

«Das geht schon in Ordnung.» Endlich sagte Antony etwas. «Ja. Ja, sie ist wieder in London. Ich habe heute morgen einen Brief von ihr bekommen.»

«Es bedeutet Tuppy soviel.»

Wieder eine Pause, dann fragte Antony ruhig: «Wird sie sterben?»

Isobel konnte nichts tun. Sie brach in Tränen aus, wütend auf sich selbst, aber sie war machtlos. «Ich... ich weiß es nicht. Hugh hat versucht, mich zu beruhigen, aber ich habe ihn noch nie so besorgt gesehen. Und es wäre grauenhaft, geradezu undenkbar, wenn mit Tuppy etwas wäre und sie dich und Rose nie zusammen gesehen hätte. Es hat ihr soviel bedeutet, daß ihr euch verlobt habt. Wenn du Rose herbringst, könnte das den entscheidenden Ausschlag geben. Dann hätte sie einen Grund...»

Sie konnte nicht weitersprechen. Sie hatte nicht so viel sagen wollen, und sie konnte durch die Tränen nichts mehr sehen. Sie kam sich geschlagen vor, am Ende ihrer Kräfte, als wäre sie zu lange allein gewesen. Sie putzte sich wieder die Nase und schloß hilflos: «Bitte versuch es, Antony.»

Es war ein Aufschrei, der von Herzen kam. Als er sprach, klang er fast so erschüttert wie sie: «Mir war ja nicht klar...»

«Ich glaube, es ist mir auch eben erst richtig klargeworden.»

«Ich werde Rose schon erreichen. Irgendwie richte ich es ein. Wir kommen am nächsten Wochenende. Versprochen.»

«Oh, Antony.» Eine Welle der Erleichterung überflutete sie. Sie würden kommen. Wenn Antony etwas versprach, hielt er immer Wort, und wenn die Welt unterging.

«Und mach dir keine zu großen Sorgen um Tuppy. Wenn Hugh sagt, sie ist zäh wie Heidekraut, dann stimmt das vermutlich. Sie steckt uns allesamt in die Tasche, und wahrscheinlich wird sie uns alle überleben.»

Isobel lächelte unter Tränen. «Das ist kein Ding der Unmöglichkeit.»

«Nichts ist unmöglich», sagte Antony. «Alles kann geschehen. Bis zum nächsten Wochenende.»

«Du bist ein Schatz.»

«Gern geschehen. Und liebe Grüße an Tuppy.»

Marcia

Ronald Waring sagte, wohl zum fünftenmal: «Wir müssen nach Hause.»

Seine Tochter Flora, benommen von der Sonne und schläfrig vom Schwimmen, sagte, ebenfalls zum fünftenmal: «Ich weiß», und beide rührten sich nicht. Sie saß zusammengekauert auf einer abschüssigen Granitplatte und schaute hinunter in die juwelenblaue Tiefe der riesigen Felsenbucht, in der sie ihr abendliches Bad genommen hatten. Die Sonne glitt am Himmel abwärts und verströmte die letzte Wärme über Floras Gesicht. Ihre Wangen waren noch salzig vom Meer; das nasse Haar klebte ihr im Nacken. Sie saß mit den Armen um die Beine geschlungen da, das Kinn auf den Knien, und kniff gegen das blendende Meer die Augen zusammen.

Es war Mittwoch, der letzte Tag eines vollkommenen Sommers. Oder gehörte der September offiziell schon zum Herbst? Flora konnte sich nicht daran erinnern. Sie wußte nur, daß sich der Sommer in Cornwall über das Ende der Jahreszeit hinaus zauberhaft in die Länge zog. Hier unten, im Schutz der Klippen, wehte kein Hauch, und die Felsen, vollgesogen mit dem Sonnenschein eines Tages, fühlten sich noch warm an.

Die Flut kam. Zwischen zwei mit Napfschnecken überzogenen Felsen ergoß sich das erste Rinnsal in die Bucht. Bald würde das Rinnsal zum Strom anschwellen, und die Vorhut der atlantischen Brecher würde die spiegelglatte Wasseroberfläche zerschmettern. Schließlich würden die Felsen überflutet werden, die Bucht würde untertauchen und versunken bleiben, bis die Ebbe sie wieder befreite.

Sie konnte sich nicht daran erinnern, wie oft sie genau wie jetzt hier nebeneinandergesessen hatten, hypnotisiert von der

Faszination einer Septemberflut. Doch an diesem Abend fiel es noch schwerer, sich loszureißen, weil es der letzte war. Sie würden den Klippenweg hinaufgehen, von Zeit zu Zeit stehenbleiben, wie sie es immer taten, um auf den Ozean zurückzublicken. Sie würden den Weg über die Felder zum Seal Cottage einschlagen, wo Marcia sie erwartete, das Abendessen im Ofen und Blumen auf dem Tisch. Und nach dem Abendessen würde Flora sich das Haar waschen und ihren Koffer packen, weil sie morgen nach London zurückfuhr.

Es war alles von langer Hand geplant, und Flora mußte zurück, aber in diesem Augenblick konnte sie den Gedanken daran kaum ertragen. Vor allem war es ihr immer zuwider, ihren Vater zu verlassen. Sie schaute ihn an, wie er ein Stück von ihr entfernt auf dem Felsen saß. Sie sah seine Hagerkeit, die tief gebräunte Haut, die langen, bloßen Beine. Er trug unansehnliche Shorts und ein uraltes Hemd, an vielen Stellen geflickt, die Ärmel hochgerollt. Sie sah sein schütter werdendes Haar, zerzaust vom Schwimmen, und das vorspringende Kinn, während er einen Kormoran beobachtete, der dicht über der Wasseroberfläche vorbeiflog.

«Ich will morgen nicht fort», sagte sie.

Er drehte sich um und lächelte sie an. «Dann bleib hier.»

«Ich muß fort. Das weißt du. Ich muß in die Welt hinaus und wieder selbständig werden. Ich war zu lange zu Hause.»

«Ich hätte es gern, wenn du immer hier wärst.»

Sie ignorierte den jähen Kloß im Hals. «So was sollst du nicht sagen. Du sollst schroff und unsentimental sein. Du sollst dein Küken aus dem Nest werfen.»

«Kannst du schwören, daß du nicht wegen Marcia gehst?»

Flora war aufrichtig. «Na ja, in bestimmter Hinsicht ist das natürlich auch ein Grund, aber nicht der ausschlaggebende. Jedenfalls mag ich sie furchtbar gern, das weißt du.» Als ihr Vater nicht lächelte, versuchte sie, einen Scherz daraus zu machen. «Schon gut, sie ist die typische böse Stiefmutter, wäre das ein ausreichender Grund? Und ich laufe weg, ehe sie mich zu den Ratten in den Keller sperrt.»

«Du kannst jederzeit zurückkommen. Versprich mir, daß du zurückkommst, wenn du keine Stelle findest oder es nicht so recht klappt.»

«Ich finde ohne jede Schwierigkeit Arbeit, und alles wird bestens klappen.»

«Das Versprechen will ich trotzdem.»

«Du hast es. Aber vermutlich wirst du es bereuen, wenn ich in einer Woche wieder bei euch vor der Tür stehe. Und jetzt» – sie griff nach dem Badetuch und einem Paar fadenscheiniger Espadrilles – «müssen wir nach Hause.»

Am Anfang hatte Marcia sich geweigert, Floras Vater zu heiraten. «Du kannst mich nicht heiraten. Du bist Altphilologe an einem angesehenen humanistischen Gymnasium. Du mußt eine ruhige, respektable Frau mit einem Filzhut heiraten, die mit Jungen umgehen kann.»

«Ich kann ruhige, respektable Frauen nicht leiden», hatte er leicht gereizt gesagt. «Wenn ich sie leiden könnte, hätte ich schon vor Jahren die Hausdame geheiratet.»

«Ich sehe mich einfach nicht als Mrs. Ronald Waring. Irgendwie paßt das nicht zu mir. ‹Und hier, Jungs, ist Mrs. Waring, die den Silberpokal im Hochsprung überreichen wird.› Und da bin ich, stolpere über meine Füße, vergesse, was ich sagen soll, lasse vermutlich den Pokal fallen oder überreiche ihn dem falschen Jungen.»

Aber Ronald Waring war immer ein Mann gewesen, der wußte, was er wollte. Er war hartnäckig geblieben, hatte sie umworben und schließlich überredet. Sie hatten zu Beginn des Sommers geheiratet, in der winzigen, uralten Steinkirche, die modrig roch wie eine Höhle. Marcia hatte ein bezauberndes smaragdgrünes Kleid und einen riesigen Strohhut mit geschwungener Krempe getragen wie Scarlett O'Hara. Und ausnahmsweise hatte an Ronald Warings Aufmachung alles gestimmt, die Socken hatten zueinander gepaßt, die Krawatte war korrekt gebunden, nicht unter den obersten Kragenknopf gerutscht. Sie geben ein wunderbares Paar ab, dachte Flora, die Schnappschüsse von ihnen gemacht hatte, als sie strahlend aus der Kirche kamen. Auf den Fotos sah man, wie die steife Brise vom Meer an der Hutkrempe der Braut zerrte und das schütter werdende Haar des Bräutigams wie den Schopf eines Kakadus nach oben blies.

Marcia war in London geboren und aufgewachsen und irgendwie zweiundvierzig geworden, ohne je geheiratet zu haben – aller Wahrscheinlichkeit nach, meinte Flora, weil sie nie die Zeit dazu gefunden hatte. Sie hatte ihre berufliche Laufbahn als Schauspielschülerin begonnen, war dann zur Fundusverwalterin einer Provinztruppe aufgestiegen und hatte sich seit jenem nicht gerade vielversprechenden Anfang fröhlich durchs Leben geschlagen, offenbar von einer Gelegenheitsarbeit zur anderen. Zuletzt war sie Verkaufsleiterin in einem Laden in Brighton gewesen, der auf etwas spezialisiert war, was Marcia ‹arabischen Krempel› nannte.

Obwohl Flora Marcia sofort gemocht und die Verbindung mit ihrem Vater heftig unterstützt hatte, waren gewisse unvermeidliche Vorbehalte wegen Marcias hausfraulicher Fähigkeiten vorhanden gewesen. Schließlich möchte keine Tochter ihren Vater zu lebenslänglichen Fertigpasteten, Tiefkühlpizzen und Dosensuppen verurteilen.

Aber selbst in diesem Punkt war es Marcia gelungen, die beiden zu überraschen. Sie erwies sich als ausgezeichnete Köchin und begeisterte Hausfrau und war dabei, im Garten alle möglichen unerwarteten Begabungen zu entwickeln. Gemüse wuchs in sauberen, militärischen Reihen; Blumen blühten, wenn Marcia sie nur anschaute, und auf dem tiefen Fenstersims über der Küchenspüle standen zwei Reihen Tontöpfe mit Geranien und Fleißigen Lieschen, die sie selbst gezogen hatte.

Als sie an jenem Abend die Klippen hinauf und über die

kühlen Felder gingen, kam Marcia, die aus dem Küchenfenster Ausschau gehalten hatte, ihnen entgegen. Sie trug grüne Hosen und einen Baumwollkittel, von knorrigen Bäuerinnenhänden üppig bestickt, und die letzten Sonnenstrahlen entflammten das leuchtende Haar.

Ronald Waring sah sie, lächelte glücklich und ging schneller. Flora trödelte hinter ihm her und dachte daran, daß zwei Menschen in mittleren Jahren, die sich nicht nur zärtlich, sondern leidenschaftlich verbunden waren, etwas ganz Besonderes seien. Als sie sich mitten auf der Wiese trafen und ohne Zurückhaltung oder Verlegenheit umarmten, war es, als ob sie sich nach einer monatelangen Trennung wiederfänden. Vielleicht empfanden sie das auch wirklich so. Der Himmel wußte, daß sie lange genug aufeinander gewartet hatten.

Marcia brachte Flora am nächsten Morgen an den Zug nach London. Die Tatsache, daß sie Flora zum Bahnhof fahren konnte, war für Marcia eine Quelle großen Stolzes und tiefer Befriedigung. Denn in ihrem reifen Alter hatte sie nicht nur den Ehestand versäumt, sondern auch nie Auto fahren gelernt.

Als sie danach gefragt wurde, zählte sie eine Reihe von Gründen auf, die diese Unterlassung erklärten. Sie sei technisch unbegabt, sie habe nie ein Auto besessen, und meistens sei jemand zur Hand gewesen, der sie gefahren habe. Aber als sie Ronald Waring geheiratet hatte und in einem kleinen Cottage im Niemandsland von Cornwall festsaß, lag auf der Hand, daß die Zeit gekommen war.

Jetzt oder nie, sagte Marcia und nahm Fahrstunden. Dann die Prüfungen. Drei. Bei der ersten fiel sie durch, weil sie mit dem Vorderrad über die bestiefelten Zehen eines Polizisten gefahren war. Bei der zweiten, weil sie, während sie versuchte, rückwärts einzuparken, unabsichtlich einen Kinderwagen streifte, in dem zum Glück kein Baby gelegen hatte. Weder Flora noch ihr Vater konnten sich vorstellen, daß sie den Mumm hätte, es noch einmal zu versuchen, doch sie unterschätzten Marcia. Sie versuchte es und bestand schließlich. Als ihr Mann bedauerte, er könne seine Tochter nicht zum Bahnhof bringen, weil er zu einer Lehrerkonferenz müsse, konnte Marcia also mit einigem Stolz sagen: «Das macht nichts. Ich fahre sie.»

In gewisser Weise war Flora erleichtert. Sie haßte Abschiede, die beim Klang einer Pfeife unvermeidlich sentimental wurden. Wenn ihr Vater dabeigewesen wäre, hätte sie ihm vermutlich die Ohren vollgeheult, was den Abschied für beide noch schlimmer gemacht hätte.

Es war wieder ein warmer und wolkenloser Tag, der Himmel so blau, wie er es das ganze Jahr gewesen war, der Adlerfarn golden. Außerdem lag ein Funkeln in der Luft, in dem sich die alltäglichsten Dinge kristallklar abzeichneten. Marcia stimmte in ihrem rauchigen Alt an: «Wunderschön ist dieser Morgen, wenn sich die Sonne erhebt…», hielt dann inne und bückte sich nach ihrer Handtasche, was hieß, daß sie eine Zigarette wollte. Das Auto schlingerte gefährlich über den Mittelstreifen und auf die falsche Straßenseite; deshalb sagte Flora schnell: «Laß nur, ich geb dir eine.» Als Marcia das Auto wieder auf den richtigen Kurs gebracht hatte, steckte Flora ihr die Zigarette in den Mund und gab ihr Feuer, damit Marcia nicht die Hände vom Lenkrad nehmen mußte.

Als die Zigarette brannte, sang Marcia weiter: «Wunderschön ist dieser Morgen, alles ist glücklich…» Sie hielt inne und runzelte die Stirn. «Liebes, schwörst du mir, daß du nicht meinetwegen in das scheußliche London zurückgehst?»

Diese Frage war in der letzten Woche allabendlich in regelmäßigen Abständen gestellt worden. Flora holte tief Luft. «Nein. Ich habe es dir doch gesagt, nein. Ich nehme einfach die Fäden meines Lebens wieder auf und mache dort weiter, wo ich vor einem Jahr aufgehört habe.»

«Ich werde das Gefühl nicht los, daß ich dich aus deinem Zuhause vertreibe.»

«Aber das tust du nicht. Und sieh doch die Situation aus meiner Perspektive. Weil ich weiß, daß mein Vater eine wunderbare Frau gefunden hat, die sich um ihn kümmert, kann ich gehen und ihn mit reinem Gewissen verlassen.»

«Mir wäre wohler, wenn ich wüßte, was für ein Leben dich erwartet. Ich habe grausige Bilder vor Augen, wie du in einem möblierten Zimmer sitzt und kalte Bohnen aus der Büchse ißt.»

«Ich habe es dir doch gesagt», sagte Flora energisch, «ich finde schon eine Wohnung, und während ich mich umschaue, wohne ich bei meiner Freundin Jane Porter. Es ist alles abgemacht. Das Mädchen, das bei ihr wohnt, ist mit ihrem Freund verreist, ich kann also ihr Bett haben. Und wenn sie aus dem Urlaub zurückkommt, habe ich schon eine eigene Wohnung gefunden und eine tolle Stelle, und alles ist in Butter.»

Marcia machte weiterhin ein finsteres Gesicht.

«Schau mal, ich bin zweiundzwanzig, keine zwölf. Und eine wahnsinnig, wahnsinnig tüchtige Stenotypistin. Es gibt überhaupt keinen Grund zur Sorge.»

«Aber versprich mir, daß du mich anrufst, wenn es nicht so recht klappt, dann komme ich und bemuttere dich.»

«Ich bin mein Leben lang nicht bemuttert worden und komme auch so zurecht.» Flora seufzte. «Tut mir leid. Das sollte nicht ganz so schroff klingen.»

«Überhaupt nicht schroff, Liebes, schließlich ist es eine schlichte Tatsache. Aber weißt du, je mehr ich darüber nachdenke, desto unglaublicher wird es.»

«Ich kann dir nicht recht folgen.»

«Das mit deiner Mutter. Daß sie dich und deinen Vater im Stich gelassen hat, als du noch ein kleines Kind warst. Ich meine, ich kann mir vorstellen, daß eine Frau ihren Mann verläßt. Ich kann mir zwar nicht vorstellen, wie jemand einen solchen Schatz wie Ronald verläßt – aber bei einem Baby begreife ich das überhaupt nicht mehr. Es wirkt so unmenschlich. Man sollte doch meinen, wenn man sich die ganze Mühe gemacht hat, ein Kind zu bekommen, dann will man es auch behalten.»

«Ich bin froh, daß sie mich nicht behalten hat. Ich hätte nichts anderes gewollt. Ich weiß nicht, wie Pa es geschafft hat, aber eine schönere Kindheit hätte ich nicht haben können.»

«Du weißt, was wir sind, nicht wahr? Die Gründungsmitglieder des Fanclubs von Ronald Waring. Ich frage mich, warum sie gegangen ist. Deine Mutter, meine ich. Gab es da einen anderen Mann? Ich hab mich immer gescheut, danach zu fragen.»

«Nein, das glaube ich nicht. Sie haben einfach nicht zueinander gepaßt. Das hat Pa mir immer gesagt. Ihr gefiel es nicht, daß er ein Schulmeister ohne Ehrgeiz war, und er machte sich nichts aus Cocktailpartys und der großen Welt. Ihr gefiel auch nicht, daß er ewig mit seiner Arbeit beschäftigt war und immer aussah, als ob man ihn aus einem Kleidersack gekippt hätte. Und es war klar, daß er nie genügend Geld verdienen würde, um ihr den Lebensstil zu bieten, den sie sich vorstellte. Ich habe einmal ein Foto von ihr gefunden, hinten in einer Schublade. Sehr schick und elegant; in einem teuren Kostüm. Überhaupt nicht Pas Kragenweite.»

«Sie muß knallhart gewesen sein. Ich frage mich, warum sie überhaupt geheiratet haben.»

«Ich glaube, sie haben sich bei einem Skiurlaub in der Schweiz kennengelernt. Pa ist ein hervorragender Skiläufer – vielleicht hast du das nicht gewußt. Ich kann mir vorstellen, daß die Sonne beide geblendet hat oder daß die Alpenluft ihnen zu Kopf gestiegen ist. Vielleicht hat sie auch die sportliche Eleganz umgehauen, mit der er den Abhang hinunterfegte. Ich weiß nur, daß es passierte, daß ich auf die Welt kam, und daß es dann vorbei war.»

Sie waren jetzt auf der Hauptstraße, näherten sich dem kleinen Bahnhof, auf dem Flora in den Zug nach London steigen sollte. «Ich hoffe», sagte Marcia, «daß er nicht mit mir zum Skilaufen fahren will.»

«Warum denn nicht?»

«Ich kann nicht Ski laufen.»

«Das würde für Pa keine Rolle spielen. Er vergöttert dich, so wie du bist. Das weißt du doch?»

«Ja», sagte Marcia, «und bin ich nicht die glücklichste Frau unter der Sonne? Aber du wirst auch Glück haben. Du bist im Zeichen der Zwillinge geboren, und ich habe heute morgen für dich nachgeschaut – alle Planeten bewegen sich in die richtige Richtung; du mußt dir die Möglichkeiten nur zunutze machen.» Marcia glaubte felsenfest an Horoskope. «Das heißt, daß du innerhalb einer Woche eine sagenhafte Stelle und eine sagenhafte Wohnung findest und vermutlich auch einen sagenhaften großen, dunkelhaarigen Mann mit einem Maserati. Sozusagen ein Pauschalpaket.»

«Innerhalb einer Woche? Das läßt mir ja nicht viel Zeit.»

«Es muß aber alles innerhalb einer Woche passieren, denn am nächsten Freitag kommt ein neues Horoskop.»

«Ich will mal sehen, was ich tun kann.»

Es war kein langer Abschied. Der D-Zug hielt nur einen Augenblick auf dem kleinen Bahnhof, und kaum waren Flora und ihr umfangreiches Gepäck an Bord, ging der Bahnhofsvorsteher den Bahnsteig entlang, warf die Türen zu und hob die Pfeife zum Mund. Flora lehnte sich aus dem Fenster, um Marcia einen Abschiedskuß zu geben. Marcia hatte Tränen in den Augen, und ihre Wimperntusche war zerlaufen.

«Ruf an, sag uns, was los ist.»

«Mach ich. Versprochen.»

«Und schreib!»

Für mehr blieb keine Zeit. Der Zug setzte sich in Bewegung, wurde schneller; der Bahnsteig verschwand in der Biegung. Flora winkte, der kleine Bahnhof und Marcias Gestalt in blauen Hosen wurden kleiner und glitten aus dem Blickfeld. Flora strich sich das zerzauste Haar aus dem Gesicht, schloß das Fenster und ließ sich auf den Ecksitz im leeren Abteil fallen.

Sie schaute aus dem Fenster. Es war eine liebgewordene Gewohnheit zuzuschauen, wie alles davonglitt, genau wie sie sich, wenn sie in die entgegengesetzte Richtung fuhr, immer ab Fourbourne aus dem Fenster lehnte, um den ersten Blick auf die vertraute Landschaft zu werfen.

Jetzt war Ebbe, der Sand in der Mündung ein perlmuttern glänzendes Braun, blau gemustert, wo Tümpel trägen Wassers den Himmel widerspiegelten. In der Ferne lag ein Dorf mit weißen Häusern, die durch die Bäume schimmerten, dahinter kamen die Dünen, und einen Augenblick lang konnte man den Ozean hinter den fernen weißen Wellenbrechern sehen.

Die Schienen führten landeinwärts, und eine grasbewachsene Ebene kam in Sicht, während der Ozean hinter Strandbungalows verschwand. Der Zug holperte über ein Viadukt und durch die nächste Kleinstadt, und dann folgten kleine grüne Täler und weiße Cottages und Gärten, in denen sich Wäsche auf der Leine in der steifen Morgenbrise blähte. Der Zug donnerte an einem Bahnübergang vorbei. An der geschlossenen Schranke wartete ein Mann mit einem roten Traktor und einem Anhänger voller Strohballen.

Sie wohnten in Cornwall, seit Flora fünf Jahre alt war. Davor hatte ihr Vater in einem exklusiven und teuren Internat in Sussex Latein und Französisch unterrichtet. Die Arbeit war zwar angenehm, jedoch keine große Herausforderung, und ihm war der Gesprächsstoff mit den nerzbemäntelten Müttern seiner betuchten Schützlinge ausgegangen.

Er hatte sich immer danach gesehnt, am Meer zu wohnen, seit er als Junge die Ferien in Cornwall verbracht hatte. Deshalb bewarb er sich sofort, als die Stelle eines Altphilologen am humanistischen Gymnasium von Fourbourne vakant wurde, sehr zum Kummer des Internatsrektors, der das Gefühl hatte, der intelligente junge Mann sei zu Höherem berufen, als den Söhnen von Bauern, Ladenbesitzern und Bergbauingenieuren klassische Bildung einzutrichtern.

Aber Ronald Waring war hartnäckig. Anfangs hatten er und Flora in möblierten Zimmern in Fourbourne gewohnt, und ihre erste Erinnerung an Cornwall war diese kleine Industriestadt, umgeben von einer öden Landschaft, gespickt mit alten Zechen, die wie abgebrochene Zähne vor dem Horizont aufragten.

Aber als sie erst einmal heimisch geworden waren und ihr Vater in der neuen Stelle Fuß gefaßt hatte, kaufte er ein altes Auto, und an den Wochenenden machten Vater und Tochter sich auf die Suche nach einem anderen Ort zum Wohnen.

Schließlich waren sie der Wegbeschreibung des Immobilienmaklers in Penzance gefolgt, hatten die Straßen von St. Ives hinaus nach Lands End genommen, und nachdem sie zweimal falsch abgebogen waren, holperten sie einen steilen, dornenüberwucherten Weg entlang, der zum Meer führte. Sie bogen um eine letzte Kurve, überfuhren einen Bach, der ständig die Straße überflutete, und kamen zum Seal Cottage.

Es war ein bitterkalter Wintertag. Das Haus war baufällig, verfügte weder über fließendes Wasser noch über sanitäre Anlagen, und als sie schließlich die verzogene alte Tür aufgestemmt hatten, wimmelte es von Mäusen. Aber Flora hatte keine Angst vor Mäusen, und Ronald Waring verliebte sich nicht nur in das Haus, sondern auch in die Aussicht. Er kaufte es am selben Tag, und seither war es ihr Zuhause gewesen.

Anfangs hatten sie ein jämmerlich primitives Leben geführt. Man mußte darum kämpfen, sich warm und sauber zu halten und Essen auf den Tisch zu bekommen. Aber Ronald Waring war nicht nur Altphilologe, sondern auch ein geselliger Mann mit viel Charme. Wenn er in einen Pub ging, wo er niemanden kannte, hatte er sich, wenn er ging, mit mindestens einem halben Dutzend Leuten angefreundet.

So fand er den Maurer, der die Gartenmauer reparierte und den eingesackten Kamin wieder aufbaute. So lernte er Mr. Pincher kennen, den Schreiner, und Tom Roberts, dessen Neffe Klempner war und an den Wochenenden Zeit hatte. So machte er die Bekanntschaft von Arthur Pyper und dadurch die von Mrs. Pyper, die jeden Tag würdevoll aus dem Nachbardorf herüberradelte, um Geschirr zu spülen, die Betten zu machen und ein mütterliches Auge auf Flora zu werfen.

Als sie zehn war, wurde Flora, sehr zu ihrem Verdruß, auf ein Internat in Kent geschickt, wo sie blieb, bis sie sechzehn war. Danach lernte sie Steno und Maschineschreiben, und danach machte sie einen Kochkurs für die feine Küche.

Als Köchin nahm sie Jobs in der Schweiz an (im Winter) und in Griechenland (im Sommer). Nach ihrer Rückkehr nach London arbeitete sie als Sekretärin, teilte sich mit einer Freundin eine Wohnung, wartete an Bushaltestellen, kaufte in der Mittagspause ein. Sie ging mit verarmten jungen Männern aus, die sich zu staatlich geprüften Bilanzbuchhaltern ausbilden ließen, und mit etwas weniger verarmten jungen Männern, die im Begriff waren, Boutiquen aufzumachen. Und dazwischen fuhr sie im Urlaub mit dem Zug nach Cornwall und zurück, half beim Frühjahrsputz und beim Braten des Weihnachtstruthahns.

Aber Ende des letzten Jahres, nach einer Grippe und einer unbefriedigenden Liebesgeschichte, war sie die Großstadt leid geworden. Sie fuhr über Weihnachten nach Cornwall und mußte nicht groß überredet werden, dort zu bleiben. Es war ein wunderbares, entspanntes Jahr gewesen. Als der Winter einem besonders schönen und zeitigen Frühling wich und der Frühling sich in den Sommer verwandelte, konnte sie bleiben und alles miterleben; keine Frist war ihr gesetzt, kein Tag im Kalender zeigte an, wann sie die Koffer packen und in die Tretmühle zurück mußte.

Sie nahm Arbeit an – zum Zeitvertreib und um etwas Geld zu verdienen –, aber immer nur vorübergehend, anspruchslose und im allgemeinen ganz amüsante Arbeit: Narzissen pflücken für einen Gärtner, der den einheimischen Markt belieferte, kellnern in einer Kaffeebar, Kaftane an Sommertouristen verkaufen, die ihr Geld unbedingt loswerden wollten.

Im Kaftanladen hatte sie Marcia kennengelernt und auf einen Drink ins Seal Cottage mitgenommen. Sie hatte mit ungläubiger Freude beobachtet, wie es zwischen Marcia und ihrem Vater sofort funkte. Und das war, wie sich bald herausstellte, keine vorübergehende Laune.

Die Liebe brachte Marcia zum Erblühen wie eine Blume, und Floras Vater legte plötzlich soviel Wert auf sein Äußeres, daß er sich sogar aus freien Stücken eine neue Hose kaufte. Während die Beziehung stetig tiefer und stärker wurde, versuchte Flora, sich taktvoll zurückzuziehen, erfand Ausreden, sie nicht bei den Ausflügen in den Pub zu begleiten, und Gründe, abends auszugehen, damit sie Seal Cottage für sich hatten.

Als sie verheiratet waren, fing sie sofort damit an, über ihre Rückkehr nach London zu reden, aber Marcia hatte sie überredet, im Seal Cottage zu bleiben, wenigstens den Sommer über. Das hatte sie auch getan, doch ihre Zeit lief ab. Das war nicht mehr Floras Leben, ebensowenig wie Seal Cottage noch ihr Zuhause war. Im September, das versprach sie sich, würde sie nach London zurückkehren. Im September, sagte sie zu Marcia, räume ich euch alten Turteltauben das Feld.

Jetzt war das alles vorbei. Es lag schon in der Vergangenheit. Und die Zukunft? *Du wirst Glück haben*, hatte Marcia gesagt. *Du bist im Zeichen der Zwillinge geboren, und alle Planeten bewegen sich in die richtige Richtung.*

Aber Flora war sich nicht so sicher. Sie nahm den Brief aus der Jackentasche, der am Morgen gekommen war, den sie geöffnet, gelesen und dann schnell weggesteckt hatte, ehe Marcia danach fragen konnte. Er war von Jane Porter.

Mansfield Mews 8, S. W. 10

Liebste Flora,
etwas ganz Übles ist passiert, und ich hoffe, der Brief erreicht Dich, ehe Du nach London fährst. Betsy, das Mädchen, mit dem ich zusammen wohne, hat einen grauenhaf-

ten Krach mit ihrem Freund gehabt und ist nach zwei Ferientagen in Spanien nach Hause gekommen. Sie ist jetzt hier in der Wohnung, heult die ganze Zeit und wartet offensichtlich darauf, daß das Telefon klingelt, was es nicht tut. Das Bett, das ich Dir versprochen habe, ist also nicht frei. Ich würde Dich liebend gern in einem Schlafsack in meinem Zimmer unterbringen, aber die ganze Atmosphäre ist so geladen und Betsy so total unmöglich, daß ich es meinem schlimmsten Feind nicht zumuten möchte. Ich hoffe, Du kommst irgendwie zurecht, bis Du eine eigene Bude findest. Tut mir schrecklich leid, daß ich Dich im Stich lassen muß, aber ich hoffe, Du verstehst es. Ruf mich auf alle Fälle an, damit wir uns zu einem ausgiebigen Schwatz treffen können. Freue mich so darauf, Dich wiederzusehen, und es tut mir furchtbar, furchtbar leid, aber ich kann nichts dafür.

Alles, alles Liebe
Jane

Flora seufzte, faltete den Brief zusammen und steckte ihn wieder in die Tasche. Sie hatte nichts zu Marcia gesagt, weil Marcia in ihrer neuen Rolle als Ehefrau und Mutter einen erschreckenden Hang entwickelt hatte, sich in alles einzumischen. Hätte sie gewußt, daß Flora ohne Aussicht auf einen Schlafplatz nach London fuhr, hätte sie sich vermutlich geweigert, sie fahren zu lassen. Und als sie sich erst einmal entschlossen hatte, wußte Flora, daß sie es nicht ertragen könnte, ihre Abreise auch nur um einen Tag zu verschieben.

Jetzt erhob sich allerdings die Frage, was zu tun war. Natürlich hatte sie Freunde, aber nach einem Jahr wußte sie nicht recht, was sie machten, wo sie wohnten, nicht einmal, mit wem sie zusammenlebten. Ihre frühere Wohnungsgenossin war inzwischen verheiratet und nach Northumberland gezogen, und sonst gab es niemanden, von dem Flora das Gefühl hatte, sie könne aus heiterem Himmel anrufen und darum bitten, vorübergehend aufgenommen zu werden.

Es war ein Teufelskreis. Sie wollte keine Wohnung mieten, ehe sie eine Stelle gefunden hatte; andererseits war es schwierig, ohne ein Basislager, wo sie ihre Sachen abstellen konnte, bei den Stellenvermittlern die Runde zu machen.

Schließlich fiel ihr das Shelbourne ein, das kleine, altmodische Hotel, in dem sie mit ihrem Vater übernachtet hatte, wenn sie unterwegs zu einem ihrer seltenen Auslandsurlaube waren – etwa zum Skilaufen in Österreich oder zwei Wochen bei einem exzentrischen Freund von Ronald Waring, dem eine baufällige Mühle in der Provence gehörte. Das Shelbourne war nicht elegant, und wenn ihr Vater dort abgestiegen war, ganz bestimmt nicht teuer. Sie würde dort übernachten und morgen mit der Arbeitssuche anfangen.

Es war keineswegs eine perfekte Lösung, sondern eher ein Kompromiß. Und wie Marcia gern sagte, während sie die Krempe von einem Hut abtrennte und an einen anderen nähte, bestand das Leben aus Kompromissen.

Das Shelbourne war ein Überbleibsel aus vergangenen Zeiten. Flora erinnerte es immer an einen alten Kahn, der in einem Staubecken vor Anker lag, während der Strom des Fortschritts vorbeifloß. Es lag an einer schmalen Straße am Ende von Knightsbridge, die früher elegant gewesen war, und wurde langsam erdrückt von neuen Nobelhotels, Bürogebäuden und Wohnhäusern. Aber es behauptete grimmig seinen Platz, wie eine alternde Schauspielerin, die sich weigert abzutreten.

Draußen summte das London von heute: Verkehrsstaus, Autohupen, das Dröhnen der Flugzeuge, der Zeitungsverkäufer an der Ecke, die jungen Mädchen mit den schwarz umrandeten Augen und klappernden Absätzen.

Aber wenn man durch die langsame Drehtür des Shelbourne ging, tat man einen Schritt zurück in die Vergangenheit. Nichts hatte sich verändert – nicht die Topfpalmen, nicht das Gesicht des Portiers; nicht einmal der Geruch, eine Mischung aus Desinfektionsmitteln, Bohnerwachs und Treibhausblumen, ein wenig wie in einem Krankenhaus.

Hinter dem Rezeptionstresen saß dieselbe traurige Frau in ihrem tristen schwarzen Kleid. War es möglich, daß es dasselbe Kleid war? Sie schaute zu Flora auf.

«Guten Abend, Madam.»

«Könnte ich ein Einzelzimmer bekommen, nur für heute nacht?»

«Ich schaue nach...»

Eine Uhr tickte. Flora wartete, ihre Lebensgeister sanken von Augenblick zu Augenblick; sie hatte halb gehofft, das Hotel wäre ausgebucht.

«Ja, Sie können ein Zimmer haben, aber nach hinten hinaus, und ich fürchte...»

«In Ordnung, ich nehme es.»

«Wenn Sie sich bitte eintragen, ich rufe den Hausdiener, damit er Sie hinaufbringt.»

Aber der Gedanke an lange, stickige Flure und ein düsteres Einzelzimmer am äußersten Ende war zuviel für Flora.

«Jetzt noch nicht. Ich muß noch einmal weg. Zum Abendessen», improvisierte sie wild. «Ich komme gegen halb zehn zurück. Machen Sie sich keine Mühe mit dem Gepäck. Lassen Sie es einfach hier in der Halle stehen, bis ich wiederkomme. Ich bringe es dann hinauf.»

«Wie Sie wünschen, Madam. Aber wollen Sie denn Ihr Zimmer nicht sehen?»

«Nein. Es spielt keine Rolle. Es ist bestimmt sehr hübsch...» Sie fühlte sich, als müßte sie ersticken. Alles sah so grauenhaft alt aus. Sie griff nach ihrer Tasche und wich zurück, immer noch Entschuldigungen murmelnd. Fast hätte sie eine Topfpalme umgestoßen, konnte das gute Stück gerade noch retten und floh schließlich hinaus an die frische Luft.

Nach ein paar tiefen Atemzügen fühlte sie sich besser. Es war ein schöner Abend, kühl, aber klar, mit einem blauen Himmel, der sich über den Dächern spannte und über den vereinzelte rosige Wölkchen so träge trieben wie Ballons. Flora steckte die Hände in die Taschen und ging los.

Eine Stunde später war sie mitten in Chelsea, ging nach Süden in Richtung King's Road. Die kleine Straße, gesäumt von hübschen Häusern mit kleinen Läden dazwischen, war ihr vertraut. Neu war dagegen das kleine italienische Restaurant. Vorher war dort ein Schuhmacher gewesen, in dessen verstaubter Auslage Hundeleinen, Koffergurte und äußerst seltsame Plastikhandtaschen herumgelegen hatten.

Das Restaurant hieß Seppi's. Auf dem Kopfsteinpflaster davor standen Lorbeerbäumchen in Kübeln; es hatte eine fröhlich rot-weiß gestreifte Markise und frische, weiß getünchte Wände.

Als Flora näher kam, ging die Tür auf, und ein Mann schleppte einen Tisch heraus, den er auf das Pflaster stellte. Er ging wieder hinein und kam mit zwei kleinen schmiedeeisernen Stühlen, einer rot-weiß karierten Tischdecke und einer Chiantiflasche im Strohmantel zurück. Dann begann er den Tisch zu decken.

Die Brise verfing sich im Tischtuch und brachte es zum Flattern. Der Mann schaute auf und sah Flora. Die dunklen Augen blitzten sie mit einem mediterranen Lächeln an.

«Ciao, Signorina.»

Italiener sind wunderbar, dachte Flora. Das Lächeln, der Gruß gaben ihr das Gefühl, sie sei eine alte Freundin. Kein Wunder, daß sie so erfolgreiche Gastronomen waren.

Sie lächelte. «Hallo. Wie geht's?»

«Phantastisch. Wer könnte sich nach einem solchen Tag anders fühlen? Es ist wie in Rom. Und Sie sehen aus wie eine Italienerin, die den Sommer am Meer verbracht hat. Braungebrannt.» Er machte eine anerkennende Geste, zu der ein Kuß in die Luft und ausgebreitete Fingerspitzen gehörten. «Wunderbar.»

«Danke.» Sie schwieg entwaffnet, aber durchaus willens, dieses erfreuliche Gespräch fortzusetzen. Durch die offene Restauranttür wehten appetitanregende Gerüche – ein Hauch Knoblauch, herrliche rote Tomaten, Olivenöl. Flora merkte, daß sie heißhungrig war. Sie hatte im Zug nicht zu Mittag gegessen, und es kam ihr vor, als sei sie kilometerweit gelaufen, seit sie das Shelbourne verlassen hatte. Die Füße taten ihr weh, sie war durstig.

Sie schaute auf die Uhr. Es war kurz nach sieben. «Haben Sie offen?»

«Für Sie haben wir immer offen.»

Sie akzeptierte das Kompliment und sagte: «Ich möchte nur ein Omelett oder so.»

«Sie, Signorina, bekommen alles, was Sie wollen…» Er trat beiseite und streckte einladend den Arm aus, und Flora folgte der charmanten Aufforderung und ging hinein. Innen war eine kleine Bar, und dahinter erstreckte sich das lange, schmale Restaurant. Gepolsterte Bänke, bezogen mit genopptem orangefarbenen Stoff, zogen sich an den Wänden entlang, davor standen gescheuerte Kiefernholztische mit frischen Blumen und bunten, karierten Servietten darauf. Die Wände waren verspiegelt, auf dem Boden lagen Strohmatten. Nach dem Geklapper, den Gerüchen und lauten italienischen Stimmen zu urteilen, die aus dieser Richtung kamen, befand sich die Küche ganz hinten. Alles war kühl und frisch, und Flora fühlte sich, als sei sie nach einem anstrengenden Tag endlich nach Hause gekommen. Sie bestellte ein Bier und machte sich dann auf die Suche nach der Damentoilette, wo sie sich Gesicht und Hände wusch und sich das Haar kämmte. Im Restaurant wartete der junge Italiener auf sie. Er hatte einen Tisch von der Wand zurückgezogen, so daß sie sich setzen konnte. Das Bier war kühl und sauber eingeschenkt, Schälchen mit Oliven und Nüssen zum Knabbern standen daneben.

«Sind Sie sicher, daß Sie nur ein Omelett wollen, Signorina?» erkundigte er sich, als sie sich setzte. «Wir haben heute abend ausgezeichnetes Kalbfleisch. Meine Schwester Francesca wird es für Sie traumhaft zubereiten.»

«Nein, nur ein Omelett. Aber mit etwas Schinken darin. Und vielleicht einen grünen Salat.»

«Ich mache unsere ganz spezielle Salatsauce.»

Bislang war das Lokal völlig leer gewesen, aber nun öffnete sich die Tür von der Straße her, weitere Gäste kamen herein und setzten sich an die Bar. Der junge Kellner eilte zu ihnen, um die Bestellungen aufzunehmen. Flora nahm einen Schluck von dem eiskalten Bier und fragte sich, ob jede Laufkundin, die zufällig dieses bezaubernde Lokal betrat, derart herzlich begrüßt wurde. Alle sprachen davon, daß London immer unangenehmer werde, daß die Leute abweisend und wenig hilfsbereit seien. Es war herzerwärmend, wenigstens ein Gegenbeispiel zu dieser Entwicklung zu erleben.

Sie stellte das Glas ab, schaute auf und sah ihr Bild in dem langen Spiegel an der Wand gegenüber. Das verschossene Blau ihrer Jeansjacke und das Orangegelb der Lehne hinter ihr waren die Farben van Goghs. Und sie selbst... sie sah ein schmales Mädchen mit kräftigen Zügen, dunkelbraunen Augen und einem Mund, der zu groß für ihr Gesicht war. Sie war gebräunt vom Sommer in Cornwall, die Haut schimmernd und rein, und ihr Haar hatte die Farbe von glänzendem Mahagoni, fiel locker bis auf Kinnlänge, sah aus wie das Haar eines Jungen, das dringend geschnitten werden mußte. Zu den verschossenen Jeans und der Jacke trug sie einen weißen Pullover und eine am Hals verknotete Goldkette. Ihre Hände, die aus den umgeschlagenen Ärmeln hervorschauten, waren schmalgliedrig und gebräunt wie ihr Gesicht.

Ich war zu lange aus London weg, dachte sie. *In dieser lässigen Aufmachung kriege ich nie eine Stelle. Ich muß mir das Haar schneiden lassen. Ich muß...*

Die Tür zur Straße ging auf und wieder zu. Eine junge Frau trat ein, rief «Hi, Pietro!» und kam einen Moment später durch die Bar ins Restaurant. Offensichtlich fühlte sie sich wie zu Hause. Ohne in Floras Richtung zu schauen, blieb sie an dem Tisch neben ihrem stehen, zog ihn von der Wand, um sich Platz zu schaffen, und warf sich dann mit geschlossenen Augen und ausgestreckten Beinen auf die Bank.

So lässig, fast unverschämt waren ihre Bewegungen, daß Flora meinte, sie müsse eine Verwandte der italienischen Familie sein, die das Restaurant betrieb. Vielleicht eine Kusine aus Mailand, die in London arbeitete...

Hi, Pietro. Nein, natürlich keine Italienerin, ganz Amerikanerin. Aus dem New Yorker Zweig der Familie...

Diese interessante Möglichkeit beschäftigte Flora. Weil sie die junge Frau nicht anstarren wollte, musterte sie ihr Bild im Spiegel gegenüber. Sie schaute weg. Und dann wieder hin, so schnell, daß sie spürte, wie ihr Haar gegen ihre Wange wehte. Eine Sinnestäuschung, dachte sie. Eine klassische Sinnestäuschung.

Das Spiegelbild zeigte sie selbst.

Aber es war doch nicht sie, weil zwei Spiegelbilder zu sehen waren.

Die Neue merkte nichts von Floras hypnotisiertem Blick, zog sich einen bunten Seidenschal vom Kopf, schüttelte das Haar zurück, griff dann in eine schwarze Krokotasche, nahm eine Zigarette heraus und zündete sie mit einem Streichholz aus dem Briefchen im Aschenbecher an. Sofort erfüllte der Geruch nach starkem französischen Tabak die Luft. Sie streckte einen gestiefelten Fuß aus, legte ihn ums Tischbein und zog den Tisch zu sich heran. Sie beugte sich vor, wandte den Kopf weg von Flora und rief wieder: «Hi, Pietro!»

Flora konnte den Blick nicht vom Spiegel lösen. Das Haar der anderen war länger als ihres, aber es glänzte und hatte dasselbe Mahagonibraun. Sie war sorgfältig und kunstvoll geschminkt, aber das unterstrich nur noch die kräftigen Züge und den Mund, der für ihr Gesicht zu groß war. Ihre Augen waren dunkelbraun, die dichten Wimpern geschwärzt mit Wimperntusche. Sie griff nach dem Aschenbecher, und Flora sah den funkelnden Ring mit einem riesigen Stein und die scharlachroten Nägel, aber die Hände waren schlank und schmalgliedrig, genauso geformt wie Floras.

Sie waren sogar ähnlich angezogen, trugen beide Jeans und

Pullover. Aber der Pullover der anderen war aus Kaschmir, und ihre Jacke, die sie jetzt abgelegt hatte, aus dunklem, schimmerndem Nerz.

Der junge Kellner, der die Gäste an der Bar bedient hatte, reagierte auf ihren Ruf und kam fast im Laufschritt herüber.

«Signorina, ich bin untröstlich, ich dachte...»

Langsam erstarrte er, seine Bewegungen, seine Worte, seine Stimme schienen zum Stillstand zu kommen wie ein altmodisches Grammophon, das man aufzuziehen vergessen hat.

Nach einer kleinen Pause sagte die junge Frau, die neben Flora saß: «Okay, was haben Sie gedacht? Es muß Ihnen doch klar sein, daß ich was zu trinken möchte.»

«Aber ich habe gedacht... Ich meine, ich habe doch schon...» Er war bleich geworden. Seine dunklen Augen wanderten vorsichtig zu Floras Gesicht. Er war so offensichtlich erschüttert, daß Flora nicht überrascht gewesen wäre, wenn er sich bekreuzigt oder die unheimliche mediterrane Geste gemacht hätte, die den bösen Blick abwehren soll.

«Pietro, um Himmels willen...»

Aber mitten in diesem kleinen, entnervten Ausbruch schaute sie auf und sah Flora, die sie im Spiegel beobachtete.

Das Schweigen schien ewig zu währen. Schließlich sprach Pietro als erster. «Es ist verblüffend», murmelte er, beinahe ergriffen. «Es ist verblüffend.»

«Kann man wohl sagen, daß das verblüffend ist», sagte die junge Frau. Sie klang nicht mehr annähernd so selbstsicher wie vorher.

Aber Flora fiel nichts ein, was sie hätte sagen können.

Pietro schüttelte fassungslos den Kopf. «Aber Signorina Schuster, als die andere Signorina hereinkam, habe ich gedacht, das sind Sie.» Er wandte sich Flora zu. «Es tut mir leid. Sie müssen mich für aufdringlich gehalten haben, aber natürlich habe ich Sie mit Signorina Schuster verwechselt, sie kommt oft hierher, aber ich habe sie eine Weile nicht gesehen, und…»

«Ich habe Sie nicht für aufdringlich gehalten. Nur für ausgesprochen nett.»

Die junge Frau mit den langen Haaren starrte Flora immer noch an. Ihre dunklen Augen wanderten über Floras Gesicht wie die eines Experten, der ein Porträt beurteilt. Jetzt sagte sie: «Sie sehen genauso aus wie ich», und es klang sogar eine Spur verärgert, als wäre das ein Affront.

Flora hatte das Gefühl, sie müsse sich verteidigen. «Und Sie sehen wie ich aus», sagte sie milde. «Wir ähneln uns.» Sie schluckte, weil sie immer noch durcheinander war. «Ich glaube, wir klingen vermutlich sogar ähnlich.»

Das wurde sofort von Pietro bestätigt, der immer noch wie angewurzelt dastand und den Kopf hin- und herwandte, als verfolge er ein Tennismatch.

«Das stimmt. Sie haben dieselbe Stimme, dieselben Augen. Sogar dieselbe Kleidung. Ich hätte das nie geglaubt, wenn ich es nicht selbst gesehen hätte. Mamma mia, Sie könnten Zwillinge sein. Sie sind…» Er schnippte mit den Fingern, suchte nach dem richtigen Wort. «Sie sind gleich. Sie wissen schon?»

«Eineiig», sagte Flora rundheraus.

«Genau! Eineiig! Es ist phantastisch!»

«Eineiige Zwillinge?» fragte die andere vorsichtig.

Die Verblüffung, mit der sie sich gegenseitig anstarrten, fiel schließlich auch Pietro auf.

«Sie meinen, Sie haben sich noch nie gesehen?»

«Noch nie.»

«Aber Sie müssen Schwestern sein.»

Er legte sich die Hand aufs Herz. Plötzlich sah es so aus, als könne er nichts mehr verkraften. Flora fragte sich schon, ob er ohnmächtig werden würde, doch sie hatte ihn unterschätzt. «Ich werde eine Flasche Champagner öffnen», verkündete er. «Auf Kosten des Hauses. Und ich trinke ein Glas mit, denn ein solches Wunder habe ich noch nie erlebt. Warten Sie hier…» fügte er hinzu und rückte überflüssigerweise die Tische näher an sie heran, als befürchte er, sie könnten weglaufen. «Rühren Sie sich nicht von der Stelle. Warten Sie hier», und er stürzte zurück an die Bar, das gestärkte weiße Jackett knisternd vor Wichtigkeit.

Sie hörten ihn kaum, merkten kaum, daß er ging. Schwestern. In Floras Kehle saß plötzlich ein merkwürdiger Kloß. Sie zwang sich, es auszusprechen. «Schwestern?»

«Zwillingsschwestern», verbesserte die andere. «Wie heißen Sie?»

«Waring. Flora Waring.»

Die andere schloß die Augen und schlug sie wieder auf, ganz langsam. Als sie sprach, klang ihre Stimme mühsam beherrscht: «So heiße ich auch. Aber ich bin Rose.»

Rose

«Rose Waring?»

«Genaugenommen nicht. Eigentlich Rose Schuster. Ich führe Waring als zweiten Namen, weil mein Vater so hieß, aber mein Stiefvater heißt Harry Schuster. Und er ist schon seit vielen Jahren mein Stiefvater, deshalb habe ich immer Schuster geheißen. Waring ist mein zweiter Name.» Sie brach ab, war offenbar außer Atem gekommen. Sie schauten sich immer noch an, nach wie vor verblüfft, aber mit wachsender Vertrautheit.

«Wissen Sie, wer Ihr richtiger Vater war?» fragte Flora schließlich.

«Ich habe ihn nie gekannt. Er und meine Mutter haben sich getrennt, als ich ein Baby war. Ich glaube, er war Lehrer.»

Flora dachte an ihren Vater. Mit seiner ausweichenden und zerstreuten Art konnte er einen zum Wahnsinn treiben, aber er war immer ehrlich und aufrichtig. *Das ist ausgeschlossen,* dachte sie. *Es ist ausgeschlossen, daß er so etwas getan und mir nie etwas davon erzählt hat.*

Das Schweigen zwischen den beiden Mädchen zog sich in die Länge. Rose hatte offenbar nichts mehr zu sagen. Flora suchte angestrengt nach Worten.

«Ihre Mutter. Hieß sie…» Der Name, selten erwähnt, trieb aus ihrem Unterbewußtsein herauf. «Pamela?»

«Stimmt.»

«Wie alt sind Sie?»

«Zweiundzwanzig.»

«Wann haben Sie Geburtstag?»

«Am siebzehnten Juni.»

Das war der endgültige Beweis. «Ich auch.»

«Ich bin im Zeichen der Zwillinge geboren», sagte Rose,

und es hatte etwas Verstörendes, mit welcher Selbstverständlichkeit sie Marcias Worte vom selben Morgen wiederholte. Sie lächelte. «Das könnte nicht passender sein, meinst du nicht auch?»

Mein Zwilling. Meine Schwester. «Aber was ist passiert?» fragte Flora.

«Ganz einfach. Sie haben beschlossen, sich zu trennen, und jeder hat ein Kind behalten.»

«Aber hast du je die leiseste Ahnung davon gehabt?»

«Nicht die leiseste. Du?»

«Nein. Deshalb bin ich ja so erschüttert.»

«Wieso sollte dich das erschüttern? Das ist doch ein ganz normales menschliches Verhalten. Schön ordentlich, äußerst fair.»

«Ich finde, sie hätten es uns sagen müssen.»

«Wozu wäre das gut gewesen? Was für einen Unterschied hätte es gemacht?»

Es war klar, daß Rose die Situation mehr amüsierte als niederschmetterte. «Ich finde es irrsinnig komisch», fuhr sie fort. «Und am allerkomischsten ist, daß wir unseren Eltern auf die Schliche gekommen sind. Und was für ein sagenhafter Zufall, daß wir uns einfach so über den Weg gelaufen sind. Aus heiterem Himmel. Warst du schon mal in diesem Restaurant?»

«Noch nie.»

«Du meinst, du bist einfach so hereingekommen?»

«Ich bin erst heute abend in London angekommen. Im letzten Jahr war ich in Cornwall.»

«Das macht es ja noch unglaublicher. In dieser ganzen Riesenstadt...» Sie breitete die Hände aus und ließ den Satz in der Luft hängen.

«Es heißt immer», sagte Flora, «daß London aus einem Haufen Dörfern besteht. Ich nehme an, wenn man sich an das eigene Dorf hält, trifft man zwangsläufig Leute, die man kennt.»

«Das kann man wohl sagen. Geh zu Harrod's, und du stolperst pausenlos über Bekannte. Aber das hier ist trotzdem das Unglaublichste, was mir je passiert ist.» Sie warf das Haar aus der Stirn mit einer Geste, die Flora ein wenig erschrocken als ihre eigene erkannte. «Was hast du in Cornwall gemacht?» fragte Rose, als täte das etwas zur Sache.

«Mein Vater und ich sind zusammen hingezogen. Er wohnt immer noch dort und unterrichtet.»

«Du meinst, er ist immer noch Lehrer?»

«Ja, er ist immer noch Schulmeister.» Es war grotesk, daß sie so vollkommen durcheinander war. Sie beschloß, den unheimlichen Zufall so sachlich zu behandeln, wie Rose das tat. «Und wie ist es dir ergangen?» fragte sie und fand, daß sie fremd klang, wie jemand auf einer förmlichen Cocktailparty.

«Mutter hat wieder geheiratet, als ich zwei war. Er heißt Harry Schuster und ist Amerikaner, aber er hat den größten Teil seines Lebens für eine amerikanische Firma in Europa gearbeitet.»

«Du bist also in Europa aufgewachsen?»

«Und ob. Wenn es nicht Paris war, dann war es Rom, wenn es nicht Rom war, dann Frankfurt. Du weißt, wie das ist…»

«Ist er nett? Mr. Schuster, meine ich.»

«Ja. Lieb.»

Und ungeheuer reich, dachte Flora und musterte den Nerz, den Kaschmir und die Krokotasche. Pamela, die dem armen Schulmeister davongelaufen war, hatte es beim zweitenmal viel besser getroffen.

Sie dachte an etwas anderes. «Hast du Geschwister?»

«Nein. Und du?»

«Ich bin auch ein Einzelkind und werde es wohl bleiben. Pa hat eben wieder geheiratet. Sie heißt Marcia, und sie ist sehr nett, aber nicht mehr ganz jung.»

«Wie sieht dein Vater aus?»

«Groß. Der typische Gelehrte, nehme ich an. Sehr lieb. Er trägt eine Hornbrille und ist vergeßlich.» Sie zögerte und fügte hinzu: «Und ausgesprochen wahrheitsliebend. Deshalb finde ich das alles ja so unglaublich.»

«Er hat dich noch nie mit einem Lügenmärchen abgespeist?»

Flora war leicht schockiert. «Ich hätte mir nie vorstellen können, daß er fähig ist, die Wahrheit zu unterschlagen, von einer Lüge ganz zu schweigen.»

«Er muß was Besonderes sein.» Rose drückte die Zigarette aus, zerrieb sie nachdenklich inmitten des Aschenbechers zu Krümeln. «Meine Mutter ist absolut dazu in der Lage, die Wahrheit zu unterschlagen, und auch dazu, eine faustdicke Lüge zu erzählen. Aber sie kann ganz reizend sein. Wenn sie will!»

Wider Willen lächelte Flora, weil Roses Schilderung dem, was sie sich immer vorgestellt hatte, so genau entsprach.

«Ist sie hübsch?» fragte sie.

«Superschlank und jugendlich. Nicht schön, aber alle Welt hält sie dafür. Es ist eine Art Zaubertrick.»

«Ist sie… ist sie jetzt in London?» Noch während sie die Frage stellte, dachte sie: *Wenn sie hier ist und ich ihr begegne, was werde ich dann sagen? Was werde ich tun?*

«Nein, sie ist in New York. Sie, Harry und ich waren auf einer Amerikareise; ich bin erst letzte Woche nach Heathrow zurückgeflogen. Sie wollte, daß ich bleibe, aber ich mußte herkommen, weil…» Sie brach ab, griff nach einer Zigarette und wühlte in ihrer Handtasche nach dem Feuerzeug. «Ach, aus verschiedenen Gründen.»

Flora wartete voller Hoffnung darauf, die Gründe zu erfahren, aber sie wurden von Pietro unterbrochen, der mit dem Champagner und drei Gläsern zurückkam. Mit einer gewissen Theatralik entkorkte er die Flasche und schenkte ein, wanderte mit dem Flaschenhals von Glas zu Glas, ohne einen Tropfen zu verschütten. Schließlich wischte er die Flasche mit einer gestärkten Serviette ab und griff nach seinem Glas.

«Auf das Wiedersehen. Auf Schwestern, die sich gefunden haben. Ich glaube, das ist eine Fügung Gottes.»

«Danke», sagte Flora. «Prost», sagte Rose. Pietro ging mit feuchten Augen davon, und der Rest der Flasche blieb ihnen überlassen. «Vermutlich kriegen wir einen ganz schönen Schwips, aber das macht nichts. Wo waren wir?»

«Du hast gesagt, daß du aus den Staaten nach London zurückgekommen bist.»

«O ja. Aber jetzt überlege ich mir, ob ich nach Griechenland fliege. Vielleicht morgen oder übermorgen. Ganz schlüssig bin ich mir noch nicht.»

Es klang nach einem wunderbaren Jet-set-Leben, von Augenblick zu Augenblick.

«Wo wohnst du?» fragte Flora, darauf gefaßt, daß vom Connaught oder vom Ritz die Rede war. Aber offenbar brachte Harry Schusters Job außer den Apartments in Paris, Frankfurt und Rom auch eine Wohnung in London mit sich. Die Londoner Wohnung war in Cadogan Gardens. «Gleich um die Ecke», sagte Rose beiläufig. «Ich komme hierher, wenn ich was essen will. Und du?»

«Du meinst, wo ich wohne? Im Augenblick nirgends. Wie gesagt, ich bin erst heute aus Cornwall gekommen. Ich wollte bei einer Freundin wohnen, aber das hat nicht geklappt, ich muß mir also eine Wohnung suchen. Ich muß mir auch einen Job suchen, aber das ist eine andere Geschichte.»

«Wo übernachtest du heute?»

Flora erzählte ihr vom Shelbourne, dem in der Halle abgestellten Gepäck, den Topfpalmen und der erstickenden Atmosphäre. «Ich hatte ganz vergessen, wie deprimierend das ist. Aber das macht nichts, es ist ja nur für eine Nacht.»

Ihr wurde bewußt, daß Rose sie mit einem kühlen und nachdenklichen Ausdruck in den dunklen Augen musterte. (Sehe ich je so aus? fragte sich Flora. Das Wort *berechnend* ging ihr durch den Kopf und mußte hastig unterdrückt werden.)

Dann sagte Rose: «Geh nicht in diese Kaschemme zurück.» Flora starrte sie an. «Das ist mein Ernst. Wir essen hier was, dann treiben wir ein Taxi auf und holen dein Gepäck, und dann fahren wir in Harrys Wohnung. Dort kannst du erst mal bleiben. Sie ist riesig, hat jede Menge Betten. Außerdem, wenn ich morgen nach Griechenland fliege und wir noch soviel zu besprechen haben, brauchen wir eine ganze Nacht für uns. Es ist sowieso alles ausgesprochen günstig; du kannst in der Wohnung bleiben, wenn ich weg bin. Du kannst dort bleiben, bis du was anderes gefunden hast.»

«Aber...» Flora merkte, daß sie aus einem unerfindlichen Grund nach Einwänden gegen diesen scheinbar so praktischen Plan suchte. «Aber macht das denn niemandem etwas aus?» war alles, was ihr einfiel.

«Wem sollte das etwas ausmachen? Ich sage dem Pförtner Bescheid. Harry ist alles recht, was ich mache. Und Mutter...» Irgend etwas erheiterte sie. Sie beendete den Satz nicht und fing an zu lachen. «Was würde sie sagen, wenn sie uns jetzt sehen könnte? Wir sind uns begegnet, freunden uns an. Was würde deiner Meinung nach dein Vater dazu sagen?»

Flora schreckte vor dem Gedanken zurück. «Das kann ich mir nicht vorstellen.»

«Wirst du ihm sagen, daß wir uns gefunden haben?»

«Ich weiß nicht. Vielleicht. Eines Tages.»

«War das grausam?» fragte Rose, plötzlich nachdenklich. «Eineiige Zwillinge zu trennen. Es heißt, daß eineiige Zwillinge die beiden Hälften desselben Menschen sind. Vielleicht war unsere Trennung so, wie wenn man einen Menschen in zwei Hälften schneidet.»

«Dann haben sie uns vielleicht einen Gefallen getan.»

Roses Augen wurden schmal. «Ich frage mich», sagte sie, «warum meine Mutter mich wollte und dein Vater dich.»

«Vielleicht haben sie eine Münze geworfen.» Flora sprach unbeschwert, aber aus irgendeinem Grund ertrug sie den Gedanken daran nicht.

«Wäre alles andersherum gekommen, wenn die Münze anders gefallen wäre?»

«Es wäre jedenfalls ganz anders gewesen.»

Anders. Sie dachte an ihren Vater, an Seal Cottage im winterlichen Kaminfeuer, an den teerigen Geruch von brennendem Treibholz. Sie dachte an den zarten Vorfrühling und an das Meer im Sommer, auf dem die Sonnenstrahlen tanzten. Sie dachte an Rotwein in einer Karaffe mitten auf dem blankgescheuerten Tisch, an die tröstlichen Klänge von Beethovens Pastorale, die aus dem Plattenspieler donnerten. Und jetzt erinnerte sie sich an die herzliche und liebevolle Gegenwart von Marcia.

«Hättest du es anders haben wollen?» fragte Rose.

Flora lächelte. «Nein.»

Rose griff nach dem Aschenbecher und drückte die Zigarette aus. Sie sagte: «Ich auch nicht. Ich hätte nicht das geringste daran ändern wollen.»

Jetzt war Freitag.

In Edinburgh hatte sich die Sonne nach einem Morgen voller Wolken und Regen endlich durch den trüben Dunst geschoben, der Himmel klarte auf, und die Stadt glitzerte im strahlenden Herbstlicht. Im Norden, jenseits vom tiefen Indigoblau des Firth of Forth, erstreckten sich die Hügel von Fife gelassen unter einem blaßblauen Himmel. Auf der anderen Seite der Princes Street glühten in den städtischen Blumenbeeten in den Waverly Gardens feurige Dahlien, und jenseits der Eisenbahnlinie stiegen die Felsen an zur eindrucksvollen Silhouette der Burg mit der fernen, wehenden Fahne.

Antony Armstrong, der aus seinem Büro am Charlotte Square kam, war völlig überrascht von der Schönheit des Nachmittags. Weil er sich am Montag freinehmen wollte, hatte er am Morgen besonders viel zu tun gehabt. Er hatte das Mittagessen ausfallen lassen, hatte nicht einmal aus dem Fenster geschaut, sondern einfach durchgearbeitet.

Mit sorgenvoller Miene eilte er zu seinem Wagen. Er wollte unbedingt den nächsten Flug nach London erreichen und sich auf die Suche nach Rose machen. Doch plötzlich blieb er stehen und sah sich um. Er bemerkte die Sonne, die sich auf dem immer noch feuchten Pflaster widerspiegelte, die glitzernden, kupferfarbenen Blätter der Bäume auf dem Platz und den Geruch. Es war ein ländlicher Geruch, nach Herbst – eine Andeutung von Torf, Heide und der Wildnis der Hochebenen. Der Duft wehte mit einer frischen Brise von den gar nicht so weit entfernten Bergen herein. Antony stand mit dem Regenmantel über der Schulter und einer Übernachtungstasche in der Hand auf dem Pflaster, atmete tief ein und fühlte sich an Fernrigg und Tuppy erinnert. Es half ihm dabei, sich zu entspannen und nicht mehr so ängstlich zu sein.

Doch er hatte keine Zeit zu vergeuden, deshalb holte er sein Auto, fuhr nach Turnhouse, parkte das Auto wieder und checkte am Abflugschalter ein. Dann, weil er noch eine halbe Stunde Zeit hatte, bis sein Flug aufgerufen wurde, ging er auf ein Sandwich und ein Glas Bier nach oben.

Der Barkellner war ein alter Bekannter, ihm von vielen Geschäftsreisen nach London vertraut.

«Hab Sie eine ganze Weile nicht mehr gesehen, Sir.»

«Nein. Es muß einen Monat oder länger hersein.»

«Schinken oder Ei?»

«Geben Sie mir von jedem eins.»

«Wieder mal nach London?»

«Stimmt.»

Der Barkellner lächelte wissend. «Geht nichts über ein freies Wochenende.»

«Vielleicht wird gar kein Wochenende daraus. Vielleicht komme ich morgen zurück. Es kommt ganz darauf an.»

«Machen Sie sich doch ein schönes Wochenende und amüsieren Sie sich.» Er schob den Krug mit Export über den Tresen. «In London ist herrliches warmes Wetter.»

«Hier ist es auch nicht so übel.»

«Nein, es sieht nach einem schönen Nachmittag aus. Sie werden bestimmt einen angenehmen Flug haben.»

Er wischte den Tresen ab und wandte sich einem anderen Gast zu. Antony trug das Bier und die Sandwiches zu einem Tisch am Fenster, verstaute Regenmantel und Tasche und zündete sich eine Zigarette an.

Durchs Fenster, jenseits der Terrassenbrüstung, sah er die Berge mit den vom Wind getriebenen Wolken darüber. Er war hungrig. Das Bier und die Sandwiches warteten. Während er dasaß, zuschaute, wie die Wolkenschatten über die Pfützen auf den Start- und Landebahnen jagten, vergaß er seinen Hunger und beschäftigte sich in Gedanken wieder mit Rose. Dazu bedurfte es keiner besonderen Anstrengung. Wenn es um Rose ging, schienen seine Gedanken einen eigenen Willen zu entwickeln. Unaufhörlich kreisten sie um dieselben Fragen, wie Hamster im Laufrad.

Als wäre es eine Lösung für sein Dilemma, griff er in die Jackentasche und holte ihren Brief heraus, obwohl er ihn schon so oft gelesen hatte, daß er ihn auswendig konnte. Er steckte nicht in einem Umschlag, schlicht und einfach, weil er nicht in einem Umschlag angekommen war, sondern in einem schlampigen Päckchen, das eine Schatulle enthielt. Darin lag der Diamant-und-Saphir-Ring, den Antony ihr gekauft hatte.

Er hatte ihn ihr vor vier Monaten im Restaurant des Hotels Connaught gegeben. Sie waren mit dem Essen fertig, der Kellner brachte Kaffee, und irgendwie, ganz plötzlich, war der Augenblick gekommen: der richtige Zeitpunkt, der richtige Ort, die richtige Frau. Wie ein Zauberkünstler hatte Antony die Schatulle aus der Tasche geholt, sie geöffnet und das Licht auf den Juwelen funkeln lassen.

Rose hatte sofort gesagt: «Was für ein hübscher Ring.»

«Er ist für dich», sagte Antony.

Sie schaute ihm in die Augen, ungläubig, geschmeichelt, aber etwas anderes lag auch noch in ihrem Blick. Er hatte nicht ausmachen können, was dieses andere war.

«Es ist ein Verlobungsring», fuhr er fort. «Ich habe ihn heute morgen gekauft.» Aus irgendeinem Grund war es wichtig gewesen, daß er den Ring in der Hand hielt, während er sie fragte, ob sie ihn heiraten wolle, als hätte er gewußt, daß sie diesen materiellen Anreiz brauchte. «Ich glaube – und ich hoffe, du glaubst es auch –, ich glaube, wir sollten heiraten.»

«Antony.»

«Sag das nicht so vorwurfsvoll.»

«Ich sage das nicht vorwurfsvoll. Ich bin nur überrascht.»

«Du kannst wohl kaum sagen: ‹Das kommt so plötzlich.› Schließlich kennen wir uns seit fünf Jahren.»

«Aber nicht richtig.»

«Ich habe das Gefühl, als ob es so wäre.»

Und in jenem Augenblick war Antony tatsächlich so zumute. Aber ihre Beziehung war ungewöhnlich, und am ungewöhnlichsten daran war, wie Rose immer wieder in seinem Leben auftauchte – ihm über den Weg lief, wenn er es am wenigsten erwartete, als wäre die ganze Beziehung vom Schicksal vorherbestimmt.

Und doch, als er ihr zum erstenmal begegnet war, hatte sie überhaupt keinen Eindruck auf ihn gemacht. Aber damals war er fünfundzwanzig gewesen und hatte mitten in einer Liebesgeschichte mit einer Schauspielerin gesteckt, die eine Saison lang in Edinburgh gastierte. Und Rose war erst siebzehn gewesen. Ihre Mutter, Pamela Schuster, hatte das Strandhaus in Fernrigg für einen Sommerurlaub gemietet. Antony, über das Wochenende zu Hause, begleitete Tuppy zu einem Picknick an den Strand, wurde vorgestellt und schließlich auf einen Drink ins Strandhaus eingeladen. Die Mutter war charmant und äußerst attraktiv, aber aus irgendeinem Grund hatte Rose an jenem Nachmittag schlechte Laune gehabt. Antony hatte ihre langbeinige Staksigkeit genausowenig gereizt wie ihr schmollender Ausdruck und die einsilbigen Antworten, die er bekam, wenn er versuchte, ein Gespräch anzufangen. Als er das nächste Mal einen Wochenendbesuch in Fernrigg machte, waren sie und ihre Mutter abgereist, und er verschwendete keinen weiteren Gedanken an die Schusters.

Aber dann, als er vor einem Jahr geschäftlich in London gewesen war, hatte er Rose mit einem ernsten jungen Amerikaner mit randloser Brille in der Bar des Savoy getroffen. Als er sie sah, konnte Antony kaum glauben, daß es dasselbe Mädchen war. Sie war schlank, sah phantastisch aus und zog die offene oder verstohlene Aufmerksamkeit jedes männlichen Wesens im Raum auf sich.

Antony ging hin und stellte sich vor, und Rose, vielleicht gelangweilt von ihrem unendlich ernsthaften Begleiter, reagierte mit einer Freude, die ihm schmeichelte. Sie sagte, ihre Eltern machten in Südfrankreich Urlaub. Sie fliege morgen nachmittag zu ihnen. Das hatte ein angenehmes Gefühl der Dringlichkeit geschaffen, und Rose ließ denn auch ohne viel Aufhebens ihren Amerikaner sitzen und ging mit Antony zum Abendessen. «Wann kommen Sie aus Südfrankreich zurück?» wollte er wissen, schon jetzt schlecht gelaunt bei dem Gedanken, sich von ihr verabschieden zu müssen.

«Ich weiß es nicht. Darüber habe ich noch gar nicht nachgedacht.»

«Sind Sie denn nirgends angestellt?»

«Ach, ich wäre in jedem Job unnütz. Ich bin nie pünktlich und kann nicht tippen, also wäre ich bloß eine Last für alle. Außerdem habe ich es nicht nötig. Und würde bloß jemandem, der es verdient hat, die Butter vom Brot nehmen.»

Antonys schottisches Gewissen veranlaßte ihn zu der Feststellung: «Sie sind eine Drohne. Eine Schande für die Gesellschaft.» Aber er sagte es lächelnd, weil sie ihn amüsierte, und Rose nahm keinerlei Anstoß daran.

«Ich weiß.» Sie überprüfte in dem kleinen Spiegel, den sie aus ihrer Handtasche gefischt hatte, ihr kunstvolles Augen-Make-up. «Ist das nicht schrecklich?»

«Sagen Sie mir Bescheid, wenn Sie aus Südfrankreich zurückkommen.»

«Selbstverständlich.» Sie klappte die Puderdose zu. «Ganz bestimmt.»

Aber sie hatte ihm nicht Bescheid gesagt. Antony hatte keine Ahnung, wo sie wohnte, und keine Londoner Adresse, deshalb konnte er sich nicht mit ihr in Verbindung setzen. Er schaute unter Schuster im Telefonbuch nach, doch die Nummer war nicht eingetragen. Diskret holte er bei Tuppy Erkundigungen ein, aber Tuppy konnte sich nur daran erinnern, daß die Schusters das Strandhaus gemietet hatten, und wußte nicht, unter welcher Adresse sie zu erreichen waren.

«Warum willst du das wissen?» Ihre Stimme am Telefon klang neugierig.

«Ich habe Rose in London wiedergetroffen. Ich möchte mich bei ihr melden.»

«Bei Rose? Diesem hübschen Kind? Wie spannend.»

Als Antony sie wiedergefunden hatte, fing der Sommer an. In Londons Gärten duftete der Flieder, und ein Schleier aus eben erst grünenden Blättern überzog die Parks.

Antony war wieder einmal im Süden, um Gespräche mit einem Kunden seiner Firma zu führen. Beim Mittagessen bei Scott's im Strand traf er einen alten Schulfreund, der ihn zu einer Party am selben Abend einlud. Der Freund wohnte in Chelsea, und als Antony die Wohnung im obersten Stockwerk betrat, war Rose der erste Mensch, den er sah.

Rose. Er wußte, eigentlich hätte er wütend auf sie sein müssen, aber statt dessen setzte sein Herz einen Schlag aus. Sie trug einen Anzug aus blauem Leinen, Schuhe mit hohen Absätzen, und das lange Haar fiel ihr offen auf die Schultern. Sie sprach mit einem Mann, doch Antony machte sich gar nicht erst die Mühe, ihn näher zu betrachten. Sie war hier. Er hatte sie gefunden. Das Schicksal hatte sich eingeschaltet. Das Schicksal wollte nicht, daß sie getrennt blieben. Antony, aufgewachsen in den Highlands, glaubte fest an das Schicksal.

Er nahm einen Drink von einem vorbeigetragenen Tablett und ging hin, um Rose mit Beschlag zu belegen.

Dieses Mal war es vollkommen. Er hatte drei Tage in London, und sie fuhr nicht nach Südfrankreich. Soweit er feststellen konnte, fuhr sie nirgendshin. Ihre Eltern waren in New York, wo sich Rose mit ihnen treffen wollte – irgendwann. Nicht gleich. Sie wohnte im Apartment ihres Vaters in Cadogan Court. Antony meldete sich in seinem Club ab und zog ebenfalls ein.

Alles ging gut. Sogar das Wetter lächelte ihnen zu. Tagsüber schien die Sonne, Fliederzweige neigten sich vor dem blauen Himmel, Fensterkästen quollen über vor Blumen, und stets schienen die besten Plätze in Restaurants auf sie zu warten. Nachts segelte ein runder, silberner Mond über den Himmel und tauchte die Stadt in romantisches Licht. Antony gab in vollen Zügen Geld aus, und die untypische Orgie der Verschwendung gipfelte in jenem Morgen, an dem er zu einem Juwelier in der Regent Street ging und den Ring mit den Diamanten und Saphiren kaufte.

Sie waren verlobt. Er konnte es kaum glauben. Damit es wahr wurde, schickten sie ein Telegramm nach New York und riefen in Fernrigg an. Tuppy staunte, war aber begeistert. Sie sehnte sich schon lange danach, daß Antony heiratete und einen Hausstand gründete.

«Du mußt sie herbringen. Es ist so lange her, seit sie hier war. Ich kann mich kaum noch daran erinnern, wie sie aussieht.»

Antony schaute Rose an und sagte: «Sie ist schön. Das Schönste, was es auf der Welt gibt.»

«Ich kann es nicht erwarten, sie wiederzusehen.»

«Sie sagt, sie kann es nicht erwarten», berichtete er Rose.

«Ich fürchte, sie wird eine Weile warten müssen, Schatz. Ich muß erst noch nach Amerika. Ich habe es meiner Mutter und Harry versprochen. Er hat so tolle Pläne gemacht, und er regt sich immer furchtbar auf, wenn er sie ändern muß. Ich muß hin. Erklär es Tuppy.»

Antony erklärte es. «Wir kommen bestimmt», versprach er. «Später, wenn Rose zurück ist. Ich bringe sie nach Fernrigg, und du kannst sie richtig kennenlernen.»

Rose flog also nach New York, und Antony kehrte, benommen von Liebe und Glück, nach Edinburgh zurück. «Ich schreibe», hatte sie versprochen, aber sie schrieb nicht. Antony verfaßte in seiner Verliebtheit ganze Romane, die sie nicht beantwortete. Er wurde unruhig. Er schickte Telegramme, auf die er ebenfalls keine Antwort bekam. Schließlich raffte er sich zu einem ungeheuer teuren Anruf bei ihr zu Hause in Westchester County auf, doch Rose war nicht da. Ein Dienstbote ging ans Telefon, mit einem so starken Akzent, daß Antony so gut wie nichts verstand. Er konnte nur vermuten, Rose sei verreist, mit unbekannter Adresse, und es sei ungewiß, wann sie zurückkomme.

Ihm war schon ganz verzweifelt zumute, als die erste Postkarte eintraf. Es war ein Bild vom Grand Canyon mit einer hingekritzelten zärtlichen Botschaft, die ihm gar nichts sagte. Eine Woche später kam die zweite Karte. Rose blieb den ganzen Sommer in Amerika, und während dieser Zeit bekam er fünf Postkarten von ihr, eine unbefriedigender als die andere.

Klagende Nachfragen aus Fernrigg machten die Situation auch nicht besser. Antony gelang es, sie mit denselben Entschuldigungen abzuwimmeln, die er auch sich selbst gegenüber gebrauchte. Rose war einfach schreibfaul.

Aber trotz dieser Entschuldigungen machten ihm Zweifel zu schaffen und schwollen zu monströsen Wolken an, die seinen Horizont verfinsterten. Er verlor das Vertrauen zu seinem soliden, schottischen gesunden Menschenverstand. Hatte er sich zum Narren gemacht? Waren die zauberhaften Tage mit Rose in London nur eine blendende Illusion von Liebe und Glück gewesen?

Und dann geschah etwas, was jeden Gedanken an Rose aus seinem Kopf vertrieb. Isobel rief aus Fernrigg an und sagte ihm, Tuppy sei krank: sie habe sich erkältet, daraus sei eine Lungenentzündung geworden, sie hätten eine Schwester eingestellt, die sie pflege. Isobel versuchte, ruhig zu klingen, und tat ihr Bestes, Antony zu beruhigen. «Du brauchst dir keine

Sorgen zu machen. Ich bin sicher, daß alles gut wird. Ich wollte es dir bloß sagen. Ich beunruhige dich ungern, aber ich weiß, du willst es wissen.»

«Ich komme nach Hause», sagte er sofort.

«Nein. Tu das nicht. Das würde sie mißtrauisch machen, sie würde denken, es steht schlimm um sie. Vielleicht, wenn Rose aus Amerika zurück ist. Falls sie...» Isobel zögerte hoffnungsvoll. «Vielleicht ist sie ja schon zurück?»

«Nein», sagte Antony. «Nein. Noch nicht. Aber ich bin sicher, daß sie jetzt bald kommt.»

«Ja», sagte Isobel. «Das glaube ich auch.» Es klang, als wolle sie ihn trösten, wie sie ihn immer getröstet hatte, wenn er als Kind traurig gewesen war. Antony wußte, daß er es war, der sie hätte trösten sollen. Dadurch fühlte er sich noch elender.

Es kam ihm vor, als mache er sich über einen gereizten Blinddarm Sorgen, während er gleichzeitig akute Zahnschmerzen hatte. Er wußte nicht, was er tun sollte, und schließlich, aus einer Unschlüssigkeit heraus, die seinem Wesen eigentlich vollkommen fremd war, tat er gar nichts.

Diese Unschlüssigkeit hielt eine Woche lang an, dann nahmen seine Probleme schlagartig ein Ende. Die Post brachte das schlampige Päckchen von Rose, in London abgestempelt, das den Verlobungsring enthielt und den einzigen Brief, den sie ihm je geschrieben hatte. Und während er immer noch unter Schock stand, kam der zweite Anruf von Isobel. Dieses Mal war es Isobel nicht gelungen, tapfer zu sein. Tränen und Angst hatten die Oberhand gewonnen, und ihre zittrige Stimme verriet die erschütternde Wahrheit. Hugh Kyle machte sich offenbar Sorgen um Tuppy. Isobel hatte den Verdacht, es gehe ihr viel schlechter, als sie bisher angenommen hatten. Vielleicht würde sie sterben.

Tuppys einziger Wunsch war, Antony und Rose zu sehen. Sie sehnte sich nach ihnen, machte sich Sorgen, wollte Hochzeitspläne schmieden. Es wäre grauenhaft, sagte Isobel, wenn Tuppy ihn und Rose nie zusammen sehen könnte.

Es war klar, was das zu bedeuten hatte. Antony brachte es nicht übers Herz, Isobel die Wahrheit zu sagen, und schon als er hörte, wie er das unmögliche Versprechen machte, fragte er sich, wie er es halten sollte.

Mit der Ruhe des Verzweifelten machte er Pläne. Er sprach mit seinem Chef, bat mit so wenigen Erklärungen wie irgend möglich um ein langes Wochenende, das ihm zugestanden wurde. In störrischer Hoffnungslosigkeit rief er in der Wohnung der Schusters in London an; als sich niemand meldete, verfaßte er ein wortreiches Telegramm und schickte es ab. Er buchte einen Platz im Flugzeug nach London. Jetzt, auf dem Flughafen, während er darauf wartete, daß der Flug aufgerufen wurde, griff er in die Jackentasche und nahm den Brief heraus. Das Papier war dunkelblau und luxuriös, die Adresse auf dem Briefkopf dick eingeprägt.

Cadogan Court 82
London, S. W. 1

Aber leider konnte Roses Schrift mit der Adresse nicht mithalten. Sie war krakelig, so ungeformt wie die eines Kindes, und schlängelte sich über das Blatt, mit schiefen Zeilen und so gut wie nicht vorhandener Interpunktion.

Liebster Antony,
es tut mir ungeheuer leid aber ich schicke Dir Deinen Ring zurück weil ich nun doch nicht glaube, daß ich Dich heiraten kann, es ist alles ein grauenhafter Fehler. Nicht nur grauenhaft weil Du lieb warst und mir unsere gemeinsame Zeit Spaß gemacht hat aber jetzt weiß ich, daß ich noch nicht bereit bin häuslich zu werden schon gar nicht in Schottland, ich meine ich habe nichts gegen Schottland, es ist ganz hübsch aber ich gehöre nicht dorthin. Nicht für immer, meine ich. Ich bin letzte Woche nach London geflogen und bleibe ein paar Tage hier, weiß nicht recht was

ich dann mache. Meine Mutter läßt Dich grüßen aber sie glaubt ich sollte noch nicht heiraten und wenn doch, dann auf keinen Fall in Schottland leben. Sie glaubt auch nicht, daß ich dorthin passe. Es tut mir also ungeheuer leid aber besser jetzt als später. Scheidungen sind so unappetitlich und dauern so lange und kosten eine Menge Geld.

Alles Liebe (trotzdem)
Rose

Antony faltete das Blatt zusammen, steckte es wieder in die Tasche und tastete nach dem glatten Leder der Schatulle mit dem Ring. Dann machte er sich über das Bier und die Sandwiches her. Er war kaum damit fertig, als sein Flug aufgerufen wurde.

Er war um halb drei in Heathrow, nahm den Bus zum Terminal und dann ein Taxi. London war merklich wärmer als Edinburgh und strahlte in der Herbstsonne. Die Bäume hatten sich noch kaum verfärbt, und der Rasen im Park war abgetreten und braun nach dem langen Sommer. In der Sloane Street schien es von unbeschwerten Kindern zu wimmeln, die an der Hand elegant gekleideter junger Mütter von der Schule nach Hause gingen. Falls Rose nicht da ist, dachte er, setze ich mich und warte auf sie, verdammt noch mal.

Das Taxi bog auf den Platz ein und hielt vor dem vertrauten roten Backsteingebäude. Es war ein Neubau, äußerst nobel, mit Lorbeerbäumchen vor der breiten Steintreppe und jeder Menge Glas.

Antony bezahlte das Taxi und ging die Treppe hinauf durch die Glastür. Drinnen lag dunkelbrauner Teppichboden, an der Wand standen Palmen in Kübeln, und der Geruch von Leder und teuren Zigarren hing in der Luft.

Der Portier stand nicht hinter dem Tresen, war auch nirgends zu sehen. Vielleicht, dachte Antony, als er den Aufzugsknopf drückte, war er kurz weggegangen, um sich eine

Abendzeitung zu besorgen. Der Lift schnurrte heran, die Türen öffneten sich geräuschlos. Als Antony eingetreten war, schlossen sie sich ebenso geräuschlos. Er drückte den Knopf für den vierten Stock und dachte daran, wie er mit Rose in den Armen in diesem Lift gestanden und sie jedesmal geküßt hatte, wenn sie ein weiteres Stockwerk passierten. Es war eine schmerzliche Erinnerung.

Der Aufzug hielt, die Türen öffneten sich wieder. Er griff nach seiner Tasche, ging hinaus und den langen Flur entlang, blieb vor der Tür von Nummer 82 stehen und klingelte, ohne sich Zeit zum Nachdenken zu lassen. Drinnen ertönte das tiefe Surren der Klingel. Er stellte die Tasche ab, streckte die Hand aus, um sich gegen den Türrahmen zu lehnen, und wartete ohne viel Hoffnung. Sie war bestimmt nicht da. Er fühlte sich schon jetzt erschöpft bei dem Gedanken daran, was folgen würde.

Und dann hörte er plötzlich ein Geräusch. Er blieb bewegungslos stehen und lauschte. Eine Tür ging zu. Eine andere Tür ging auf. Schritte kamen über den kurzen Flur von der Küche her, und im nächsten Augenblick flog die Tür auf. Rose stand vor ihm.

Er starrte sie an wie ein Idiot, und die wildesten Gedanken jagten durch seinen Kopf. Sie war da, er hatte sie gefunden. Sie sah nicht allzu wütend aus. Sie hatte sich das Haar abschneiden lassen.

Sie sagte: «Ja?», was seltsam wirkte, aber es war ja auch eine seltsame Situation.

Antony sagte: «Hallo, Rose.»

«Ich bin nicht Rose», sagte Rose.

Antony

Jener Freitag versank für Flora in einem Nebel der Unsicherheit – eine Nachwirkung des unglaublichen Vortags. Sie hatte soviel vorgehabt und schließlich überhaupt nichts erreicht.

Wie geplant besuchte sie die Stellenvermittlungen und verschiedene Immobilienmakler, doch ihr Verstand verweigerte beharrlich die Beschäftigung mit den anstehenden Problemen.

«Wollen Sie eine Stelle auf Zeit oder auf Dauer?» hatte das Mädchen bei der Stellenvermittlung gefragt, aber Flora starrte sie einfach nur an und erwiderte nichts, verfolgt von Bildern, die nichts mit Steno und Maschineschreiben zu tun hatten. Es war, als wären plötzlich Fremde in ein wohlgeordnetes Haus eingedrungen und hätten die Macht übernommen. Sie beanspruchten Floras Aufmerksamkeit in einem Maß, daß sie an nichts anderes mehr denken konnte.

«In Fulham ist eine Souterrainwohnung zu vermieten. Sie ist natürlich recht klein, aber wenn es nur für Sie ist…»

«Ja.» Sie sollte sich die Wohnung anschauen. Es klang perfekt. «Ja. Ich werde darüber nachdenken.» Und sie trat auf die Straße hinaus und ging weiter, ziellos und geistesabwesend.

Ein Teil des Problems war natürlich, daß sie zuwenig geschlafen hatte und von den Ereignissen des Vortages körperlich erschöpft war. Es war ein verrückter Abend gewesen. Flora und Rose hatten gemeinsam bei Seppi's zu Abend gegessen, den Champagner ausgetrunken, eine zweite Flasche geschenkt bekommen und beim Kaffee gesessen, bis Seppi sie angesichts einer Schlange von Gästen, die auf Tische warteten, widerstrebend gehen ließ. Rose hatte die Rechnung mit einer Kreditkarte bezahlt. Das Essen kostete mehr, als Flora für möglich gehalten hatte, aber Rose machte nur eine wegwerfende Handbewegung. Sie sagte, es bestehe kein Grund zur Sorge, Harry Schuster werde dafür aufkommen. Das mache er immer.

Sie trieben dann ein Taxi auf und fuhren zum Shelbourne Hotel, wo Rose abfällige Bemerkungen über die Einrichtung, das Personal und die Gäste machte, während Flora, verlegen und darum bemüht, nicht zu lachen, der traurigen Frau an der Rezeption die unerklärliche Situation erklärte. Schließlich wurde ein Hausdiener dazu überredet, die Koffer in das wartende Taxi zu schleppen, und sie fuhren zum Cardogan Court.

Die Wohnung lag im vierten Stock. Flora hätte sich solchen Luxus nie träumen lassen – so viele Teppiche, indirekte Beleuchtung und Installationen aus dem Raumfahrtzeitalter. Glastüren glitten auf, wenn man einen kleinen, mit Topfpflanzen überfüllten Balkon betreten wollte; die hauchzarten Leinenvorhänge schlossen sich auf Knopfdruck; in den Schlafzimmern war der Teppichboden weiß und etwa fünf Zentimeter dick (ärgerlich, wenn man einen Ring oder eine Haarnadel fallen ließ, sagte Rose); und die Bäder rochen allesamt nach besonders teuren Seifen und Badeölen.

Flora wurde lässig in ein Zimmer verfrachtet (blaßblaue Vorhänge aus Thaiseide und überall Spiegel) und zum Auspacken genötigt. Folgsam nahm sie ihr Nachthemd aus dem Koffer, während Rose auf dem Bett saß.

Plötzlich fiel Flora etwas ein. «Möchtest du sehen, wie dein Vater aussieht?»

«Fotos!» Rose klang, als wäre ihr so etwas völlig neu.

Flora holte ein dickes Lederalbum hervor und reichte es Rose, und sie saßen nebeneinander auf dem breiten Bett, ein dunkler Kopf neben dem anderen, während die Spiegel überall im Zimmer das Bild der Zwillinge einfingen.

Da war Seal Cottage, der Garten, das Hochzeitsfoto, das Flora von ihrem Vater und Marcia gemacht hatte, als sie aus der Kirche kamen. Da war das große Foto von ihm, wie er auf den Felsen unterhalb des Cottage saß, Meer und Möwen im Hintergrund, das Gesicht gebräunt, das Haar in der Brise wehend.

Roses Reaktion war befriedigend. «Oh, er ist großartig! Wie ein umwerfender Filmstar mit Brille. Ich begreife ganz gut, warum meine Mutter ihn geheiratet hat. Und andererseits begreife ich es überhaupt nicht. Ich meine, ich kann mir nur vorstellen, daß sie mit einem Mann wie Harry verheiratet ist.»

«Du meinst, mit einem reichen Mann.»

«Ja, ich glaube schon.» Sie warf noch einen Blick auf das Foto. «Ich frage mich, warum sie überhaupt geheiratet haben. Glaubst du, daß sie irgend etwas gemeinsam hatten?»

«Vielleicht waren sie verliebt. Sie haben sich in einem Skiurlaub kennengelernt. Hast du das gewußt?»

«Ist das dein Ernst?»

«Skiurlaube sind ein bißchen wie Seereisen, jedenfalls habe ich das gehört. Berauschende Luft, gebräunte Körper und nichts zu tun, als sich körperlich anzustrengen und zu verlieben.»

Rose grinste. «Das werd ich mir merken.» Plötzlich langweilten sie die Fotos. Sie warf sie auf den seidenen Bettüberwurf und schaute ihre Schwester lange an. Ohne die leiseste Änderung im Ton fragte sie: «Möchtest du baden?»

Sie nahmen also beide ein Bad, und Rose stapelte Platten auf dem Plattenspieler, während Flora eine Kanne Kaffee kochte. In den Hausmänteln (Flora in ihrem alten aus dem Internat, Rose in einem Wunder aus wehender, mit Blumen übersäter Seide) saßen sie auf dem riesigen Sofa und redeten.

Und redeten. Viele Jahre mußten überbrückt werden. Rose erzählte Flora von dem Haus in Paris, ihrem Schulabschluß im Château d'Oex und den Wintern in Kitzbühel. Und Flora informierte Rose über ihre Geschichte (die nicht annähernd so aufregend klang), schmückte den Fund und den Kauf von Seal Cottage nach besten Kräften aus, Marcias Ankunft in ihrem Leben und die Jobs, die sie in der Schweiz und in Griechenland angenommen hatte. Dabei fiel ihr etwas ein.

«Rose, hast du gesagt, daß du nach Griechenland willst?»

«Vielleicht. Aber nach diesem Sommer, in dem ich in den USA herumgeflogen bin, habe ich allmählich das Gefühl, ich will nie wieder in ein Flugzeug steigen. Nie wieder.»

«Du meinst, du hast den ganzen Sommer dort verbracht?»

«Fast den ganzen. Harry hatte diese Reise seit Jahren geplant, und wir haben alles gemacht, sind die Stromschnellen im Salmon River hinuntergejagt und auf Maultieren den Grand Canyon entlanggeritten, mit Kameras behängt. Typische Touristen.» Sie runzelte die Stirn. «Wann hat dein Vater wieder geheiratet?»

Es war schwierig, mit ihren Gedankengängen Schritt zu halten. «Im Mai.»

«Magst du Marcia?»

«Ja, das habe ich dir doch schon gesagt. Sie ist großartig, rundum.» Flora grinste, dachte an Marcias üppige Hüften und die spannenden Blusenknöpfe. «In mehr als einer Hinsicht.»

«Er sieht wirklich toll aus. Ich frage mich, wie er es geschafft hat, so lange ledig zu bleiben?»

«Ich habe keine Ahnung.»

Rose legte den Kopf schief und schaute Flora unter langen, dichten schwarzen Wimpern hervor an. «Wie ist das bei dir? Bist du verliebt, verlobt, im Begriff zu heiraten?»

«Im Augenblick nicht.»

«Hast du je ans Heiraten gedacht?»

Flora zuckte die Achseln. «Du weißt, wie das ist. Anfangs denkt man, jeder neue Mann, den man trifft, steht irgendwann neben einem vor dem Traualtar. Und dann ist es plötzlich nicht mehr so wichtig.» Sie schaute Rose neugierig an. «Und du?»

«Mir geht es genauso.» Rose stand auf und machte sich auf die Suche nach einer Zigarette. Sie zündete sie an, und dabei fiel das dunkle Haar nach vorn und verbarg ihr Gesicht. «Wie auch immer, wer will schon langweilige Hausarbeit und schreiende Kinder?»

«Vielleicht ist das gar nicht so schlimm.»

«Dir würde es vermutlich gefallen. Dir würde es vermutlich gefallen, mitten auf dem Land zu leben, irgendwo im Niemandsland.»

Aus irgendeinem Grund fühlte sich Flora zur Verteidigung aufgerufen. «Ich mag das Landleben. Und ich würde überall leben, unter der Voraussetzung, daß ich mit dem Mann lebe, mit dem ich leben will.»

«Mit ihm verheiratet?»

«Das wäre mir lieber.»

Rose griff nach der Zigarette und drehte Flora den Rücken zu. Sie ging zum Fenster, zog den Vorhang zurück und schaute auf den erleuchteten Platz hinunter. Nach einer Weile sagte sie: «Apropos Griechenland – wenn ich morgen fliegen und dich hier allein lassen würde, wäre das sehr schlimm für dich?»

Es war schwer, nicht völlig verblüfft zu klingen. *«Morgen?»*

«Ich meine, am Freitag. Na ja, ich nehme an, das ist heute.»

«Heute?» Wider Willen kam Floras Stimme vor Überraschung ganz piepsig heraus.

Rose drehte sich um. «Es würde dir etwas ausmachen», sagte sie zu Flora. «Deine Gefühle wären verletzt.»

«Red keinen Unsinn. Du hast mich nur überrascht. Ich meine, ich habe nicht geglaubt, daß das mit der Reise nach Griechenland dein Ernst ist. Ich habe gedacht, du redest bloß darüber.»

«O doch. Ich habe sogar einen Platz im Flugzeug gebucht, aber ich war mir nicht sicher, ob ich wirklich fliegen will. Aber plötzlich glaube ich, ich will. Du hältst das nicht für gemein von mir?»

«Selbstverständlich nicht», sagte Flora energisch.

Rose lächelte. «Weißt du, so ähnlich, wie ich gedacht habe, sind wir uns doch nicht. Du bist soviel ehrlicher, und das ist leicht zu durchschauen. Ich weiß genau, was du denkst.»

«Was denke ich?»

«Daß ich ein Miststück bin, weil ich dich allein lasse. Du fragst dich, warum ich plötzlich nach Griechenland muß.»

«Willst du es mir sagen?»

«Ich glaube, du hast es erraten. Es geht um einen Mann. Das hast du vermutet, nicht wahr?»

«Schon möglich.»

«Ich habe ihn auf einer Party in New York kennengelernt, kurz bevor ich nach London zurückgeflogen bin. Er lebt in Athen, aber gestern morgen habe ich ein Telegramm bekommen. Im Augenblick ist er auf Spetse, er hat dort von Freunden ein Haus gemietet. Er möchte, daß ich hinkomme.»

«Dann mußt du hin.»

«Das ist dein Ernst, nicht wahr?»

«Natürlich. Ich bin kein Grund für dich, in London zu bleiben. Außerdem muß ich mir Arbeit und eine Wohnung suchen.»

«Du bleibst hier in der Wohnung, ja?»

«Weißt du...»

«Ich bringe es mit dem Portier in Ordnung. Bitte.» Roses Stimme klang ängstlich, fast flehend. «Sag, daß du bleibst. Wenigstens ein paar Tage. Über das Wochenende. Es würde mir soviel bedeuten.»

Flora war verwirrt, aber nichts sprach dagegen – es gab keinen Grund, eine derart angenehme Einladung auszuschlagen. «Na schön. Bis Montag. Aber nur, wenn du sicher bist, daß es in Ordnung geht.»

«Natürlich geht es in Ordnung.» Rose lächelte strahlend, mit Floras Lächeln. Sie kam durchs Zimmer und umarmte Flora. «Und jetzt komm und hilf mir packen.»

«Aber es ist drei Uhr morgens!»

«Das macht doch nichts. Koch noch eine Kanne Kaffee.»

«Aber…» Flora hatte sagen wollen: «Ich bin todmüde», doch sie schwieg. Rose war eben so. Sie hatte ein solches Tempo, daß man hinter ihr herwirbelte, in ihrem Windschatten gefangen, ohne genau zu wissen, wo es hinging.

Rose brach schließlich am Freitag um elf Uhr morgens zur ersten Etappe ihrer langen Reise nach Spetse auf. Sie ließ Flora auf dem Pflaster vor dem Wohnblock stehen.

«Auf bald», sagte sie und umarmte Flora zum Abschied. «Laß den Schlüssel beim Portier, wenn du ausziehst.»

«Schick mir eine Karte.»

«Natürlich. Es war toll. Ich melde mich.»

«Viel Spaß, Rose.»

Rose sprang in das wartende Taxi, schlug die Tür zu und beugte sich aus dem offenen Fenster. «Paß auf dich auf!» rief sie, und das Taxi fuhr an, während Rose den Arm in der Nerzjacke schwenkte. Flora stand winkend da, bis das Taxi um die Ecke des Platzes bog und in der Sloane Street verschwand.

Das war es also gewesen. Es war vorbei. Flora drehte sich langsam um und ging hinein, fuhr im Lift nach oben und betrat die leere Wohnung. Sie kam sich fremd vor. Ohne Rose wirkte alles so still.

Sie ging ins Wohnzimmer und fing halbherzig damit an, Kissen aufzuschütteln, Vorhänge aufzuziehen und Aschenbecher zu leeren. Dann schaute sie sich Harry Schusters Bücherregale an. Beim Blättern vergaß sie die Hausarbeit und stellte fest, daß er Hemingway las, Robert Frost, Norman Mailer und Simenon (auf französisch). In den Gestellen am Plattenspieler standen Langspielplatten von Aaron Copland, und der Frederic Remington über dem Kamin dokumentierte einen gewissen Stolz auf sein Land und dessen beste Leistungen.

Harry Schuster nahm Gestalt an. Flora meinte, sie hätte ihn gemocht. Aber es war schwer, ähnlich freundliche Gefühle für eine Mutter zu empfinden, die einen nach der Geburt im

Stich gelassen hatte, in ein sorgloses Eheleben weitergezogen war und die Zwillingsschwester mitgenommen hatte.

Aus den Gesprächen der letzten Nacht mit Rose und den Fotos hatte Flora sich ein so deutliches Bild von Pamela Schuster zusammengesetzt, als kenne sie diese Frau schon lange: schön und weltgewandt, nach teurem Parfum duftend, angezogen von Dior oder schlank wie ein Junge in verschossenen Jeans; Pamela in St. Tropez, beim Skilaufen in St. Moritz, beim Mittagessen im La Grenouille in New York; dunkle Augen, strahlend vor Vergnügen, kurz geschnittenes dunkles Haar, das Lächeln ein weißes Aufblitzen. Sie besaß allen Charme und alle Selbstsicherheit der Welt – aber Liebe, Zärtlichkeit? Flora war skeptisch.

Die Uhr auf dem Kaminsims schlug mit silberhellen Schlägen zwölf. Der Morgen war vorbei. Flora riß sich zusammen, machte sich ein Sandwich, trank ein Glas Milch, griff nach ihrer Tasche und verließ die Wohnung.

Ohne Begeisterung machte sie sich auf Arbeitssuche. Am späten Nachmittag kam sie in die Wohnung zurück, ohne etwas erreicht zu haben. Völlig erschöpft vom Herumlaufen und Treppensteigen ging sie in die Küche und setzte den Kessel auf, um sich eine Tasse Tee zu kochen. Heute abend würde sie ein Bad nehmen, fernsehen und zeitig zu Bett gehen. Rose hatte darauf bestanden, daß sie über das Wochenende blieb. Vielleicht fühlte sie sich am Montag energischer und geschäftstüchtiger. Als das Wasser kochte, klingelte es an der Tür.

Das war der Tropfen, der das Faß zum Überlaufen brachte. Flora sagte: «Verdammt», stellte den Herd ab und ging zur Wohnungstür.

Als sie im Flur an einem Spiegel vorbeikam, erhaschte sie einen Blick auf sich, gleichermaßen müde und aufgelöst, mit glänzendem Gesicht und lässig hochgerollten weißen Blusenärmeln. Sie sah aus, als hätte sie den Fußboden geschrubbt. Seufzend öffnete sie die Tür.

Ein Mann – groß, schlank, ziemlich jung – stand davor. Er trug einen gutgeschnittenen braunen Fischgrätanzug, und sein Haar glänzte in dunklem Kupferrot, wie das Fell eines irischen Setters. Sein Gesicht war schön geschnitten, mit bleicher, sommersprossiger Haut – der Typ, der einen Sonnenbrand bekam, ehe er braun wurde. Die Augen waren hell und klar, ein grünliches Grau. Sie starrten Flora an, als erwarte er, daß sie den ersten Schritt tat. Schließlich sagte Flora: «Ja?»

Er sagte: «Hallo, Rose.»

«Ich bin nicht Rose», sagte Flora.

Eine kurze Pause entstand, in der sich der Ausdruck des jungen Mannes kaum veränderte. Dann sagte er: «Wie bitte?», als habe er nicht richtig gehört.

«Ich bin nicht Rose», wiederholte Flora etwas lauter, als wäre er schwerhörig oder blöd oder möglicherweise beides. «Ich bin Flora.»

«Wer ist Flora?»

«Ich», sagte Flora wenig hilfsbereit, bereute es aber sofort. «Ich meine, ich wohne über das Wochenende hier.»

«Das soll wohl ein Witz sein?»

«Nein, keineswegs.»

«Aber Sie sehen genauso aus…» Er brach ab und sah sie hilflos an.

«Ja, ich weiß.»

Er schluckte und sagte mit leicht brüchiger Stimme: «Zwillinge?»

«Ja.»

Er versuchte es noch einmal. «Schwestern?»

«Ja.»

«Aber Rose hat keine Schwester.»

«Nein, sie hatte keine, aber jetzt hat sie eine. Ich meine, seit gestern abend.»

Wieder entstand eine lange Pause, dann sagte der junge Mann: «Meinen Sie, daß Sie mir das erklären könnten?»

«Ja, natürlich. Sehen Sie…»

«Meinen Sie, daß ich hereinkommen kann, ehe Sie mit der Erklärung anfangen?»

Flora zögerte; ihre Gedanken überstürzten sich. Harry Schusters Wohnung, voll von kostbaren Dingen; sie war verantwortlich; ein unbekannter junger Mann, möglicherweise mit kriminellen Absichten... Jetzt war sie an der Reihe, einen Kloß im Hals hinunterzuschlucken.

«Ich weiß nicht, wer Sie sind.»

«Ich bin Antony Armstrong. Ich bin ein Freund von Rose. Ich bin eben mit dem Flugzeug aus Edinburgh gekommen.»

Flora zögerte immer noch. Der junge Mann wurde ungeduldig, vielleicht mit einer gewissen Berechtigung. «Hören Sie, fragen Sie Rose. Wenn sie nicht da ist, rufen Sie sie an. Ich warte.»

«Ich kann sie nicht anrufen.»

«Warum?»

«Sie ist nach Griechenland gefahren.»

«Griechenland?»

Das ungläubige Entsetzen in seiner Stimme und die Art, wie die Farbe aus seinem Gesicht wich, überzeugten Flora schließlich. Kein Mensch, was für üble Absichten er auch haben mochte, konnte einen solchen Schock vortäuschen. Sie trat zur Seite und sagte: «Kommen Sie herein.»

Zu ihrer Erleichterung schien er sich sofort in der Wohnung zu Hause zu fühlen, legte Reisetasche und Regenmantel auf dem Stuhl im Flur ab, als habe er das schon oft getan. Schon etwas ruhiger fragte Flora, ob er eine Tasse Tee wolle. Er nickte, noch immer benommen. Sie gingen in die Küche, und Flora machte den Herd wieder an. Während sie Tassen und Untertassen aus dem Schrank nahm, spürte sie, daß er sie unverwandt anstarrte, jede ihrer Bewegungen beobachtete.

«Indischen oder chinesischen?» fragte sie.

«Indischen. Möglichst stark, bitte.» Er zog einen hohen Küchenhocker heran und ließ sich darauf nieder. «Jetzt erzählen Sie schon», sagte er.

«Was wollen Sie wissen?»

«Sind Sie wirklich Roses Schwester?»

«Ja, wirklich.»

«Aber was ist passiert?»

In so kurzen Worten wie möglich erzählte Flora es ihm: die gescheiterte Ehe von Ronald und Pamela Waring; die Trennung der Zwillinge; die beiden Schwestern, die bis zu der Begegnung gestern abend bei Seppi's nichts voneinander gewußt hatten.

«Sie meinen, das war erst gestern abend?»

«Das habe ich Ihnen doch gesagt.»

«Ich kann es kaum glauben.»

«Wir konnten es auch kaum glauben, aber so war es. Nehmen Sie Milch und Zucker?»

«Ja, beides. Und was ist dann passiert?»

«Wir haben zusammen zu Abend gegessen, und dann hat Rose mich hierher eingeladen, und wir haben die ganze Nacht geredet.»

«Und heute morgen ist sie nach Griechenland gefahren?»

«Ja.»

«Und was tun Sie hier?»

«Na ja, wissen Sie, ich bin erst gestern mit dem Zug aus Cornwall gekommen. Ich war ein Jahr lang aus London fort, habe dort bei meinem Vater und meiner Stiefmutter gewohnt. Ich habe hier noch keine Arbeit und auch keine Wohnung. Ich wollte mir heute etwas suchen, aber irgendwie hat das nicht geklappt. Rose hat mich sowieso gebeten, das Wochenende über hierzubleiben. Sie hat gesagt, es kommt nicht darauf an und es stört niemanden.» Sie drehte sich um, um Antony seine Tasse zu reichen, und war auf seinen Gesichtsausdruck nicht vorbereitet. Wie um ihn zu beschwichtigen, fügte sie hinzu: «Sie hat dem Portier Bescheid gesagt.»

«Sagen Sie mir, hat sie Sie ausdrücklich gebeten, über das Wochenende hierzubleiben?»

«Ja. Wieso? Hätte sie das nicht tun sollen?»

Er nahm ihr die Tasse ab und rührte um, wandte die hellen Augen immer noch nicht von Floras Gesicht.

«Hat sie Ihnen zufällig gesagt, daß ich komme?»

«Wußte sie denn davon?»

«Sie hat kein Telegramm erwähnt, das ich ihr geschickt habe?»

«Nein.» Flora war das ein Rätsel; sie schüttelte den Kopf. «Nichts. Sie hat nichts darüber gesagt.»

Antony Armstrong nahm einen großen Schluck brühendheißen Tee, dann stellte er die Tasse ab, stieg vom Hocker und ging hinaus. Gleich darauf war er wieder da, ein Telegramm in der Hand.

«Wo haben Sie das gefunden?» fragte Flora.

«Wo alle Leute Telegramme, Einladungen und Briefe aufbewahren, die sie beantworten wollen, wenn sie einen Augenblick Zeit haben – hinter der Zuckerdose auf dem Kaminsims. Nur daß es in dieser Wohnung ein polierter Alabasterklumpen ist.» Er hielt Flora das Telegramm hin. «Sie sollten es lesen.»

Widerstrebend nahm Flora das Telegramm, während Antony wieder auf dem Hocker Platz nahm und weiter Tee trank.

«Lesen Sie es schon.»

Und sie las:

PÄCKCHEN UND BRIEF ERHALTEN. MUSS DICH UNBEDINGT SEHEN. TUPPY SCHWER KRANK. FLIEGE FREITAG NACH LONDON, BIN AM SPÄTEN NACHMITTAG BEI DIR. ANTONY.

Floras schlimmste Befürchtungen hatten sich bestätigt. Das war ein telegrafischer Hilferuf, wenn es je einen gegeben hatte. Und Rose hatte ihn ignoriert, hatte ihn Flora gegenüber nicht einmal erwähnt. Sie war davor weggelaufen.

Es war schwer, sich einen intelligenten Kommentar auszudenken. Schließlich fragte sie: «Wer ist Tuppy?»

«Meine Großmutter. Hat Rose gesagt, warum sie nach Griechenland gefahren ist?»

«Ja, sie...» Flora schaute auf. Antony sah sie aufmerksam an. Urplötzlich hatte sie Angst, ihm zuviel zu verraten. Sie bemühte sich um ein unbekümmertes Gesicht und versuchte, sich eine unbekümmerte Lüge auszudenken, aber es nützte nichts. Ob es ihr gefiel oder nicht, sie steckte bis zum Hals in der Sache, und es schien keinen Ausweg zu geben.

«Ja?» drängte er.

Flora gab nach. «Sie besucht einen Mann, den sie in New York kennengelernt hat. Sie hat ihn kurz vor ihrer Rückkehr nach London auf einer Party kennengelernt. Er hat eine Villa auf Spetse gemietet und Rose eingeladen, zu ihm zu kommen.» Diese Information wurde mit steinernem Schweigen aufgenommen. «Sie hatte einen Platz im Flugzeug gebucht. Heute morgen ist sie abgereist.»

Nach einer Weile sagte Antony: «Ich verstehe.»

Flora hielt das Telegramm hoch. «Ich weiß nicht, was diese – Ihre Großmutter – mit Rose zu tun hat.»

«Rose und ich waren verlobt. Vor kurzem hat sie mir den Ring zurückgeschickt und die Verlobung gelöst. Tuppy weiß nichts davon. Sie glaubt immer noch, es bleibt bei der Heirat.»

«Und Sie wollen nicht, daß sie es erfährt?»

«Nein, das will ich nicht. Ich bin dreißig, und sie meint, es ist höchste Zeit, daß ich heirate. Sie möchte uns beide sehen, Pläne machen, über die Zukunft nachdenken.»

«Und was wollten Sie von Rose?»

«Daß sie mit mir nach Hause fährt. Die Verlobungsgeschichte bestätigt. Tuppy glücklich macht.»

«Sie anlügt, meinen Sie.»

«Nur ein einziges Wochenende lang.» Er fügte mit ernstem Gesicht hinzu: «Tuppy ist schwer krank. Sie ist siebenundsiebzig. Sie könnte sterben.»

Das letzte, verzweifelte Wort hing in der Stille zwischen ihnen. Flora fiel nichts ein, was sie hätte sagen können. Geistesabwesend zog sie sich einen Stuhl heran und setzte sich an den Küchentisch, die Ellbogen auf die schimmernde weiße Platte gelegt. Dann fragte sie betont sachlich: «Wo ist zu Hause?»

«Im Westen von Schottland. Arisaig.»

«Das sagt mir nichts. Ich war noch nie in Schottland.»

«Vielleicht sagt Ihnen Argyll etwas.»

«Leben Ihre Eltern dort?»

«Ich habe keine Eltern. Mein Vater ist im Krieg auf See verschollen und meine Mutter kurz nach meiner Geburt gestorben. Tuppy hat mich aufgezogen. Es ist ihr Haus.» Er fügte hinzu: «Es heißt Fernrigg.»

«Kennt Rose Tuppy?»

«Ja, aber nicht besonders gut. Vor fünf Jahren haben Rose und ihre Mutter im Sommer zwei Wochen lang das Strandhaus gemietet, und wir alle haben sie damals kennengelernt. Dann sind sie abgereist, und ich habe nie wieder an die beiden gedacht, bis ich Rose vor etwa einem Jahr in London wiedergetroffen habe. Aber Tuppy hat sie seit damals nicht mehr gesehen.»

Fernrigg. Argyll. Schottland. Rose hatte Schottland nicht erwähnt. Sie hatte von Kitzbühel gesprochen, von St. Tropez und dem Grand Canyon, aber Schottland hatte sie nicht erwähnt. Das alles erschien sehr verwirrend, doch eines war offensichtlich. Als sie mit einer Krise konfrontiert wurde, hatte Rose beschlossen, davonzulaufen.

«Sie... Sie haben gesagt, daß Sie aus Edinburgh kommen.»

«Ich arbeite in Edinburgh.»

«Fahren Sie dorthin zurück?»

«Das weiß ich nicht.»

«Was werden Sie tun?»

Antony zuckte die Achseln und stellte die leere Tasse ab. «Weiß der Himmel. Allein nach Fernrigg fahren, nehme ich an. Falls…» Er schaute Flora an und sprach weiter, als wäre das der natürlichste Vorschlag der Welt. «Falls Sie nicht mitkommen wollen.»

«Ich?»

«Ja, Sie.»

«Was könnte ich schon tun?»

«Sie könnten tun, als wären Sie Rose.»

Was Flora wirklich kränkte, war die Ruhe, mit der er diesen unerhörten Gedanken vorbrachte: Er saß gelassen und gefaßt da, einen unglaublich unschuldigen Ausdruck im Gesicht. Schon seine ursprüngliche Idee, Rose dazu zu überreden, die Verlobung nach außen hin aufrechtzuerhalten, hatte Flora bis ins Mark schockiert. Aber das…

Sie war so verärgert, daß es ihr schwerfiel, etwas zu sagen. «Oh, vielen Dank», war alles, was sie herausbrachte, und auch das klang ausgesprochen schwach.

«Warum nicht?»

«Warum nicht? Weil es eine ganz entsetzliche, grauenhafte Lüge wäre. Und weil es bedeuten würde, daß Sie jemanden täuschen, von dem ich glaube, daß Sie ihn sehr gern haben.»

«Ich bin entschlossen, sie zu täuschen, weil ich sie sehr gern habe.»

«Aber ich will niemanden täuschen, deshalb denken Sie sich lieber etwas anderes aus. Zum Beispiel, daß Sie Ihre Tasche und Ihren Regenmantel nehmen, aus dieser Wohnung verschwinden und mich in Frieden lassen.»

«Sie würden Tuppy mögen.»

«Ich könnte niemanden mögen, den ich anlüge. Man kann nicht lügen, wenn man davon Schuldgefühle bekommt.»

«Tuppy würde Sie auch mögen.»

«Ich komme nicht mit.»

«Hilft es etwas, wenn ich bitte sage?»

«Nein.»

«Nur für ein Wochenende. Das ist alles. Nur das Wochenende. Ich habe es versprochen. Ich habe mein Leben lang noch kein Versprechen gebrochen, das ich Tuppy gegeben habe.»

Flora merkte mit Schrecken, daß ihre Empörung nachließ. Es hatte keinen Sinn, sich von diesem entwaffnenden Menschen rühren zu lassen. Es hatte keinen Sinn zuzulassen, daß er ihr leid tat.

Sie schüttelte energisch den Kopf. «Ich mache es nicht. Tut mir leid. Ich kann nicht.»

«Doch, Sie können. Sie haben mir schon gesagt, daß Sie keine Stellung haben, keine Wohnung außer der hier. Und Ihr Vater ist in Cornwall, also macht er sich vermutlich keine Sorgen um Sie.» Er zögerte einen Moment. «Vielleicht macht sich aber sonst jemand Sorgen um Sie?»

«Sie meinen, gibt es einen Mann, der verrückt nach mir ist und alle fünf Minuten anruft? Den gibt es nicht.»

Antony erwiderte nichts auf diesen Ausbruch, aber sie bemerkte einen Anflug von Heiterkeit in seinen Augen. «Ich weiß nicht, was daran so komisch ist», sagte sie.

«Es ist nicht komisch, es ist haarsträubend. Ich habe immer gedacht, Rose sei das hinreißendste Wesen, das auf zwei Beinen herumläuft, und Sie sind ihr eineiiger Zwilling. Nicht persönlich gemeint, das versichere ich Ihnen, eine rein ästhetische Beurteilung. Was stimmt also nicht mit den Männern hier unten in diesem Land der schönen Worte? Haben sie keine Augen im Kopf?»

Flora sah ihn zum erstenmal lachen. Vorher hatte sie ihn für einen recht gewöhnlich aussehenden jungen Mann gehalten, beinahe häßlich, wenn auch auf anziehende Weise. Aber wenn er lächelte, war er ziemlich umwerfend. Sie begriff, warum Rose seinem Charme erlegen war, und fragte sich, warum sie ihm den Laufpaß gegeben hatte.

Wider Willen lächelte Flora auch. «Für einen Mann, dem die Frau, die er liebt, eben weggelaufen ist, wirken Sie nicht besonders am Boden zerstört.»

Sein Lächeln erstarb. «Nein», gab er zu. «Aber tief im Innern bin ich ein gerissener, nüchterner schottischer Geschäftsmann, und ich hatte das Menetekel schon gesehen. Wie auch immer, wer nie einen Fehler macht, tut überhaupt nichts. Und es war eine schöne Zeit.»

«Wenn sie nur nicht vor Ihnen davongelaufen wäre. Sie hat gewußt, daß Sie sie brauchen.»

Antony verschränkte die Arme. «Ich brauche Sie auch», sagte er.

«Ich kann so etwas nicht tun.»

«Sie haben mir eben gesagt, daß Sie noch nie in Schottland waren. Und hier bin ich, biete Ihnen auf dem Silbertablett eine kostenlose Reise an, und Sie lehnen ab. Ein solches Angebot bekommen Sie nie wieder.»

«Das will ich auch nicht hoffen.»

«Fernrigg würde Ihnen gefallen. Und Sie würden Tuppy mögen. Die beiden sind übrigens so miteinander verbunden, daß man sich das eine nicht ohne die andere vorstellen kann.»

«Lebt sie allein?»

«Himmel, nein. Wir sind eine große Familie. Tante Isobel, Watty, der Gärtner, Mrs. Watty, die Köchin. Und ich habe einen älteren Bruder namens Torquil mit einer Frau namens Teresa. Ich habe sogar einen Neffen namens Jason. Lauter Armstrongs.»

«Wohnt Ihr Bruder in Fernrigg?»

«Nein, er und Teresa sind am Persischen Golf. Er ist in der Ölbranche beschäftigt. Aber Jason haben sie zu Hause bei Tuppy gelassen, deshalb ist er jetzt in Fernrigg. Es ist ein traumhafter Ort für kleine Jungen. Das Haus liegt an der Küste, überall Meer und Sand zum Herumlaufen, und es gibt eine kleine Anlegestelle, wo Torquil und ich unser Dingi liegen hatten. Landeinwärts sind die Bäche voller Forellen und die Lochs überzogen mit Seerosen, und jetzt, im September, blüht das ganze Heidekraut, und die Vogelbeeren sind scharlachrot. Wie Perlen. Sie sollten wirklich mitkommen.»

Es war eine ganz besonders abgefeimte Verlockung. Flora,

die Ellbogen auf dem Tisch, das Kinn in den Händen, musterte Antony Armstrong nachdenklich. «Ich habe mal ein Buch über einen Mann namens Brat Farrar gelesen. Er hat sich für jemand anderen ausgegeben – er war ein Hochstapler – und mußte Monate damit verbringen, alles über sich zu lernen, über den Menschen, den er spielen wollte. Beim bloßen Gedanken daran hat es mich immer geschüttelt.»

«Aber –» Antony rutschte vom Hocker und setzte sich Flora gegenüber an den Tisch, so daß sie sich ins Gesicht sahen wie zwei Verschwörer. «Aber sehen Sie, das müssen Sie gar nicht. Weil niemand Rose kennt. Niemand hat sie in den letzten fünf Jahren gesehen. Niemand weiß, was sie gemacht hat, außer daß sie sich mit mir verlobt hat. Das ist alles, wofür sich die Familie interessiert.»

«Aber ich weiß gar nichts über Sie.»

«Das ist einfach. Ich bin männlich, ledig, dreißig Jahre alt und Presbyterianer. In Fettes ausgebildet, Praktikum in London, dann wieder nach Edinburgh zu der Firma, für die ich jetzt arbeite. Dort bin ich bis heute. Was wollen Sie noch wissen?»

«Ich möchte wissen, warum Sie glauben, daß ich so etwas Grauenhaftes tue.»

«Das ist nichts Grauenhaftes. Es ist ein großer Gefallen. Nennen Sie es eine Freundlichkeit.»

«Nennen Sie es, wie Sie wollen. Ich kann es trotzdem nicht tun.»

«Wenn ich Sie noch einmal bitte. Wenn ich noch einmal bitte sage, denken Sie dann darüber nach? Und bedenken Sie, ich bitte nicht meinetwegen, es geht um Tuppy. Und auch um Isobel. Um Versprechen, die gehalten und nicht gebrochen werden. Bitte, Flora.»

Sie sehnte sich danach, hart zu sein – sich nicht rühren zu lassen oder sentimental zu werden. Sie sehnte sich nach der Kraft, ihren Überzeugungen treu zu bleiben. Weil sie recht hatte. Sie wußte, daß sie recht hatte.

Vorsichtig fragte sie: «Wenn ich sage, ich komme mit, wann brechen wir dann auf?»

Antonys Miene entspannte sich. «Heute abend. Genau gesagt, sofort. Kurz nach sieben geht ein Flugzeug; wenn wir uns beeilen, sollten wir es bekommen. Mein Auto steht auf dem Flughafen von Edinburgh. Wir können mit dem Auto nach Fernrigg fahren. Wir wären morgen früh dort.»

«Und wann wäre ich wieder hier?»

«Ich muß am Montag wieder arbeiten. Sie könnten am selben Tag den Flug von Edinburgh nach London nehmen.»

Sie wußte instinktiv, daß sie ihm trauen konnte. Antony würde Wort halten. «Ich kann nicht Rose sein», warnte sie ihn. «Ich kann nur ich selbst sein.»

«Mehr verlange ich auch gar nicht von Ihnen.»

Sie wollte ihm helfen. Sie mochte ihn, aber auf merkwürdige Weise hatte es auch etwas mit Rose zu tun. *Ich bin meines Bruders Hüter.*

«Rose verhält sich nicht besonders entgegenkommend. Sie hätte nicht vor Ihnen weglaufen und Sie in einer solchen Patsche sitzenlassen dürfen.»

«Für die Patsche bin ich genauso verantwortlich wie sie. Rose schuldet mir nichts. Sie übrigens auch nicht.»

Flora wußte, daß die letzte Entscheidung bei ihr lag. Aber es war schwer, nicht beeindruckt zu sein von der Mühe, die sich Antony Armstrong gab, um sein Versprechen zu halten. Vielleicht, sagte sie sich, wurde etwas Falsches richtig, wenn es aus den richtigen Gründen getan wurde – jedenfalls war es dann nicht ganz und gar schlecht.

Eine Lüge war eine gefährliche Angelegenheit. Floras bessere Instinkte, die ihr Vater über die Jahre weg mit viel Mühe kultiviert hatte, wehrten sich gegen einen derart hirnrissigen Plan. Und doch war es in gewisser Hinsicht die Schuld ihres Vaters. Er war verantwortlich für das Dilemma, in dem sie sich jetzt befand, weil er ihr nie etwas über Roses Existenz gesagt hatte.

Gleichzeitig brachen sich andere Gefühle Bahn, auf die sie nicht gefaßt war. Sie hingen mit Rose zusammen, und bei näherer Betrachtung bestanden sie zum Teil aus Neugier und zum Teil – Flora schämte sich – aus Neid. Rose schien soviel zu haben. Von Augenblick zu Augenblick wurde es schwerer, der Versuchung zu widerstehen, die dieser junge Mann ihr anbot: Rose zu werden, wenn auch nur für zwei Tage.

Er wartete. Schließlich begegnete sie über den Tisch hinweg seinem Blick und entdeckte beschämt, daß es im entscheidenden Moment gar nicht mehr auf Worte ankam. Er spürte, daß sie nachgegeben hatte. Ein jähes Lächeln erhellte sein Gesicht, und damit brach ihre letzte Verteidigungsstellung in sich zusammen.

«Sie kommen mit!»

«Ich muß den Verstand verloren haben.»

«Sie kommen mit. Und Sie haben nicht den Verstand verloren, Sie sind wunderbar. Sie sind ein tolles Mädchen.»

Ihm fiel etwas ein. Er holte ein Juwelierkästchen aus der Jackentasche, holte einen Ring mit Saphiren und Diamanten heraus, nahm Floras linke Hand und schob ihr den Ring über den Finger. Andächtig bemerkte sie, wie er an ihrer Hand glitzerte und funkelte – er sah wunderschön aus. Antony schloß ihre Finger zur Faust und nahm sie in beide Hände.

«Danke», sagte er.

Anna

Jason Armstrong, sieben Jahre alt, setzte sich in dem großen Doppelbett neben seiner Urgroßmutter auf und hörte zu, während sie ihm *Die Geschichte von den beiden bösen Mäusen* vorlas. Eigentlich war er für die Geschichte zu alt. Er wußte es, und Tuppy wußte es, aber weil sie im Bett lag und krank war, sehnte er sich nach den Freuden der Kleinkindzeit. Als sie ihn wegschickte, um eine Gutenachtgeschichte zu holen, hatte er deshalb *Die beiden bösen Mäuse* ausgesucht, und sie war taktvoll gewesen, hatte kein Wort darüber verloren, sondern die Brille aufgesetzt, das Buch aufgeschlagen und zu lesen angefangen.

«Es war einmal ein wunderschönes Puppenhaus.»

Er fand, daß sie wunderbar vorlas. Sie tat es jeden Abend, wenn er gebadet und gegessen hatte, meistens im Wohnzimmer am Kamin. In letzter Zeit hatte sie ihm allerdings kaum noch vorlesen können, weil sie zu krank war. «Mach dir nur keine Sorgen um deine Uroma», hatte Mrs. Watty zu ihm gesagt.

«Ich lese dir etwas vor», hatte Tante Isobel versprochen, und sie hatte Wort gehalten, aber es war nicht dasselbe wie Tuppys Vorlesen. Tante Isobel hatte nicht dieselbe Stimme. Und sie roch nicht nach Lavendel wie Tuppy.

Aber, wie Mrs. Watty gern sagte, «jede Wolke hat ihren Silberstreifen», und es ließ sich nicht leugnen, daß es etwas ganz Besonderes war, in Tuppys Bett zu sein. Es war ganz anders als die Betten anderer Leute, aus Messing, mit Knäufen verziert. Die Kissen waren riesig und steckten in herrlichen weißen Bezügen mit Monogramm; die Leinenlaken hatten einen Hohlsaum, waren uralt und voller interessanter Flicken und Stopfereien.

Auch die Möbel in Tuppys Zimmer wirkten verzaubert und geheimnisvoll. Sie waren aus geschnitztem Mahagoni und verblichener Seide mit Knöpfen darauf. Auf dem Frisiertisch drängten sich Töpfchen mit Silberdeckeln und seltsame Dinge wie Korsettknöpfe und Haarnetze, von denen Tuppy ihm erzählt hatte, früher hätten Damen sie benützt, brauchten sie aber jetzt nicht mehr.

«Es waren zwei rote Hummer und ein Schinken, Fisch und Pudding, und ein paar Birnen und Apfelsinen.»

Die Vorhänge waren zugezogen, doch draußen kam Wind auf, und eine Bö fuhr durch das schlecht eingepaßte Fenster herein. Die Vorhänge blähten sich leicht, als verstecke sich jemand hinter ihnen. Jason rückte näher an Tuppy heran und war froh, daß sie da war. In letzter Zeit war er nicht gern allzuweit von ihr entfernt, für den Fall, daß etwas Unsagbares passierte und sie nicht mehr da war, wenn er zurückkam.

Sie hatten eine Schwester, eine richtige Krankenschwester, die nach Fernrigg gekommen war, um sich um Tuppy zu kümmern, bis es ihr besserging. Sie hieß Mrs. McLeod, und sie war den ganzen Weg von Fort William nach Tarbole mit dem Zug gekommen. Watty hatte sie in Tarbole mit dem Auto abgeholt. Sie und Mrs. Watty hatten sich angefreundet und unterhielten sich halb flüsternd bei unzähligen Tassen Tee am Küchentisch. Schwester McLeod war dünn und brettsteif. Sie hatte auch Krampfadern, was vielleicht einer der Gründe dafür war, daß sie sich mit Mrs. Watty angefreundet hatte. Sie verglichen dauernd ihre Krampfadern.

«Eines Morgens waren Lucinda und Johanna fort zu einer Fahrt im Puppenwagen.»

Unten, in der weitläufigen Halle, klingelte das Telefon. Tuppy las nicht weiter, sondern schaute auf und nahm die Brille ab.

Nach einer Weile sagte Jason: «Lies weiter.»

«Das Telefon klingelt.»

«Tante Isobel geht schon ran. Lies weiter.»

Tuppy las weiter, aber Jason merkte, daß sie mit den Gedanken nicht bei Lucinda und Jane war. Dann hörte das Klingeln auf, und wieder unterbrach sie sich. Jason gab auf. «Wer ist das, was meinst du?» fragte er.

«Ich weiß es nicht. Aber bestimmt kommt Isobel gleich rauf und sagt es uns.»

Sie saßen nebeneinander im Bett, die alte Frau und der kleine Junge, erwartungsvoll. Der Klang von Isobels Stimme kam gedämpft die Treppe herauf, doch sie konnten nicht hören, was sie sagte. Schließlich das Klicken, als Isobel den Hörer auflegte, und dann hörten sie, wie sie die Treppe heraufkam und den Flur entlang zu Tuppys Zimmer ging.

Die Tür ging auf, und Isobel steckte den Kopf herein. Sie lächelte, strahlte unterdrückte Aufregung aus. Das weiche, rötlichgraue Haar bildete einen unordentlichen Heiligenschein um ihr glückliches Gesicht. In solchen Augenblicken sah sie ganz jung aus, überhaupt nicht wie eine Großtante.

«Wollt ihr eine erfreuliche Nachricht hören?» fragte sie, kam herein und machte die Tür hinter sich zu. Sukey, fast untergegangen in den Falten der seidenen Daunendecke, hob den Kopf und knurrte halbherzig. Isobel nahm keine Notiz von ihr. Sie beugte sich über das Fußende von Tuppys Bett und sagte: «Das war Antony, aus London. Er kommt über das Wochenende nach Hause und bringt Rose mit.»

«Er kommt.» Tuppy liebte Antony mehr als jeden anderen Menschen auf der Welt, aber jetzt klang sie, als müsse sie gleich weinen. Jason schaute sie ängstlich an, stellte aber erleichtert fest, daß keine Tränen zu sehen waren.

«Ja, sie kommen. Nur für zwei Tage. Sie müssen beide am Montag zurück. Sie nehmen die Abendmaschine von London nach Edinburgh und kommen dann mit dem Auto her. Morgen früh sind sie da.»

«Ach, ist das nicht wunderbar?» Auf Tuppys faltigen Wangen glühten zwei Farbflecke. «Sie kommen wirklich.» Sie lächelte zu Jason hinunter. «Was hältst du davon?»

Jason wußte alles über Rose. Er wußte, daß Antony sie eines Tages heiraten würde. Aber er sagte: «Ich kenne Rose doch gar nicht.»

«Nein, natürlich kennst du sie nicht. Du warst nicht hier, als sie und ihre Mutter im Strandhaus gewohnt haben.»

Über das Strandhaus wußte Jason auch Bescheid. Es war früher eine Fischerkate gewesen, schmiegte sich in die Biegung der Bucht im Norden von Fernrigg. Tuppy hatte die Kate zu einem kleinen Cottage umbauen lassen, das sie im Sommer an Feriengäste vermietete. Aber jetzt war der Sommer vorbei, und das Strandhaus war zu, mit geschlossenen Fensterläden. Jason dachte manchmal, es wäre schön, dort zu wohnen und morgens aus der Tür zu treten, gleich in den Sand.

«Wie ist sie denn?»

«Rose? Oh, sie war sehr hübsch. Sonst weiß ich wirklich nicht mehr viel über sie. Wo wird sie denn schlafen?» wandte sie sich an Isobel.

«Ich habe gedacht, in dem kleinen Einzelzimmer, weil es wärmer ist als das große Zweibettzimmer, und das Bett ist frisch bezogen. Ich werde ein paar Blumen hineinstellen.»

«Und Antonys Zimmer?»

«Mrs. Watty und ich bringen es heute abend in Ordnung.»

Tuppy legte *Die Geschichte von den zwei bösen Mäusen* weg. «Wir müssen ein paar Leute ein...»

«Hör mal, Mutter», unterbrach Isobel mit warnender Stimme, aber Tuppy nahm keine Notiz von ihr. Isobel brachte es offenbar nicht übers Herz, auf ihren Einwänden zu bestehen, vielleicht weil Tuppy so glücklich war.

«Nur ein kleines Abendessen. Wann sollten wir es geben, was meinst du? Sonntag abend? Nein, das hat keinen Zweck, weil Antony nach Edinburgh zurück muß. Es muß morgen abend sein. Sag Mrs. Watty Bescheid, ja, Isobel? Vielleicht kann Watty ein paar Tauben schießen oder, noch besser, ein paar Moorhühner. Oder vielleicht hat Mr. Reekie Scampi für uns.»

«Ich kümmere mich darum», versprach Isobel, «unter einer Bedingung – daß du nicht versuchst, etwas selbst zu organisieren.»

«Nein, natürlich nicht, sei nicht albern. Und du mußt Mr. und Mrs. Crowther anrufen, und wir laden Anna und Brian Stoddart aus Ardmore ein; sie kennen Rose von damals, und ein Abend außer Haus wird Anna guttun. Du meinst doch nicht, daß es zu kurzfristig ist, Isobel, oder? Du mußt es ihnen erklären, sonst halten sie uns für unhöflich…»

«Sie werden es bestimmt verstehen, und sie halten uns sicher nicht für unhöflich.»

Mr. Crowther war der presbyterianische Pfarrer aus Tarbole, und zu Mrs. Crowther ging Jason in den Kindergottesdienst. Er fand nicht, daß das nach einer besonders fröhlichen Party klang.

«Muß ich auch kommen?» fragte er.

Tuppy lachte. «Nein, nicht, wenn du nicht willst.»

Jason seufzte. «Lies doch endlich die Geschichte zu Ende.»

Tuppy las weiter vor, und Isobel ging, um zu telefonieren und mit Mrs. Watty zu konferieren. Als Tuppy eben zur letzten Seite kam, mit dem Bild von Hunka Munka mit Kehrschaufel und Besen, kam Schwester McLeod herein. Mit ihrem gestärkten Rascheln und den großen roten Händen scheuchte sie Jason aus dem Bett und schickte ihn gutgelaunt fort, ließ ihm kaum noch die Zeit, seiner Großmutter einen Gutenachtkuß zu geben.

«Du willst deine Uroma doch nicht müde machen», sagte sie. «Und was Dr. Kyle zu mir sagen würde, wenn sie morgen früh aussähe wie das Kätzchen am Bauch, will ich mir gar nicht erst vorstellen.»

Jason, der schon gehört hatte, wie Dr. Kyle seinem Ärger Luft machte, konnte es sich durchaus vorstellen, beschloß aber, das für sich zu behalten.

Er ging langsam hinaus. Es war nett, daß Schwester McLeod Tuppy beim Gesundwerden half, aber es wäre ihm lieber gewesen, wenn sie es nicht immer so eilig gehabt hätte. Er kam sich schlecht behandelt vor und trottete ins Bad, um sich die Zähne zu putzen. Mittendrin fiel ihm ein, daß morgen Samstag war, was hieß, daß er nicht in die Schule mußte. Und Antony kam. Vielleicht würde er Jason Pfeile und einen Bogen machen. Bestens gelaunt ging Jason schließlich zu Bett.

Als in Ardmore House das Telefon klingelte, war Anna Stoddart im Garten. In dieser Stunde zwischen Tageslicht und Dunkelheit besaß die Natur einen besonderen Zauber für sie, stärker denn je in dieser Jahreszeit, wenn es früher Abend wurde und das Zwielicht angefüllt war mit der Sehnsucht nach den blaugoldenen Abenden des Sommers, der vorüber war.

Es fiel ihr leicht, zum Teetrinken hineinzugehen, die Vorhänge zuzuziehen und am Kamin zu sitzen, die Gerüche und Geräusche von draußen zu vergessen. Aber dann rüttelte der Wind an der Fensterscheibe, eine Möwe schrie oder das Meer murmelte beim Herannahen der Flut, und Anna entschuldigte sich, zog Jacke und Gummistiefel an, griff zur Gartenschere, pfiff den Hunden und ging wieder hinaus.

Von Ardmore aus war der Blick auf die Küste und die Inseln spektakulär. Deshalb hatte Annas Vater Archie Carstairs sich diesen Platz für seine bombastische Granitvilla ausgesucht. Wenn es einem nichts ausmachte, anderthalb Kilometer von Ardmore Village (wo es einen Gemischtwarenladen mit Postschalter, einen Jachtclub und sonst kaum etwas gab) entfernt zu sein und zehn Kilometer von den Geschäften in Tarbole, war es ein herrlicher Ort zum Leben.

Einer der Gründe, aus denen Anna diese Tageszeit so gern mochte, waren die Lichter. Kurz vor der Dunkelheit erschienen sie, leuchteten draußen auf dem Meer, die Küstenstraße entlang, von den hohen Bergen herunter, die sich landeinwärts erhoben; die Scheinwerfer der Fischerboote, die warmen gelben Fenster ferner Katen und Bauernhöfe. Die Straßenlaternen von Tarbole färbten den Nachthimmel mit einem rötlich-goldenen Widerschein, dahinter erstreckte sich Fernrigg wie ein langer Finger ins Meer, und oben auf der Anhöhe stand, halb hinter Bäumen verborgen, Fernrigg House.

Doch an diesem Abend war gar nichts zu sehen. Das Halblicht wirbelte Nebel heran, auf dem Meer tutete ein Nebelhorn, und Ardmore war vom Nebel isoliert wie ein vergessenes Haus am Ende der Welt.

Anna fröstelte. Daß sie über den Sund hinweg Fernrigg sehen konnte, war ihr immer ein Trost gewesen. Fernrigg hieß Tuppy Armstrong. Tuppy war der lebende Beweis dafür, daß ein Mensch ein zufriedenes und nützliches Leben führen konnte, umgeben von Angehörigen und Freunden, niemals verwirrt und voller Selbstzweifel, anscheinend rundum glücklich. Tuppy, so kam es Anna immer vor, hatte ihr erstaunliches Leben – das in gewisser Hinsicht auch tragisch gewesen war – in einer geraden Linie gelebt, war nie davon abgewichen, nie ins Straucheln gekommen, nie besiegt worden.

Bei ihren ersten Begegnungen mit Tuppy war Anna ein schüchternes kleines Mädchen gewesen, das einzige Kind eines ältlichen Vaters, der sich mehr für sein blühendes Geschäft und seine Jachtausflüge interessierte als für seine stille kleine Tochter. Annas Mutter war kurz nach Annas Geburt gestorben, deshalb hatte sich eine Reihe von Kindermädchen um Anna gekümmert, und ihre Schüchternheit und der stattliche Reichtum ihres Vaters hatten sie von Kindern ihres Alters ferngehalten.

Aber Tuppy hatte Anna nie das Gefühl gegeben, sie sei unscheinbar oder dumm. Sie hatte immer Zeit für Anna gehabt – Zeit zum Reden und Zeit zum Zuhören. «Ich will gerade Blumenzwiebeln stecken», sagte sie zum Beispiel. «Komm und hilf mir, und beim Arbeiten können wir uns unterhalten.»

Bei der Erinnerung daran hätte Anna am liebsten geweint. Sie konnte den Gedanken nicht ertragen, daß Tuppy krank war, ganz zu schweigen von der Vorstellung, daß Tuppy starb. Tuppy Armstrong und Hugh Kyle waren Annas beste Freunde. Brian war ihr Mann, und sie liebte ihn so sehr, daß es weh tat, doch er war nicht ihr Freund, war es nie gewesen. Manchmal fragte sie sich, ob andere Ehepaare Freunde waren, aber sie lernte andere Frauen nie so gut kennen, daß sie danach hätte fragen und es herausfinden können.

Sie schnitt die letzten Rosen, blasse Umrisse in der Düsternis. Sie hatte sie schon am Morgen schneiden wollen, es aber vergessen, und jetzt sammelte sie einen Strauß ein, ehe sie den ersten Frost bekamen. Die Stiele fühlten sich in ihren bloßen Händen kalt an, und beim Tasten im Dämmerlicht stach ihr ein Dorn in den Daumen. Der Duft der Rosen war schwach, als wären sie schon tot und von ihrer sommerlichen Pracht nicht mehr übrig als der Geruch.

Wenn sie wiederkommen – die neuen Knospen und dann die Blüten –, ist das Baby da, dachte sie.

Das hätte sie mit Vorfreude erfüllen müssen, aber statt dessen war es eher wie eine Beschwörungsformel, wie das Klopfen auf Holz. Sie wollte nicht daran denken, daß das Baby starb, daß es nie geboren wurde. Es hatte so lange gedauert, bis sie wieder schwanger geworden war. Nach fünf Jahren hatte sie die Hoffnung fast aufgegeben. Aber jetzt lag der lebendige Samen in ihr, wuchs jeden Tag. Sie machte Pläne: strickte ein winziges Jäckchen, holte die alte Korbwiege vom Dachboden, legte nachmittags die Beine hoch, wie Hugh es ihr geraten hatte.

Nächste Woche wollte sie nach Glasgow fahren, um jede Menge teurer Umstandskleider zu kaufen und zum Friseur zu gehen. Eine Frau war am schönsten, wenn sie schwanger war – das behaupteten die Zeitschriften –, und Anna hatte plötzlich Visionen von sich als einem neuen Menschen: romantisch und feminin, von ihrem Mann geliebt und verehrt.

Bei den altmodischen Worten fuhr sie zusammen. Geliebt und verehrt. Sie schienen ihr Bewußtsein aus einer fernen

Vergangenheit zu erreichen. Aber jetzt, wo das Kind kam, hatte sie vielleicht wirklich Grund zur Hoffnung.

Brian hatte sich immer ein Kind gewünscht. Jeder Mann wünschte sich einen Sohn. Die Tatsache, daß sie das letzte Kind verloren hatte, war allein Annas Schuld gewesen. Sie hatte sich zu viele Sorgen gemacht, sich zu leicht aufgeregt. Diesmal war es anders. Sie war älter, nicht mehr so darauf erpicht zu gefallen, reifer. Dieses Kind würde sie nicht verlieren.

Es war inzwischen fast dunkel und recht kalt. Sie fröstelte wieder. Im Haus hörte sie das Telefon klingeln. Vermutlich würde Brian abnehmen, trotzdem wandte sie sich dem Haus zu und ging durch den Garten, über den feuchten Rasen, die schlüpfrige Steintreppe hinauf, über den knirschenden Kies und durch die Gartentür.

Das Telefon klingelte weiter. Brian war nicht aufgetaucht. Sie legte die Rosen hin und ging, ohne sich die Gummistiefel auszuziehen, durch den Flur zu dem Winkel unter der Treppe, in den ihr Vater, als das Haus vor vielen Jahren gebaut worden war, das lästige Gerät verbannt hatte. Inzwischen gab es in Ardmore weitere Telefone – im Wohnzimmer, in der Küche und neben dem Bett von Anna und Brian –, aber dieser Apparat war in der stickigen Ecke geblieben.

Sie nahm ab. «Ardmore House.»

«Anna, hier ist Isobel Armstrong.»

Angst packte Anna. «Wie geht es Tuppy?»

«Wirklich gut. Sie sieht besser aus und ißt recht ordentlich. Hugh hat uns eine Schwester besorgt, eine Mrs. McLeod aus Fort William, und sie hat sich bestens eingelebt. Ich glaube, Tuppy hat sie ganz gern.»

«Gott sei Dank. Das ist wirklich eine große Erleichterung.»

«Anna, könntet ihr beide morgen zum Abendessen kommen? Es ist recht kurzfristig, aber Antony kommt über das Wochenende nach Hause und bringt Rose mit, und natürlich war Tuppys erster Gedanke eine Einladung.»

«Wir kommen gern. Aber ist das nicht zuviel für Tuppy?»

«Tuppy wird nicht dabeisein, aber sie hat die Planung übernommen. Du weißt ja, wie sie ist. Und sie hat sich besonders
gewünscht, daß ihr beide, du und Brian, kommt.»

«Liebend gern. Um wieviel Uhr?»

«Gegen halb acht. Und keine große Abendgarderobe, es ist
nur die Familie, vielleicht noch die Crowthers...»

«Wie nett.»

Sie plauderten noch eine Weile, dann legten sie auf. Isobel
hatte nicht nach dem Baby gefragt, weil sie nichts davon wußte.
Außer Brian und Hugh wußte es niemand. Anna wollte nicht,
daß es sonst jemand erfuhr. Wenn die Leute davon wußten,
würde sie es vielleicht nie bekommen.

Seufzend trat sie aus dem kleinen Verschlag heraus und zog
Gummistiefel und Jacke aus. Sie erinnerte sich an Rose Schuster und ihre Mutter. Sie erinnerte sich an den Sommer, in dem
sie das Strandhaus gemietet hatten, weil das der Sommer gewesen war, in dem Anna ihr Baby verloren hatte. Pamela Schuster
und ihre Tochter gehörten also zu diesem Alptraum, obwohl
es nicht ihre Schuld gewesen war, sondern die von Anna.

Sie erinnerte sich jetzt daran, daß Mrs. Schuster erschrek-
kend weltgewandt gewesen war und ihre Tochter geradezu
unverschämt jung. Der Glamour der beiden hatte die schüch-
terne Anna sprachlos gemacht. Deshalb hatten sie ihr auch
nichts zu sagen. Nach ein paar beiläufigen Bemerkungen hatten sie Anna überhaupt nicht mehr zur Kenntnis genommen.

Aber mit Brian hatten sie sich glänzend amüsiert. In der
Wärme ihrer Aufmerksamkeit war er zur Hochform aufgelau-
fen, unterhaltsam und charmant, mit einem Witz, der dem der
beiden gewachsen war. Anna, stolz auf ihren attraktiven
Mann, hatte sich mit einem Platz im Hintergrund begnügt und
war froh darüber gewesen. Sie fragte sich, ob Rose sich geändert hatte, ob die Verlobung mit einem so netten Menschen wie
Antony ihrer Persönlichkeit die Schärfe genommen haben
mochte.

Jetzt blieb sie lauschend stehen. Wo steckte Brian wohl? Das

Haus war still. Sie ging zur Wohnzimmertür und öffnete sie. Das Zimmer war voller Licht, das Kaminfeuer prasselte. Brian saß ausgestreckt im Sessel und las den *Scotsman*. Ein Glas Whisky stand in seiner Reichweite.

Er senkte die Zeitung, als Anna näher kam, und schaute sie über den Rand hinweg an. Das Telefon stand auf dem Tisch neben ihm.

Sie sagte: «Hast du nicht gehört, daß das Telefon geklingelt hat?»

«Doch. Aber ich habe gedacht, es ist für dich.»

Sie machte keine Bemerkung darüber, sondern kam zum Kamin, streckte die kalten Hände über das Feuer, wärmte sich. «Das war Isobel Armstrong», sagte sie.

«Wie geht es Tuppy?»

«Es scheint ihr ganz gut zu gehen. Sie haben eine Schwester für sie eingestellt. Wir sind eingeladen, morgen in Fernrigg zu Abend zu essen. Ich habe gesagt, wir kommen.»

«Das ist von mir aus in Ordnung.»

Er wandte sich wieder der Zeitung zu. Schnell, um das Gespräch in Gang zu halten, fügte Anna hinzu: «Antony kommt über das Wochenende nach Hause.»

«Das ist also der Grund zum Feiern.»

«Er bringt Rose mit.»

Ein langes Schweigen entstand. Dann senkte Brian die Zeitung, faltete sie zusammen und legte sie auf seinen Schoß. «Rose?»

«Rose Schuster. Du weißt doch. Er ist mit ihr verlobt.»

«Ich habe gehört, sie ist in Amerika.»

«Offenbar nicht.»

«Du meinst, sie kommt über das Wochenende nach Fernrigg?»

«Das hat Isobel gesagt.»

«Wer hätte das gedacht», sagte Brian. Er setzte sich auf, trank sein Glas aus, stand langsam auf und ging hinüber zum Getränketisch, um sein Glas wieder zu füllen.

«Ich war draußen und habe Rosen geschnitten», sagte Anna. Der Siphon zischte in Brians Glas. «Es regnet, Nebel kommt auf.»

«Das lag in der Luft.»

«Ich hatte Angst, daß wir Frost bekommen.»

Mit dem Glas in der Hand kam Brian zum Kamin zurück und schaute in die Flammen.

Anna reckte sich. Über dem Kamin hing ein Spiegel, und ihre Spiegelbilder schauten sie an, nur leicht verzerrt: der Mann, schlank und dunkel, mit scharfgezogenen Augenbrauen, als hätte ein Künstler sie mit Tusche gezeichnet; und die Frau, klein, die ihm nur bis zur Schulter reichte, mollig und unscheinbar. Ihre Augen standen eng beieinander, die Nase war zu groß, ihr Haar, weder braun noch blond, kräuselte sich vom Nebeldunst.

Sie war von ihren Visionen von einer neuen Anna, verklärt durch die bevorstehende Mutterschaft, so überzeugt gewesen, daß ihr Spiegelbild ein Schock für sie war. Wer war diese Person, die sie aus dem blindgewordenen Spiegel anschaute? Wer war diese Person, diese Fremde, die neben ihrem gutaussehenden Mann stand?

Die Antwort kam, wie sie immer kam. Anna. Die unscheinbare Anna. Früher Anna Carstairs, jetzt Anna Stoddart. Und nichts würde sie jemals ändern.

Nach Antonys überstürzter Anreise, ihrer dramatischen Begegnung und ihrem Entschluß, ihn schließlich doch zu begleiten, nahm Flora an, sobald sie in Edinburgh seien, würden sie in sein Auto steigen und mit Höchstgeschwindigkeit nach Fernrigg fahren.

Aber nun, da sie tatsächlich dort waren, schien sich Antonys ganze Persönlichkeit zu verändern. Wie ein Mann, der nach Hause kommt und eine alte Jacke und bequeme Hausschuhe anzieht, entspannte er sich, drosselte das Tempo und schien es nicht mehr eilig zu haben.

«Wir sollten etwas essen», sagte er, als sie beim Auto ankamen, Floras Koffer in den Kofferraum luden und einstiegen.

Sie schaute ihn überrascht an. «Etwas essen?»

«Ja. Haben Sie keinen Hunger? Ich schon.»

«Aber wir haben doch im Flugzeug gegessen.»

«Das war kein Essen. Das war ein Plastikimbiß. Und mir graut vor kaltem Spargel.»

«Aber wollen Sie denn nicht so schnell wie möglich nach Hause?»

«Wenn wir jetzt losfahren, kommen wir um vier Uhr morgens an. Das Haus ist abgeschlossen, und entweder müssen wir drei Stunden lang draußen sitzen oder jemanden wecken, was zweifellos den ganzen Haushalt aus dem Schlaf reißt.» Er ließ den Motor an. «Wir fahren nach Edinburgh hinein.»

«Aber es ist spät. Ob wir da noch ein offenes Lokal finden?»

«Natürlich.»

Also fuhren sie nach Edinburgh, Antony brachte sie in einen kleinen Club, in dem er Mitglied war, sie tranken einen Aperitif und aßen ausgezeichnet zu Abend, mit Kaffee zum Abschluß. Es war alles ganz locker und angenehm und paßte überhaupt nicht ins Bild. Es war fast Mitternacht, als sie schließlich wieder nach draußen kamen. Der Wind vom Morgen hatte sich gelegt, und die Straßen von Edinburgh glänzten schwarz im dünnen, kalten Regen.

«Wie lange brauchen wir?» fragte Flora, als sie wieder ins Auto stiegen, sich anschnallten und sich für die lange Fahrt zurechtsetzten.

«In diesem Regen etwa sieben Stunden. Am besten schlafen Sie ein wenig.»

«Ich kann im Auto nicht gut schlafen.»

«Sie können es wenigstens versuchen.»

Aber Flora schlief nicht. Sie war zu aufgeregt, zu ängstlich und hatte schon jetzt kalte Füße. Doch es gab kein Zurück mehr, was sie um so nervöser machte. In einer schönen, hellen Nacht hätte sie vielleicht versucht, ihre Nerven zu beruhigen, indem sie auf die vorbeigleitende Landschaft schaute, oder die Strecke auf der Karte verfolgt. Aber es regnete pausenlos, und nichts war zu sehen als die schwarze, nasse, gewundene Straße, die ihnen in endlosen Kurven und Biegungen entgegenkam und hinter ihnen wieder in der Dunkelheit versank, während die Reifen über den nassen Asphalt zischten.

Und doch wurde beim Fahren die Landschaft spürbar, trotz Dunkelheit und Nebel. Sie wurde einsamer, trostloser, die Kleinstädte wurden seltener und lagen weiter auseinander. Sie fuhren an einem Loch entlang, der sich schimmernd in der Dunkelheit erstreckte, und dann stieg die Straße an, schlängelte sich den Abhang hinauf.

Durch das halboffene Fenster drang der Geruch nach Torf und Heide herein. Mehr als einmal mußte Antony das Auto abbremsen, weil ein verirrtes Schaf im Scheinwerferlicht sorglos über die Straße trottete.

Flora konnte Berge ausmachen – nicht die Hügel von zu Hause, die vertrauten Steinwälle Cornwalls, sondern richtige Berge, die steil aufragten und tiefe Schluchten und einsame Täler bildeten. In den Gräben wuchs Adlerfarn, schwer vom Regen, und immer hörte man, über den Automotor hinweg, das Plätschern und Rauschen von strömendem Wasser, das hie und da zu einem Tosen anschwoll, wenn ein Wasserfall von einem fernen, unsichtbaren Felsen in das steinige Bett eines Bachs neben der Straße hinunterstürzte.

Die Dämmerung zog an jenem nassen, grauen Morgen so allmählich herauf, daß Flora den Übergang kaum wahrnahm. Es war nur ein Aufhellen der Düsternis, kaum merklich, so daß man allmählich das weiße Glitzern einer Kate am Abhang bemerkte oder die Umrisse nasser Schafe erkannte, ehe man Gefahr lief, sie zu überfahren.

Während der Nacht war auf der Straße wenig Verkehr gewesen, aber jetzt kamen ihnen große Lastwagen entgegen, die mit dröhnenden Dieselmotoren an ihnen vorbeifuhren und Wellen schlammigen Wassers auf die Windschutzscheibe spülten.

«Wo kommen die denn plötzlich her?» fragte Flora.

«Daher, wo wir hinfahren», antwortete Antony.

«Aus Fernrigg?»

«Nein, aus Tarbole. Tarbole war früher ein unbedeutendes Fischerdorf, aber jetzt ist es ein großer Fischereihafen.»

«Wo fahren die Lastwagen hin?»

«Nach Edinburgh, Aberdeen, Fraserburgh – überallhin, wo sie die Heringe verkaufen können. Die Hummer werden nach Prestwick gebracht und direkt nach New York geflogen. Die Scampi kommen nach London, die Salzheringe nach Skandinavien.»

«Haben die Skandinavier denn nicht selber Heringe?»

«Die Nordsee ist leergefischt. Deshalb hat sich Tarbole so herausgemacht. Neuerdings geht es dort ausgesprochen wohlhabend zu. Alle Fischer haben neue Autos und Farbfernseher. Jason geht mit ihren Kindern in die Schule, und die haben keine hohe Meinung von ihm, weil wir in Fernrigg keinen Farbfernseher haben. Armer Kerl, das paßt ihm gar nicht.»

«Wie weit ist es von Fernrigg nach Tarbole?»

«Etwa zehn Kilometer.»

«Wie kommt er in die Schule?»

«Watty fährt ihn hin, der Gärtner. Er würde gern mit dem Rad fahren, aber Tuppy erlaubt es nicht. Sie hat völlig recht. Er ist erst sieben, und sie hat ständig Angst, daß er einen furchtbaren Unfall haben könnte.»

«Wie lange lebt er schon bei Tuppy?»

«Bis jetzt ein Jahr. Ich weiß nicht, wie lange er noch bleibt. Das hängt von Torquils Arbeit ab.»

«Fehlen ihm seine Eltern?»

«Ja, natürlich fehlen sie ihm. Aber der Persische Golf ist wirklich nicht der richtige Ort für ein Kind in seinem Alter.

Und Tuppy wollte, daß er hierbleibt. Ihr gefällt das Haus nicht ohne einen kleinen Jungen, der es in Unordnung bringt. Es hat in Fernrigg immer kleine Jungen gegeben. Ich glaube, das ist einer der Gründe dafür, daß Tuppy so alterslos wirkt. Sie hatte nie Zeit, alt zu werden.»

«Und Isobel?»

«Isobel ist eine Heilige. Isobel hat sich um einen gekümmert, wenn man krank war, wenn einem schlecht geworden war. Sie ist mitten in der Nacht aufgestanden, um einem ein Glas Wasser zu bringen.»

«Sie hat nie geheiratet?»

«Nein. Ich glaube, das hing mit dem Krieg zusammen. Als er anfing, war sie noch zu jung, und als er aus war, wollte sie nur noch zurück nach Fernrigg. Und in den West Highlands wimmelt es nicht gerade von begehrenswerten Junggesellen. Sie hatte einmal einen Verehrer, aber der war ein Farmer mit der festen Absicht, sich Land auf der Isle of Eigg zu kaufen. Er machte den Fehler, Isobel dorthin mitzunehmen. Sie wurde auf der Überfahrt seekrank, und als sie dort ankam, hat es den ganzen Tag lang pausenlos geregnet. Das Farmhaus war unglaublich primitiv, mit einem Außenklo im Garten, auf der Heimfahrt wurde sie wieder krank, und danach starb die Geschichte eines natürlichen Todes. Wir waren alle begeistert, denn wir konnten den Kerl überhaupt nicht leiden. Er hatte ein knallrotes Gesicht und redete dauernd über die Rückkehr zum einfachen Leben. Ein schrecklicher Langweiler.»

«Hat Tuppy ihn gemocht?»

«Tuppy mag alle.»

«Wird sie mich mögen?»

Antony wandte leicht den Kopf und lächelte. Es war ein schuldbewußtes Lächeln, aber auch verschwörerisch, und eigentlich gar kein richtiges Lächeln.

«Sie wird Rose mögen», sagte er.

Flora wurde wieder still.

Jetzt war es hell, der Regen war einem leichten, wehenden Dunst gewichen, der nach dem Meer roch. Die Straße führte bergab, durch Schneisen aus rosa Granit und über abfallende Hügel, bepflanzt mit Lärchen und Fichten. Sie kamen durch kleine Dörfer, die sich langsam auf den neuen Tag vorbereiteten, und an Lochs vorbei, deren dunkles Wasser unter dem Hauch des Westwinds bebte. Jede Biegung der Straße bot eine neue, herrliche Aussicht, und als das Meer schließlich vor ihnen lag, begriff Flora das erst, als sie sah, wie sich die salzigen Wellen an überwucherten Felsen vor einem weiteren Loch brachen.

Ein paar Kilometer fuhren sie am Ufer entlang. Flora sah eine Burgruine, das Gras um die Mauern herum kahlgefressen von Schafen; ein Wäldchen aus silbrigen Buchen, das Laub so kupfern verfärbt wie neue Pennies; eine Farm mit Schafkoppeln und einem bellenden Hund. Es war alles so abgelegen und wunderschön.

«Wie romantisch», sagte sie. «Was für ein abgedroschenes Wort, aber mir fällt kein anderes ein. Es ist ein romantisches Land.»

«Das liegt daran, daß es das Land von Bonnie Prince Charlie ist. Verwurzelt in Traditionen und Nostalgie. Ursprung tausend verlorener Kämpfe, Ausgangspunkt langer Jahre des Exils und der Entvölkerung, Heimat all der wackeren Schottinnen, die sich auf eigene Faust durchgebissen haben.»

«Möchten Sie nicht hier leben? Ich meine, immer.»

«Ich muß Geld verdienen.»

«Könnten Sie das hier nicht?»

«Nicht als Bilanzbuchhalter. Da müßte ich Fischer sein. Oder Arzt wie Hugh Kyle. Er behandelt Tuppy, und er hat, abgesehen von wenigen Unterbrechungen, sein ganzes Leben hier verbracht.»

«Er muß ein glücklicher Mensch sein.»

«Nein», sagte Antony. «Dafür halte ich ihn eigentlich nicht.»

Sie waren um halb sieben in Tarbole, fuhren den steilen Hügel zum kleinen Hafen hinunter, der jetzt die Stille genoß, die bald von den Booten gestört werden würde, die mit dem Fang der Nacht einliefen.

Weil es immer noch zu früh war, fuhr Antony die Hafenstraße entlang und parkte das Auto vor einem Holzschuppen mit Blick auf die Kais, Piers, Kräne und Räuchereien.

Als sie ausstiegen, schlug ihnen Kälte entgegen, die kräftig nach Meer, geteerten Leinen und Fisch roch. Über der Tür des Schuppens stand: *Sandy Soutar. Tee, Kaffee, Snacks*, und aus den beschlagenen Fenstern drang warmes, gelbes Licht.

Sie gingen hinein, über die alte Heringskiste, die als Stufe diente. Drin war es sehr warm, es roch nach frischem Brot und knusprigem Speck, und hinter dem Tresen schaute eine dicke Frau in einem geblümten Overall vom Teekessel auf, sah Antony und lächelte sofort zur Begrüßung.

«Antony Armstrong. Gott im Himmel! Mal wieder im Lande?»

«Tag, Ina. Ich bin über das Wochenende nach Hause gekommen. Bekommen wir ein Frühstück?»

«Aber natürlich. Setzen Sie sich, fühlen Sie sich wie zu Hause.» Sie schaute an ihm vorbei auf Flora, mit vor Neugier funkelnden Augen. «Und ist das die junge Dame, die Sie mitgebracht haben? Wir haben gehört, daß Sie heiraten wollen.»

«Ja», sagte Antony, nahm Floras Hand und zog sie nach vorn. «Das ist Rose.»

Das erste Mal. Die erste Lüge. Die erste Hürde.

«Hallo», sagte Flora, und schon lag die Hürde hinter ihr. So einfach war das.

Jason

Tuppy war seit fünf Uhr wach, wartete seit sechs auf Antony und Rose.

Wenn sie gesund gewesen wäre, dann wäre sie aufgestanden, hätte sich angezogen, wäre hinuntergegangen in das stille, schlafende Haus und hätte sich mit all den vertrauten Tätigkeiten beschäftigt, die sie als so beruhigend empfand. Sie hätte die Haustür aufgemacht, die Hunde hinausgelassen und wäre dann in die Küche gegangen, um den Kessel aufzusetzen, voller Vorfreude auf eine Tasse Tee. Dann wäre sie nach oben gegangen, hätte in den beiden vorbereiteten Zimmern die Elektroöfen eingeschaltet und sich vergewissert, daß alles bereit und gastfreundlich war, mit frischen Bettüberwürfen, Kleiderbügeln im Schrank, sauberem weißem Papier in den Schubladen.

Dann wieder hinunter, um die Hunde hereinzulassen, ihnen Kekse und ein paar liebevolle Klapse zu geben, die Vorhänge aufzuziehen, damit das Morgenlicht hereinkam, in der Glut des Kaminfeuers zu stochern und Torf nachzulegen. Alles wäre warm und gastlich gewesen.

Aber jetzt war sie alt und krank und mußte im Bett bleiben, während andere diese erfreulichen Aufgaben erledigten. Enttäuschung und Langeweile nagten an ihr. Es hätte nicht viel gefehlt, und sie wäre aufgestanden und hätte sich angezogen, und zum Teufel mit Isobel und Schwester McLeod und Hugh Kyle. Aber hinter ihrem Ärger steckte eine ganz reale Angst. Was für eine elende Heimkehr wäre es für Antony gewesen, wenn er seine Großmutter reglos unten an der Treppe gefunden hätte, weil sie nicht vernünftig genug war, das zu tun, was man ihr sagte.

Seufzend schickte sie sich in das Unvermeidliche. Sie aß

einen Keks aus der Dose neben ihrem Bett und trank einen Schluck Tee, den die Schwester jeden Abend in einer Thermoskanne hinterließ. Sie würde sich in Geduld fassen. Krank zu sein war wirklich unerträglich langweilig.

Um sieben regte sich Leben im Haus. Sie hörte, wie Isobel aus ihrem Zimmer kam und hinunterging; sie hörte die Hunde und das Öffnen der Haustür, das Quietschen der kerkerähnlichen Eisenriegel und das Scheppern der großen Schlüssel.

Gleich darauf war auch Mrs. Wattys Stimme zu hören, und bald wehte der Geruch nach brutzelndem Frühstück von unten herauf. Als nächstes ging Jason ins Bad. Als er wieder herauskam, rief er über das Geländer hinunter: «Tante Isobel!»

«Ja?»

«Sind Rose und Antony da?»

«Noch nicht. Sie können jetzt jeden Augenblick kommen.»

Tuppy schaute zur Tür. Der Griff bewegte sich, und gleich darauf schob sich Jasons blonder Kopf herein. «Ich bin wach», sagte sie. «Komm ruhig rein.»

«Sie sind noch nicht da», sagte er.

«Bis du angezogen bist, sind sie vermutlich hier.»

«Hast du gut geschlafen?»

«Wie ein Murmeltier», log Tuppy. «Und du?»

«Auch. Glaub ich jedenfalls. Du weißt auch nicht, wo mein Ranger-T-Shirt ist, oder?»

«Vermutlich in der Wäsche.»

«Oh, schon gut. Ich schaue nach.»

Er verschwand, ließ die Tür offen. Das nächste Ereignis war die Ankunft von Sukey, die nach ihrem Morgenbesuch im Garten sofort die Treppe heraufgekommen war. Sie trottete über den Boden und sprang mit Hilfe eines Stuhls auf Tuppys Bett. Ohne weitere Umstände nahm sie ihren üblichen Platz am Fußende der Decke ein.

«Sukey!» tadelte Tuppy, aber Sukey hatte kein Gewissen. Sie schaute Tuppy einen Augenblick lang kühl an, dann machte sie es sich zum Schlafen bequem.

Dann hatte Schwester McLeod ihren Auftritt, zog Vorhänge auf, machte Fenster zu, stellte den Heizofen an und brachte Tuppys Nippes zum Klirren, während sie mit schweren Schritten herumstapfte.

«Wir müssen Sie zurechtmachen, ehe Ihr Enkel und die junge Dame kommen», sagte die Schwester fröhlich. Sie zog am Laken und an den Kissen, griff unter die Decke nach der Wärmflasche, fragte, was Tuppy zum Frühstück wolle. «Mrs. Watty brät Speck... sie sagt, Antony freut sich immer auf gebratenen Speck an seinem ersten Morgen daheim. Möchten Sie eine kleine Portion davon?»

Und dann, als Tuppy schon glaubte, sie könne keinen Augenblick länger warten, hörte sie Antonys Auto, das dröhnend die Straße heraufkam, durch das offene Tor in die Einfahrt mit den Schlaglöchern einbog. Das zweimalige Hupen, die quietschenden Bremsen und das Aufspritzen des Schotters durchbrachen die Morgenstille. (Tuppy fand, daß er immer zu schnell fuhr.) Unten brach das Chaos aus. Plummer bellte, Schritte kamen den Weg und den Flur entlang, die Tür öffnete sich, und fröhliche Stimmen erfüllten das Haus.

Da bist du ja. Wie schön, daß du da bist.

«Hallo, Antony», rief Jason. «Hattest du eine gute Fahrt? Machst du mir Pfeil und Bogen?»

Tuppy hörte Antonys Stimme. «Wie geht es Tuppy?» (Ihr Herz schmolz vor Liebe zu ihm.)

Dann wieder Jason: «Sie ist schon wach», die Stimme piepsig vor Aufregung. «Sie wartet auf dich.»

Tuppy setzte sich auf, die Tür im Auge, und hörte, wie er heraufkam, wie üblich zwei Stufen auf einmal nehmend.

«Tuppy!»

«Ich bin hier!»

Mit langen Schritten kam er über den Flur zur Tür. Er

stürmte in ihr Zimmer und strahlte dabei über das ganze Gesicht.

«Tuppy.» Er trug Cordhosen, einen dicken Pullover und eine lange Lederjacke, und als er an ihr Bett kam, um sie zu küssen, kratzten seine Bartstoppeln sie an den Wangen. Sein Gesicht war kalt, er hatte zu langes Haar, und sie konnte kaum glauben, daß er tatsächlich da war.

Sie umarmten sich. Schließlich löste er sich von ihr. «Aber du siehst phantastisch aus. Was bist du doch für eine alte Schwindlerin.»

«Mir fehlt gar nichts. Du bist später dran als üblich. War es eine scheußliche Fahrt?»

«Nein, es lief alles bestens. So gut, daß wir bei Sandy in Tarbole zum Frühstücken Station gemacht haben. Wir sind vollgestopft mit Würstchen und starkem Tee.»

«Rose ist dabei?»

«Ja. Sie ist unten. Möchtest du sie sehen?»

«Natürlich möchte ich sie sehen. Hol sie sofort herauf.»

Er ging hinaus, und sie hörte, wie er hinunterrief: «Rose!» Keine Antwort. Dann, dieses Mal lauter: «Rose! Schnell, komm herauf. Tuppy wartet auf dich.»

Tuppy schaute zur Tür. Als er wieder hereinkam, hielt er Rose an der Hand.

Sie wirkten beide schüchtern, fast verlegen, und sie fand das rührend, als habe die Liebe etwas von Antonys Firnis der Weltläufigkeit weggekratzt.

Sie sah Rose an und stellte fest, daß die fünf Jahre zwischen siebzehn und zweiundzwanzig ein hübsches, aber manchmal etwas schmollend wirkendes Mädchen in etwas ganz Besonderes verwandelt hatten. Sie sah die gebräunte Haut, rein, gesund und sauber; das glänzende braune Haar, die Augen – so dunkle, braune Augen. Tuppy hatte vergessen, wie dunkel sie waren. Sie trug die übliche Uniform der Jugend von heute: verwaschene Jeans und einen Pullover, und darüber eine marineblaue Jacke mit Tartanfutter.

Rose sagte schüchtern: «Leider sehe ich ziemlich zerknittert aus.»

«Aber Liebes! Wie könntest du denn geschniegelt aussehen, wenn du die ganze Nacht unterwegs warst? Ich finde, du siehst reizend aus. Jetzt komm her und gib mir einen Kuß.»

Rose kam herüber und beugte sich über Tuppy, um ihr einen Kuß zu geben. Das dunkle Haar fiel nach vorn und berührte Tuppys Wange. Roses Wange war glatt und kühl, erinnerte Tuppy an knackige, frisch gepflückte Äpfel.

«Ich habe schon gedacht, ich bekomme dich nie zu sehen!»

Rose setzte sich auf den Bettrand. «Es tut mir leid.»

«Du warst in Amerika?»

«Ja.»

«Wie geht es deiner Mutter?»

«Sehr gut.»

«Und deinem Vater?»

«Auch gut. Wir haben eine Rundreise gemacht.» Sie sah Sukey. «Oh, ist das Ihr... dein Hund?»

«Du erinnerst dich doch bestimmt an Sukey, Rose! Sie war immer dabei, wenn wir am Strand gepicknickt haben.»

«Sie... sie muß schon ziemlich alt sein.»

«Sie ist zehn. In Hundejahren ist das siebzig. Und damit ist sie immer noch jünger als ich. Ich habe mehr Zähne als sie, aber wenigstens war Sukey nicht so blöd wie ich und ist krank geworden. Habt ihr gesagt, ihr hättet schon gefrühstückt?»

«Ja», sagte Antony. «In Tarbole.»

«Ach, wie schade, Mrs. Watty brät eigens für euch Speck. Ihr müßt ein bißchen darin herumstochern oder wenigstens eine Tasse Kaffee trinken.»

Sie lächelte Rose an und freute sich an dem Gedanken, daß sie Antony heiraten würde und daß sie hier war, in Fernrigg.

«Zeig mir deinen Ring», bat sie, und Rose zeigte ihn ihr. Die Diamanten und Saphire glitzerten an der schlanken braunen Hand.

«Was für ein hübscher Ring! Aber eigentlich habe ich das schon vorher gewußt. Antony hat einen sehr guten Geschmack.»

Rose lächelte. Es war ein alles umarmendes, strahlendes Lächeln, wie Tuppy es liebte... ganz weiße Zähne, die beiden Schneidezähne etwas schief, wodurch sie sehr jung und verletzlich wirkte.

«Wie lange könnt ihr bleiben?» fragte Tuppy, der es am liebsten gewesen wäre, wenn die beiden für immer hätten bleiben wollen.

«Nur bis morgen abend», sagte Antony. «Wir müssen leider bald wieder zurück.»

«Zwei Tage. Wie kurz.» Sie tätschelte Roses Hand. «Macht nichts, Hauptsache, wir genießen es. Und heute abend gibt es eine kleine Einladung, nur ein paar Gäste, weil es ein so besonderer Anlaß ist.» Sie bemerkte Antonys Gesichtsausdruck. «Mach jetzt bloß kein Theater. Das machen mir schon Isobel und die Schwester die ganze Zeit. Wußtet ihr, daß sie eine Schwester eingestellt haben, die sich um mich kümmert? Mrs. McLeod, sie kommt aus Fort William.» Sie senkte die Stimme zu einem Flüstern. «Sie sieht genau wie ein Pferd aus.» Rose prustete los. «So ein Quatsch, aber es hilft Isobel sehr. Und natürlich komme ich nicht zu dem Abendessen. Ich werde hier sitzen, mit einem Essenstablett, und hören, wie ihr euch alle amüsiert.» Sie wandte sich Rose zu. «Ich habe Anna und Brian eingeladen – du erinnerst dich doch an sie, nicht wahr? Ja, natürlich erinnerst du dich. Ich habe gedacht, es freut dich, sie wiederzusehen.»

Rose sagte: «Es wäre schön, wenn du auch dabei sein könntest.»

«Wie lieb du bist. Aber wenn ich noch eine Weile im Bett bleibe, bin ich bis zu eurer Hochzeit wieder auf den Beinen, und das ist das Allerwichtigste.» Sie lächelte wieder, ihr Blick huschte von einem Gesicht zum anderen. Sie schauten sie an, die beiden Augenpaare, ein so helles und ein so dunkles.

Tuppy fiel auf, daß die dunklen Augen von Müdigkeit überschattet waren. «Rose, hast du denn wenigstens ein bißchen geschlafen?» fragte sie besorgt.

Rose schüttelte den Kopf. «Ich konnte nicht.»

«Ach, Liebes, da mußt du ja völlig erschöpft sein.»

«Bin ich auch, ein bißchen. Ganz plötzlich. Nur schläfrig.»

«Möchtest du ins Bett? Schlaf bis zum Mittagessen, dann fühlst du dich besser. Und vielleicht will Antony...»

«Ich bin munter», sagte Antony schnell. «Vielleicht mache ich am Nachmittag ein Nickerchen.»

«Aber Rose muß schlafen. Mrs. Watty soll dir eine Wärmflasche machen. Und hinterher kannst du ein schönes Bad nehmen. Das möchtest du doch gern, nicht wahr?»

«Ja», gab Rose zu.

«Dann machst du es auch. Und jetzt geht hinunter und eßt Mrs. Watty zuliebe etwas Speck, und sagt der Schwester, ich möchte jetzt mein Frühstück, und», fügte sie hinzu, als sie zur Tür gingen, «noch einmal vielen Dank, euch beiden, vielen Dank, daß ihr gekommen seid.»

Das Aufwachen war seltsam. Das Bett war seltsam, wenn auch wunderbar weich und bequem. Der Stuck an der Decke war seltsam, das dunkle Rosa der zugezogenen Vorhänge fremd. Ehe sie sich richtig orientiert hatte, zog Flora den Arm unter der Decke hervor und schaute auf die Uhr. Elf. Sie hatte fünf Stunden geschlafen. Und hier war sie, in Fernrigg – Fernrigg House in Arisaig, in Argyll, in Schottland. Sie war Flora, aber jetzt war sie Rose, verlobt mit Antony Armstrong.

Sie hatte alle kennengelernt: Isobel, den kleinen Jason, Mrs. Watty, wogend, gesund und mehlig wie ein frischgebackenes Hörnchen, und Watty, ihren Mann, der in die Küche kam, während sie Kaffee tranken, mit sorgfältig abgetretenen Stiefeln und Fragen wegen des Gemüses. Alle schienen sich darüber zu freuen, daß sie da war, und nicht nur wegen Antony. Erinnerungen waren das Gebot der Stunde.

«Und wie geht es Mrs. Schuster?» hatte Mrs. Watty gefragt. «Ich weiß noch, wie sie in jenem Sommer jeden Morgen heraufkam, um frische Eier zu holen, und Watty gab ihr meistens einen Salatkopf, weil sie sagte, ohne frischen Salat hält sie es keinen Tag lang aus.»

Und Isobel erinnerte sich an ein bestimmtes Picknick, bei dem es so warm gewesen war, daß Tuppy darauf bestanden hatte, schwimmen zu gehen, und sich dafür einen eleganten Badeanzug von Pamela Schuster ausgeliehen hatte. «Sie hat keinem von uns erlaubt, ihr zuzuschauen, wie sie ins Wasser ging. Sie sehe unanständig aus, hat sie gesagt, aber in Wahrheit sah sie ausgesprochen hübsch aus, weil sie immer so schlank war.»

Und Antony hatte Isobel gehänselt. «Wenn Tuppy euch nicht erlaubt hat hinzuschauen, woher weißt du dann, daß sie hübsch ausgesehen hat? Du mußt heimlich hingeguckt haben.»

«Ich wollte mich doch bloß vergewissern, daß sie keinen Krampf bekommt.» Nur Jason hatte sehr zu seinem Verdruß keine Erinnerungen. «Wenn ich bloß dagewesen wäre, als du hier warst», sagte er zu Flora und schaute sie mit unverhohlener Bewunderung an. «Aber ich war nicht da. Ich war irgendwo anders.»

«Du warst in Beirut», sagte Isobel. «Und selbst wenn du hier gewesen wärst, könntest du dich wahrscheinlich an nichts erinnern, weil du erst zwei warst.»

«Ich kann mich noch daran erinnern, wie ich zwei war. Ich kann mich an eine Menge erinnern.»

«An was zum Beispiel?» fragte Antony skeptisch.

«Zum Beispiel... an Weihnachtsbäume?» sagte er hoffnungsvoll.

Flora fiel auf, daß alle lächelten, aber niemand ihn auslachte. Obwohl er wußte, daß die anderen ihm nicht so ganz glaubten, hatte er seine Würde gewahrt.

«Egal», fügte er hinzu, «an Rose würde ich mich ganz bestimmt erinnern.»

Der Empfang hatte also nicht nur etwas mit der Tatsache zu tun, daß Rose und Antony angeblich heiraten wollten. Die Schusters hatten offenbar vor fünf Jahren von sich aus einen gewissen Eindruck gemacht, der noch in fröhlicher Erinnerung war, was jetzt vieles erleichterte.

Flora schaute wieder auf die Uhr. Jetzt war es fünf nach elf, und sie war hellwach. Sie stand auf, ging zu den Fenstern hinüber, zog die Vorhänge auf und schaute über den Garten weg auf das Meer.

Der Regen hatte aufgehört, der Nebel löste sich auf. In der Ferne nahmen die Umrisse der Inseln schwach Gestalt an.

Es war Ebbe, man sah eine kleine Mole und den steilen Kiesstrand, zu dem der Garten in einer Reihe von Rasenterrassen abfiel. Auf der einen Seite bemerkte sie einen mit Maschendraht eingezäunten Tennisplatz. Unter ihr war das Laub von Büschen scharlachrot und golden, und eine Eberesche trug schwer an der Last ihrer Beeren.

Flora schloß das Fenster und ging auf die Suche nach einer Badewanne. Was sie fand, war ein sargähnliches viktorianisches Monstrum, eingebettet in poliertes Mahagoni und mit so hohen Seitenwänden, daß man nur mühsam hineinsteigen konnte. Das Wasser war kochend heiß, ganz weich und braun verfleckt vom Torf. Das restliche Badezimmer samt Zubehör entsprach genau dem Stil der Wanne. Die Seife roch schwach nach Medizin, die Handtücher waren riesig, weiß und flauschig, und auf der Konsole stand eine Flasche mit dem Etikett *Pimentöl*. Alles war altmodisch und ungeheuer luxuriös.

Als sie gewaschen und angezogen war, ihr Bett gemacht und ihre Kleider aufgehängt hatte, wagte sich Flora aus dem Zimmer. Sie ging zum Ende des Ganges, wo die breite Treppe mit einer Reihe von Absätzen in die große Halle hinunterführte. Dort blieb sie stehen, lauschte auf ein Geräusch häuslicher Tätigkeit, hörte aber nichts. Sie sah Tuppys Schlafzimmertür, befürchtete jedoch, sie mitten in einem Nickerchen zu stören oder bei einem Gespräch mit ihrem Arzt oder der forschen, kompetenten Schwester. Sie ging die Treppe hinunter und sah das schwelende Feuer im großen Kamin, das nach Torf duftete.

Immer noch kein Laut. Flora kannte sich im Haus noch nicht recht aus und fand schließlich die Küche, wo zu ihrer Erleichterung Mrs. Watty am Tisch stand und einen Vogel rupfte. Mrs. Watty schaute durch ein Gestöber von Federn auf.

«Hallo, Rose. Haben Sie sich schön ausgeruht?»

«Ja, danke.»

«Möchten Sie eine Tasse Kaffee?»

«Nein, nicht nötig. Ich habe mich gefragt, wo die anderen stecken.»

«Alle haben etwas vor. Jedenfalls soweit ich weiß. Die Schwester wartet auf den Arzt, Miss Isobel ist in Tarbole und macht Besorgungen für heute abend, und Antony und Jason sind nach Lochgarry gefahren, um herauszufinden, ob Willie Robertson die Schlaglöcher in der Einfahrt ausbessern kann. Jedesmal, wenn er herkommt, will Miss Isobel von Antony, daß er etwas gegen die Schlaglöcher unternimmt, na, Sie wissen ja, wie das ist. Die Zeit reicht nie. Aber heute morgen war er einverstanden und ist zusammen mit Jason vor etwa einer Stunde weggefahren. Sie sind zum Mittagessen zurück.» Mrs. Watty griff nach einem mörderischen Messer und hackte den Hühnerkopf ab. «Es sieht also ganz so aus, als wären Sie sich selbst überlassen.»

Flora wandte den Blick von dem abgehackten Kopf ab. «Kann ich Ihnen bei irgend etwas helfen? Ich könnte den Tisch decken. Oder Kartoffeln schälen.»

Mrs. Watty lachte schallend. «Lieber Gott, das ist alles schon erledigt. Sie brauchen sich über nichts den Kopf zu zerbrechen. Machen Sie doch einen schönen Spaziergang. Der Regen hat aufgehört, und ein bißchen frische Luft kann Ihnen nicht schaden. Vielleicht möchten Sie zum Strandhaus hinuntergehen und schauen, ob es sich nach den vielen Jahren verändert hat.»

«Ja», sagte Flora. Das war eine gute Idee. Dann kannte sie das Strandhaus und konnte darüber reden, wie Rose es getan hätte. «Aber ich kann mich kaum noch daran erinnern, wie man dorthin kommt.»

«Ach, das können Sie nicht verfehlen. Gehen Sie einfach ums Haus herum und den Weg zum Strand hinunter. Ziehen Sie aber lieber eine Jacke an. Heute morgen ist kein Verlaß auf das Wetter, obwohl der Nachmittag vielleicht schön und klar wird.»

Nach dieser Mahnung holte Flora die Jacke aus ihrem Zimmer, ging wieder die Treppe hinunter und durch die Haustür hinaus. Der Morgen war kühl, frisch und feucht, roch nach welkem Laub, nach Torfrauch und nach dem salzigen Meer. Sie blieb einen Augenblick stehen, um sich zu orientieren, dann wandte sie sich nach links, ging über den Schotter vor dem Haus und kam zu einem Weg, der durch den abschüssigen Rasen zu einem dichten Rhododendrongebüsch führte.

Als sie schließlich aus dem Gebüsch heraustrat, gelangte sie an eine Gruppe neugepflanzter junger Fichten. Der Weg führte jedoch weiter, durch die jungen Bäume hindurch, bis sie zu einem Tor in einer Bruchsteinmauer kam. Dahinter und darunter wuchs Heidekraut, dann kamen Felsen und dann ein Strand mit dem weißesten Sand, den sie je gesehen hatte.

Ihr wurde bewußt, daß sie sich am südlichen Ufer eines vom Meer gespeisten Lochs befand. Jetzt, bei Ebbe, trennte nur ein schmales Rinnsal die beiden weißen Strände, und auf der anderen Seite stieg das Land zu flachen grünen Hügeln an, durchsetzt mit Schafskoppeln und Wiesen, auf denen das Heu in selbstgebauten Hocken trocknete.

Aus dem Schornstein einer kleinen Kate stieg blauer Rauch, vor der Tür lag ein Hund, und (wie immer in diesem Teil der Welt) Schafe sprenkelten den Abhang.

Auf dem Weg zum Wasser hielt Flora Ausschau nach dem

Strandhaus. Sie sah es fast sofort, unverkennbar in die Biegung der Bucht geschmiegt, eingerahmt von einem Wäldchen aus knorrigen Eichen.

Als sie darauf zuging, fiel ihr die Holztreppe auf, die über die Felsen vom Strand heraufführte, und die Fassade des Häuschens mit den geschlossenen Fensterläden. Die Wände waren weiß gestrichen, das Dach schieferblau, die Türen und Läden grün. Sie ging die Treppe hinauf und sah die gefliesste Terrasse, auf der ein Glasfiberdingi lag, neben einem Holzkübel mit den welkenden Resten sommerlicher Geranien.

Sie drehte sich um, lehnte sich mit dem Rücken an die Tür, betrachtete die Aussicht und versuchte, sich wie eine Schauspielerin mit einer neuen Rolle in Rose hineinzuversetzen. Rose mit siebzehn. Was hatte sie in jenem Sommer mit sich angefangen? Womit hatte sie die Zeit verbracht? War es schön und warm gewesen, so daß sie auf der Terrasse hatte sonnenbaden können? War sie bei Flut mit dem kleinen Dingi auf den Loch hinausgefahren? War sie geschwommen, hatte sie Muscheln gesammelt und war über den leuchtenden Sand gegangen?

Oder hatte sie sich zu Tode gelangweilt? Hatte sie die Tage schmollend verbracht, sich nach New York oder Kitzbühel oder einem anderen ihrer Jagdgründe gesehnt? Flora hätte es liebend gern gewußt, damit sie Rose hätte einschätzen können. Wenn nur Zeit gewesen wäre, ihre Schwester besser kennenzulernen.

Sie drehte sich um, ging rückwärts ein Stück vom Haus weg, schaute es an, versuchte, etwas von ihm zu erfahren. Aber die Fassade mit den geschlossenen Fensterläden war wie ein geheimnisvolles Gesicht, verriet ihr nichts. Sie gab es auf und ging zum Strand zurück, wo das glasklare Wasser den Sand leckte und Muscheln zum Sammeln lagen, glatt und heil in dem friedlichen Priel.

Sie hob eine auf und dann eine zweite und vertiefte sich so in diese müßige Beschäftigung, daß sie jedes Zeitgefühl verlor. Deshalb hatte sie keine Ahnung, wie lange sie dort gewesen war, als ihr plötzlich bewußt wurde, daß ihr jemand zuschaute. Sie sah von den Muscheln auf. Am Rand der schmalen Straße am Anfang des Loch parkte ein Auto. Es war vorher nicht dagewesen. Und daneben, reglos, die Hände in den Taschen, stand ein Mann.

Sie waren vielleicht hundert Meter auseinander. Aber sofort, als er merkte, daß Flora ihn gesehen hatte, nahm er die Hände aus den Taschen, kam die wenigen Schritte zum Strand herunter und über den Sand auf sie zu.

Flora war befangen. Sie und der näher kommende Mann waren die einzigen lebenden Wesen weit und breit (wenn man eine Reihe von gierigen Seevögeln nicht mitzählte), und verschiedene Phantasien blitzten in ihrem Kopf auf.

Vielleicht hatte er sich verfahren und wollte sie nach dem Weg fragen. Vielleicht suchte er nach einem Ort, an dem er mit seiner Frau und seiner Familie die nächsten Sommerferien verbringen konnte, und das Strandhaus war ihm ins Auge gestochen. Vielleicht war er ein streunender Lustmolch. Flora wünschte sich, sie hätte daran gedacht, einen Hund mitzunehmen.

Aber dann beruhigte sie sich. Selbst auf einige Entfernung strahlte er eine solide Rechtschaffenheit aus: seine Gestalt – er war ausgesprochen groß, breitschultrig und langbeinig –; sein bedächtiger, nicht überhasteter Schritt, der den Abstand zwischen ihnen mit der Leichtigkeit eines an das Laufen gewöhnten Mannes zurücklegte; seine konventionelle, ländliche Kleidung. Vielleicht ein Farmer oder ein Grundstücksbesitzer aus der Nachbarschaft. Sie stellte sich ein großes, zugiges Haus und Jagdeinladungen im August vor.

Es war an der Zeit, ihn zur Kenntnis zu nehmen, statt nur mit den Händen voller Muscheln dazustehen und ihn anzustarren. Flora versuchte es mit einem schwachen Lächeln, auf das er aber nicht reagierte. Er kam einfach näher, nahm Kurs auf sie wie ein Panzer. Er war vermutlich zwischen dreißig und vierzig, mit kräftigen Gesichtszügen; sein Haar, sein Anzug, selbst sein Hemd und die Krawatte hatten keine bestimmte Farbe und waren vollkommen unauffällig. Nur die Augen fielen auf. Sie waren von einem so strahlenden, dunklen Blau, daß Flora sich plötzlich hilflos fühlte. Sie war auf vieles gefaßt gewesen, aber nicht auf diesen eisigen Blick, dieses Funkeln der Feindseligkeit.

Schließlich blieb er stehen, keinen Meter von ihr entfernt, vor der Böschung zum Strand hinunter, das Gewicht auf einen Fuß verlagert. Der Wind regte sich und wehte eine Haarsträhne über Floras Wange. Sie strich sie zurück. Er sagte: «Hallo, Rose.»

Ich bin nicht Rose.

«Hallo», sagte Flora.

«Frischen Sie glückliche Erinnerungen auf?»

«Ja, ich glaube schon.»

«Was ist es für ein Gefühl, wieder hier zu sein?» Seine Stimme hatte den weichen Tonfall der West Highlands. Er war also ein Einheimischer. Und er kannte Rose. Aber wer war er?

«Es ist ein schönes Gefühl», sagte Flora und wünschte sich, ihre Stimme hätte selbstsicherer geklungen.

Er steckte die Hände in die Hosentaschen. «Wissen Sie, ich hätte nie geglaubt, daß Sie tatsächlich wieder herkommen.»

«Das ist keine besonders freundliche Begrüßung. Oder?»

«Ich habe Sie nie für blöd gehalten, Rose. Tun Sie nicht so, als ob Sie von mir etwas anderes erwartet hätten.»

«Warum hätte ich nicht herkommen sollen?»

Darüber hätte er fast gelächelt, aber sein Ausdruck wurde dadurch nicht freundlicher.

«Ich glaube nicht, daß Sie oder ich diese Frage stellen müssen.»

Allmählich wurde Flora ärgerlich. Es gefiel ihr gar nicht, auf so unverhohlene Abneigung zu stoßen.

«Sind Sie den ganzen Weg zum Strand nur heruntergekommen, um mir das zu sagen?»

«Nein. Ich bin gekommen, um Ihnen etwas anderes zu sagen. Um Sie daran zu erinnern, daß Sie kein unschuldiger Teenager mehr sind. Sie sind mit Antony verlobt. Eine erwachsene Frau. Ich hoffe schlicht und einfach, und zwar um Ihretwillen, daß Sie gelernt haben, sich auch so zu benehmen.»

Flora war fest entschlossen, sich ihre Unsicherheit nicht anmerken zu lassen. «Das klingt wie eine Drohung», sagte sie so unbeschwert wie möglich.

«Nein. Keine Drohung. Eine Warnung. Eine freundliche Warnung. Und jetzt wünsche ich Ihnen einen schönen Tag und überlasse Sie den Muscheln.»

Er drehte sich um und ging, so plötzlich, wie er aufgetaucht war, anscheinend ohne Eile, aber mit seinen langen Schritten erstaunlich schnell.

Flora stand wie angewurzelt da und sah ihm nach. Er schien blitzschnell die Felsen erreicht zu haben, kletterte leichtfüßig hinauf, stieg ins Auto und fuhr Richtung Tarbole ab.

Sie stand immer noch völlig benommen da, die Muscheln in den Händen, während es in ihrem Kopf von Fragen wimmelte. Aber es schien nur eine Antwort darauf zu geben: Rose mußte mit siebzehn eine Liebesgeschichte mit diesem Mann gehabt haben. Sie konnte sich nicht vorstellen, was sonst einen solchen Groll, eine derart deutliche Abneigung erklärt hätte.

Sie ließ die Muscheln abrupt fallen und ging, erst langsam, dann schneller, zurück nach Fernrigg, das ihr jetzt wie ein sicherer Hafen erschien. Sie dachte daran, Antony von ihrer Begegnung zu erzählen, ihn ins Vertrauen zu ziehen, überlegte es sich dann aber anders.

Schließlich ging es sie eigentlich gar nichts an. Sie war Flora, nicht Rose. Sie war nur für zwei Tage in Fernrigg. Morgen fuhren sie ab, dann würde sie diese Leute nie wiedersehen. Sie würde diesen Mann nie wiedersehen. Er hatte Rose gekannt, aber das hieß nicht, daß er ein Freund der Armstrongs war. Selbst falls er ein Bekannter sein sollte, erschien es äußerst unwahrscheinlich, daß Tuppy einen derart unangenehmen Menschen in ihr Haus einlud.

Nachdem sie zu dieser Schlußfolgerung gekommen war, schwor sich Flora, den ganzen Vorfall zu vergessen. Dennoch konnte sie sich kaum gegen den Gedanken sträuben, daß Roses Benehmen möglicherweise ein wenig ungeschickt gewesen war.

Als sie aus dem Rhododendrondickicht auftauchte, stellte sie erleichtert fest, daß ihr Antony und Jason über den Rasen entgegenkamen. Sie trugen beide zerschlissene Jeans und weite Pullover. Jasons Segeltuchturnschuhe hatten Löcher an den Spitzen, und die Schnürsenkel waren offen. Als er Flora sah, rannte er auf sie zu, stolperte über die Schnürsenkel, fiel auf die Nase, stand sofort wieder auf und rannte weiter. Flora fing ihn auf, als sie erreichte, und wirbelte ihn herum.

«Wir haben nach dir gesucht», sagte er. «Es ist gleich Zeit zum Mittagessen, und es gibt Shepherd's Pie.»

«Tut mir leid. Ich habe gar nicht gemerkt, wie die Zeit vergangen ist.» Sie schaute über seinen Kopf hinweg Antony an.

«Guten Morgen», sagte er und beugte sich unvermittelt herunter, um ihr einen Kuß zu geben. «Wie fühlst du dich?»

«Ausgezeichnet.»

«Mrs. Watty hat uns gesagt, daß du einen Spaziergang machst. Hast du das Strandhaus gefunden?»

«Ja.»

«Alles in Ordnung?»

Er meinte nicht das Strandhaus, sondern Flora, wie ihr zumute war, wie sie mit der Situation zurechtkam, in die er sie gebracht hatte. Seine Sorge rührte sie, und weil sie ihn nicht beunruhigen wollte, lächelte sie und sagte entschieden, alles sei in bester Ordnung.

«Warst du am Strandhaus?» fragte Jason.

«Ja.» Sie gingen zum Haus zurück, Jason an Floras Hand. «Aber die Fensterläden sind zu, und ich konnte nicht hineinsehen.»

«Ich weiß. Watty macht das immer, wenn der Sommer vorbei ist, weil sonst Jungen aus Tarbole kommen und die Fenster einwerfen. Einmal hat einer ein Fenster eingeworfen, ist eingestiegen und hat eine Decke geklaut.» Aus Jasons Mund klang das verbrecherischer als ein Mord.

«Und was hast du heute morgen gemacht?» fragte Flora.

«Wir waren in Lochgarry bei Willie Robertson wegen der Löcher in der Einfahrt, und Willie will mit seiner Teerspritzmaschine kommen und alle zumachen. Er hat gesagt, er kommt nächste Woche.»

Antony war sich da nicht so sicher. «Das heißt vermutlich nächstes Jahr», sagte er zu Flora. «Hier sind wir im Westen von Schottland, Zeit spielt keine Rolle. *Mañana* heißt gestern.»

«Und Mrs. Robertson hat mir Karamelbonbons geschenkt, und dann sind wir zur Pier von Tarbole gefahren, da liegt ein Schiff aus Dänemark, und sie laden es voll mit Heringsfässern, und ich habe eine Möwe gesehen, die hat mit einem Bissen eine Makrele gefressen.»

«Silbermöwen sind immer so gierig.»

«Und heute nachmittag macht mir Antony Pfeil und Bogen.»

«Vielleicht», meinte Antony, «sollten wir Rose fragen, was sie gern möchte.»

Jason schaute ängstlich zu ihr auf. «Du möchtest doch auch Pfeil und Bogen machen, ja?»

«Ja, gern. Aber das wird bestimmt nicht lange dauern. Vielleicht können wir noch etwas anderes machen. Zum Beispiel spazierengehen. Die Hunde gehen doch sicher gern spazieren?»

«Ja, Plummer schon, aber Sukey ist faul, sie sitzt am liebsten nur auf Tuppys Bett», antwortete Jason.

«Ich muß sagen, sie scheint es dort sehr bequem zu haben.»

«Sie ist Tuppys Hund, weißt du. Sie hat schon immer Tuppy gehört. Tuppy liebt sie. Aber ich finde, Sukey stinkt scheußlich aus dem Maul.»

Weil der Eßzimmertisch schon für das Abendessen gedeckt war, aßen sie in der Küche zu Mittag. Alle saßen um den großen, gescheuerten Tisch herum, auf dem eine blau-weiß karierte Tischdecke lag. In der Mitte stand ein Krug mit gelben Chrysanthemen. Antony saß am einen Ende des Tisches, Jason am anderen, Isobel, Schwester McLeod, Flora und Mrs. Watty an den Seiten. Es gab den versprochenen Shepherd's Pie, danach Apfelkompott mit Sahne, alles ganz einfach, heiß und köstlich. Als sie mit dem Essen fertig waren, kochte Mrs. Watty Kaffee, und sie besprachen, wie sie den Rest des Tages verbringen wollten.

«Ich werde im Garten arbeiten», verkündete Isobel. «Es wird ein schöner Nachmittag, und ich will mir diese Rabatte schon seit Tagen vornehmen.»

«Wir wollten einen Spaziergang machen», sagte Antony.

«Dann könnt ihr Plummer mitnehmen.»

Jason mischte sich ein. «Aber Antony, du hast gesagt...»

Antony unterbrach ihn. «Wenn du noch einmal von Pfeil und Bogen redest, mache ich sie und erschieße dich dann damit, direkt ins Herz.» Er zielte mit einem imaginären Bogen auf Jason und schoß den Pfeil ab. «Peng.»

«Du darfst nie auf Leute schießen», sagte Jason altklug. «Falle nie mit dem Gewehr über andre Menschen her.»

«Das ist ein löblicher Vorsatz», sagte Antony, «aber schlechte Lyrik.» Er wandte sich Flora zu. «Wollen wir einen Augenblick zu Tuppy hinaufgehen?»

Aber Schwester McLeod protestierte. «Mrs. Armstrong hat eine schlechte Nacht gehabt und überhaupt nicht geschlafen, deshalb bitte nicht jetzt, wenn es Ihnen nichts ausmacht.

Ich gehe gleich nach oben und mache sie für ein Nickerchen zurecht. Es ist nicht gut für sie, wenn sie sich zu sehr aufregt.»

Antony nahm das widerspruchslos hin. «Ganz wie Sie meinen, Schwester. Sie sind der Boss.» Die Schwester stand auf und überragte sie alle wie eine gestrenge Kinderfrau. «Aber wann dürfen wir zu ihr?»

«Wie wäre es heute abend vor dem Essen? Wenn Sie sich alle umgezogen und für die Party zurechtgemacht haben? Sie fände es bestimmt wunderbar, Sie alle so zu sehen.»

«In Ordnung. Sagen Sie ihr, daß wir gegen sieben kommen, alle in großer Robe.»

«Mach ich», sagte die Schwester. «Und wenn Sie mich jetzt bitte entschuldigen, ich muß mich um meine Patientin kümmern. Und danke für das Mittagessen, Mrs. Watty, es war einfach köstlich.»

«Es freut mich, daß es Ihnen geschmeckt hat, Schwester.» Mrs. Watty strahlte und streckte den voluminösen Arm aus, um allen Kaffee nachzuschenken.

Als die Schwester gegangen war, stützte Antony die Ellbogen auf den Tisch und sagte: «Sie redet ja, als ob wir einen Riesenempfang geben, alle Herren in weißen Hemden und mit Monokel, und Tante Isobel mit den Familiendiamanten und einer Schleppe. Wer kommt denn überhaupt?»

«Anna und Brian. Und Mr. und Mrs. Crowther...»

«Das wird ja immer fröhlicher», murmelte Antony. Isobel warf ihm einen ziemlich kühlen Blick zu und sprach unverdrossen weiter. «Und Hugh Kyle, falls er nicht zu einer Entbindung, einem Blinddarm oder einem anderen Notfall gerufen wird.»

«Schon besser. Die Konversation wird zweifellos sprühen.»

«Jetzt spiel hier bloß nicht den Snob», warnte ihn seine Tante.

«Mr. Crowther erwischt er bestimmt nicht auf dem fal-

115

schen Fuß», bemerkte Mrs. Watty. «Der ist nicht auf den Mund gefallen.»

Flora fragte: «Wer ist Mr. Crowther?»

«Der presbyterianische Pfarrer», erklärte Antony.

«Und Mrs. Crowther hält Kindergottesdienst und hat riesengroße Zähne», steuerte Jason bei.

«Jason!» rief Isobel streng, aber Antony grinste. «Damit sie dich besser fressen kann», sagte er. «Kommst du auch zur Party, Jason?»

«Nein», sagte Jason. «Ich will nicht. Ich esse hier mit Mrs. Watty zu Abend, und Tante Isobel hat mir eine Flasche Cola mitgebracht.»

«Wenn die Konversation im Eßzimmer zu zäh wird, komme ich bestimmt und leiste dir Gesellschaft», sagte Antony.

«Antony!» mahnte Isobel, aber Flora hörte den liebevollen Unterton heraus. Vermutlich hatte Antony sie immer ein wenig aufgezogen, und das war einer der Gründe dafür, daß er ihr so fehlte und sie sich freute, wenn er nach Hause kam.

Die Konstruktion von Pfeil und Bogen nahm etwas Zeit in Anspruch. Antonys bestes Taschenmesser und geeignete Schnur mußten gefunden werden und dann der richtige Zweig für den Bogen. Antony war sehr geschickt und hatte das offensichtlich schon oft gemacht, aber trotzdem genehmigte er sich etliche Flüche und Kraftausdrücke, bis der neue Bogen und ein paar Pfeile fertig waren. Dann zeichnete er mit einem Stück Kreide ein Ziel auf einen Baumstamm, und Jason spannte alle Muskeln seiner schmächtigen Arme an und schoß die Pfeile ab, meistens daneben, aber schließlich kam er dem Ziel etwas näher. Die Pfeile flogen jedoch nicht richtig.

«Sie müssen gefiedert werden», sagte Antony zu Jason.

«Wie macht man das?»

«Das zeig ich dir morgen; jetzt dauert es zu lange.»

«Zeig's mir doch jetzt.»

«Nein. Jetzt gehen wir spazieren. Wir nehmen Plummer mit. Möchtest du mitkommen?»

«Ja.»

«Schön, räum Pfeil und Bogen weg, dann gehen wir.»

Jason sammelte seine neuen Schätze ein und ging ins Haus, um sie hinter der Tür zu verstauen, neben einer angeschlagenen Krocketgarnitur und etlichen ramponierten Liegestühlen. Antony ging hinüber zu Flora und Plummer, die geduldig auf dem Rasen gesessen und darauf gewartet hatten, daß die Zielübungen zu Ende waren.

«Tut mir leid», sagte er. «Es hat lange gedauert.»

«Schon in Ordnung. Man fühlt sich wie im Sommer, wenn man hier sitzt. Es ist auch ein richtiger Sommertag geworden.»

«Ich weiß. Das kann in diesem Teil der Welt vorkommen. Und morgen gießt es vermutlich aus Kübeln.» Jason kam über den Rasen zu ihnen zurückgerannt. Antony streckte Flora die Hand hin. «Komm», sagte er.

Sie gingen die Einfahrt hinunter, durch das Tor und über die Straße, den Berg hinauf, der sich hinter dem Haus erhob, überquerten Stoppelfelder und Weiden mit stämmigem Vieh, stiegen über einen Graben und machten einen Satz in tiefes Heidekraut, das von zickzackförmigen Schafspuren durchzogen war. Plummer, die Nase am Boden, mit peitschendem Schwanz, stöberte eine Moorhuhnfamilie auf, die aus dem Heidekraut zu ihren Füßen aufjagte, vor ihnen hersegelte und rief: *Zurück, zurück, zurück.*

Der Abhang wurde steiler, schob sich näher an den Horizont heran. Vor ihnen tauchten die Trümmer einer Kate auf, ein Ebereschenbaum mit scharlachroten Beeren am klaffenden Türloch, und daneben stand eine einsame Föhre Wache, vom steten Wind gebeutelt und verkrüppelt.

Vor der Kate floß ein Bach mit torfbraunem Wasser, der in einer Reihe von winzigen Wasserfällen den Abhang hinunterstürzte und tiefe Tümpel bildete, wo sich der dunkle Gischt unter den überhängenden Büscheln von Heidekraut sammelte wie Seifenschaum. Binsen wuchsen in Stauden, so grün wie Smaragde. Der Boden war sumpfig, und die weißen Schwanenblumen wehten im Wind. Sie überquerten den Bach mit Hilfe wackliger Trittsteine und traten zwischen die eingefallenen Mauern.

Sie hatten jetzt die Anhöhe erreicht. Auf allen Seiten fiel das Land nach unten ab, und plötzlich erstreckte sich vor ihnen eine atemberaubende Aussicht. Im Süden, hinter den waldigen Hügeln, lag der Sund von Arisaig; im Norden reichte das blaue Gewässer eines Inlandlochs, gefangen zwischen massiven Felswänden, tief in die Hügel hinein. Und im Westen…

Sie saßen da, die Schultern an eine abbröckelnde Grenzmauer gestützt, und genossen die unvergleichliche Aussicht. Auf dem Meer im Westen, das jetzt strahlend blau war, tanzten Kupferflecken. Der Himmel war wolkenlos, die Sicht kristallklar, die Inseln lagen wie Trugbilder auf dem Wasser.

«Was für eine Vorstellung», murmelte Flora, «hier zu leben und sich das jeden Tag anschauen zu können.»

«Ja, bloß kriegst du es selten zu sehen. Meistens kannst du vor lauter Regen die eigene Nasenspitze nicht sehen, und wenn es nicht regnet, bläst der Wind mit Stärke zwölf.»

«Verdirb's mir nicht.»

Er zitierte: «‹Ein karges Haus, ein karges Moor, ein unruhvoller Teich davor.› Robert Louis Stevenson. Tuppy hat ihn Torquil und mir vorgelesen, wenn sie meinte, etwas Bildung könne uns nicht schaden.» Er zeigte mit dem Finger. «Die kleine Insel ist Muck. Und das ist Eigg. Die gebirgige ist Rhum, und dort zu deiner Rechten liegt Sleat, und dahinter Sleat the Cuillins.»

Die fernen, nadelspitzen Gipfel glitzerten silbern vor dem Himmel. «Das sieht aus wie Schnee», sagte Flora.

«Ist es auch. Wir müssen uns auf einen harten Winter gefaßt machen.»

«Und der Loch, der in den Bergen. Wie heißt der?»

«Das ist Loch Fhada. Du kennst doch den Loch am Strandhaus? Der gehört auch zum Loch Fhada. Der Süßwasserloch mündet ins Meer, direkt hier, unter der Überführung. Da ist ein Damm und eine Fischleiter zum Fangen von Lachsen...»

Seine Stimme verebbte. Über dem Reden hatten sie Jason ganz vergessen. Er stand neben ihnen, hörte zu, machte ein verwirrtes Gesicht.

«Warum?» fragte er. «Warum erzählst du Rose diese ganzen Sachen, als ob sie noch nie hiergewesen wäre? Das klingt, als ob sie noch nie in Fernrigg gewesen wäre.»

Antony sagte: «Na ja, schon...»

Aber Flora ergriff schnell das Wort. «Es ist so lange her, und mit siebzehn habe ich mich nicht besonders für die Ortsnamen interessiert. Aber jetzt interessiere ich mich dafür.»

«Ich glaube, weil du herkommen und hier leben wirst.»

«Nein, ich werde nicht herkommen und hier leben.»

«Aber wenn du Antony heiratest?»

«Antony lebt in Edinburgh.»

«Aber du wirst oft herkommen und hier wohnen, nicht wahr? Bei Tuppy?»

«Ja», mußte Flora ihm schließlich beipflichten, «ja, ich glaube schon.»

Das etwas angespannte Schweigen, das die drei überkommen hatte, wurde taktvollerweise von Plummer durchbrochen, der trotz seines Alters, in dem er es besser hätte wissen müssen, plötzlich beschloß, ein Kaninchen zu jagen. Fort war er, rannte mit fliegenden Ohren durch das Heidekraut. Jason, der nur zu gut wußte, daß Plummer durchaus fähig war, das Kaninchen bis zum Ende der Welt zu verfolgen und ihn dabei völlig aus den Augen zu verlieren, setzte ihm nach.

«Plummer! Plummer, du bist ein ganz ungezogener Hund. Komm zurück!» Er rannte auf spindeldürren Beinen, der Wind verwehte seine hohe Stimme. «Plummer, komm zurück!»

«Sollten wir ihm helfen?» fragte Flora.

«Nein, er fängt ihn schon ein.» Antony wandte sich ihr zu. «Wir hätten es fast vermasselt, nicht wahr? Jason ist ein intelligentes Kind. Mir war gar nicht bewußt, daß er zugehört hat.»

«Ich hatte es auch vergessen.»

«Wirst du es heute abend auch schaffen? Was die Gespräche angeht, meine ich.»

«Wenn du in meiner Nähe bleibst, wird's schon gutgehen.»

«Beim Mittagessen habe ich Tante Isobel nur aufgezogen. Es sind nette Leute.»

«Ja, da bin ich mir sicher.» Sie lächelte, um ihn zu beruhigen.

Er sagte langsam: «Weißt du, ich kann mich gar nicht daran gewöhnen, daß du wie Rose aussiehst, aber nicht Rose bist. Das fällt mir immer wieder ein und trifft mich genauso hart wie beim ersten Mal.»

«Möchtest du, daß ich Rose wäre?»

«So habe ich das nicht gemeint. Ich habe nur gemeint, daß irgend etwas – vielleicht der Funke, der überspringt – hier fehlt.»

«Du meinst, daß du nicht so in mich verliebt bist, wie du es in Rose warst.»

«Aber wenn ich nicht in dich verliebt bin, warum bin ich es dann nicht?»

«Weil ich Flora bin.»

«Du bist netter als Rose. Das weißt du, nicht wahr? Rose hätte keine Zeit für Jason gehabt. Rose hätte nicht gewußt, wie man mit Leuten wie Mrs. Watty und der Schwester redet.»

«Nein, aber sie hätte gewußt, was sie dir zu sagen hat, und das ist vielleicht wichtiger.»

«Sie hat mir Lebwohl gesagt», stellte Antony mit einer gewissen Bitterkeit fest. «Und ist mit irgendeinem griechischen Papagallo nach Spetse abgehauen.»

«Und du hast behauptet, du bist ein nüchterner Typ.»

Er grinste wehmütig. «Ich weiß. Aber ich möchte gern heiraten, das ist das Komische daran. Schließlich bin ich dreißig, ich kann nicht den Rest meiner Tage als Junggeselle verbringen. Ich weiß auch nicht. Ich nehme an, ich habe einfach noch nicht die richtige Frau kennengelernt.»

«In Edinburgh muß es doch von richtigen Frauen wimmeln. Schottische Mädchen mit frischen Gesichtern, die allein in ihren Altbauwohnungen leben.»

Er lachte. «Stellst du dir das Leben in Edinburgh so vor?»

«Für mich ist das Leben in Edinburgh ein Essen mit Antony Armstrong an einem nassen, schwarzen Abend.» Sie schaute auf die Uhr. «Weißt du, wenn Jason und Plummer wiederkommen, sollten wir nach Hause gehen. Falls Isobel die Familiendiamanten trägt, muß ich mir wenigstens die Haare waschen.»

«Ja, natürlich. Und Jason und ich haben versprochen, Watty beim Hühnerfüttern zu vertreten.» Er schaute sie an und prustete los. «Familienleben. Glanzvoll wie immer.» Er beugte sich herunter und gab ihr einen Kuß, einen richtigen, auf den Mund. Als er sich von ihr löste, fragte sie: «Ist das für Rose oder für Flora?»

«Für dich», sagte Antony.

An jenem Abend ging die Sonne in einer Flut aus flüssigem Gold und Rot hinter dem Meer unter. Flora, die sich das Haar gewaschen hatte und jetzt versuchte, es mit einem altmodischen Fön zu trocknen, den sie sich von Isobel ausgeliehen hatte, ließ die Vorhänge offen und schaute dem Sonnenuntergang ungläubig zu. Allmählich, während das Licht sich veränderte, wechselten die Farben, und die Inseln wurden rosa und dann dunkelblau. Das Meer war ein Spiegel des Himmels, und als die Sonne schließlich verschwunden war, verdunkelte es sich zu einem tintigen Indigo, gesprenkelt von den Scheinwerfern der Fischerboote, die für die Nachtarbeit aus Tarbole ausliefen.

Während sich das alles abspielte, hörte man, wie überall im Haus geschäftige Vorbereitungen für das abendliche Fest getroffen wurden. Leute gingen treppauf, treppab, zogen Vorhänge zu, schürten Feuer. Aus der Küche kam das Klappern von Töpfen und Porzellan, und köstliche Kochdüfte wehten nach oben.

Was sie anziehen sollte, war für Flora kein Problem, weil sie nur ein Ensemble mitgebracht hatte, das passend war: einen langen Rock aus türkisfarbener Wolle, eine Seidenbluse und einen breiten Gürtel, der beides zusammenhielt. Angesichts der Eile, mit der sie in London gepackt hatte, war es erstaunlich, daß sie daran gedacht hatte, auch nur diese Sachen mitzunehmen. Als sie sich angezogen, frisiert und die Augen geschminkt hatte, legte sie Ohrringe an und besprühte sich mit einem Parfum, das ihr Marcia zum Geburtstag geschenkt hatte. Der Geruch, wie das mit Gerüchen geht, brachte Marcia, ihren Vater und Seal Cottage so lebhaft zurück, daß sich Flora urplötzlich verloren vorkam.

Was machte sie hier? Die Antwort auf diese Frage war ungeheuerlich. Der Wahnsinn des ganzen Unterfangens traf sie wie ein Keulenschlag, und Panik überkam sie. Sie saß vor dem Spiegel, starrte ihr Bild an und wußte, daß der Abend vor ihr lag wie ein Alptraum voller Lügen. Sie würde sich zum Narren machen, würde sich verraten, würde Antony im Stich lassen. Und alle würden wissen, daß sie nichts war als eine Lüge auf zwei Beinen, eine Betrügerin der schlimmsten Sorte.

Der Instinkt sagte ihr, sie solle weglaufen. Jetzt. Ehe es jemand herausfinden konnte. Ehe jemand verletzt werden konnte. Aber wie hätte sie fliehen sollen? Und wohin? Und hatte sie Antony nicht eine Art Versprechen gegeben? Antony, der sich mit den besten Absichten auf das wahnsinnige Täuschungsmanöver eingelassen hatte, alles Tuppy zuliebe.

Sie versuchte, sich zusammenzureißen. Schließlich profitierten sie beide nicht davon. Sie hatten beide überhaupt nichts zu gewinnen, handelten sich höchstens für den Rest

122

ihres Lebens ein schlechtes Gewissen ein. Im Grunde schadeten sie niemandem.

Oder doch? Den ganzen Nachmittag lang hatte Flora mit wilder Entschlossenheit nicht an den Mann am Strand gedacht. Aber jetzt war er wieder da, dieser große, feindselige Mann mit den verhüllten Drohungen, die er eine Warnung nannte. Solange es ihn gab, hatte es keinen Sinn, sich einzureden, die Lage sei einfach. Sie konnte nur hoffen, daß er mit den Armstrongs nichts zu tun hatte. Und schließlich war Tuppy der einzige Mensch, auf den es ankam. *Vielleicht wurde etwas Falsches richtig, wenn es aus den richtigen Gründen getan wurde.* Und wenn es je einen richtigen Grund gegeben hatte, dann war das Tuppy, die alte Frau in ihrem Zimmer auf der anderen Seite des Ganges, die jetzt darauf wartete, daß Flora ihr gute Nacht sagte.

Flora? Nein, nicht Flora. Rose.

Sie holte tief Luft, wandte sich vom Spiegel ab, zog die Vorhänge zu, machte das Licht aus, ging aus dem Zimmer und den Flur entlang zu Tuppys Tür. Sie klopfte, und Tuppy rief: «Herein.»

Flora hatte damit gerechnet, daß Antony bei ihr sei, doch Tuppy war allein. Das Zimmer lag im Halbdunkel, nur erhellt von der Nachttischlampe, die einen warmen Lichtkreis auf das große Bett am Ende des Zimmers warf. Darin, gestützt von vielen Kissen, saß Tuppy in einem frischen Batistnachthemd mit Spitze am Ausschnitt und in einem Bettjäckchen aus blaßblauer Shetlandwolle, mit Satinschleifen zugebunden.

«Rose! Ich habe auf dich gewartet. Komm her, laß dich anschauen.»

Flora trat ins Licht und zeigte sich. «Es ist nichts Großartiges, aber ich habe nichts anderes dabei.» Sie trat neben das Bett, um Tuppy einen Kuß zu geben.

«Mir gefällt es. So jung und hübsch. Und mit dieser schmalen Taille siehst du so groß und schlank aus. Es gibt nichts Hübscheres als eine schmale Taille.»

«Du siehst auch hübsch aus», sagte Flora und setzte sich auf den Bettrand.

«Die Schwester hat mich herausgeputzt.»

«Das Bettjäckchen ist wunderschön.»

«Isobel hat es mir zu Weihnachten geschenkt. Ich trage es heute zum erstenmal.»

«War Antony schon bei dir?»

«Vor etwa einer halben Stunde.»

«Hast du heute nachmittag geschlafen?»

«Ein bißchen. Und was hast du gemacht?»

Flora erzählte, und Tuppy legte sich in die Kissen zurück und hörte zu. Das Licht fiel auf ihr Gesicht, sie sah gebrechlich und erschöpft aus, und Flora hatte plötzlich Angst um sie. Unter ihren Augen lagen dunkle Schatten der Müdigkeit, und ihre Hände, knorrig und braun wie alte Baumwurzeln, spielten unruhig mit dem Zipfel des Überschlaglakens, während Flora sprach.

Und doch war es ein wunderbares Gesicht. Als junges Mädchen war sie vermutlich nicht schön gewesen, aber im Alter kamen das kantige Gesicht und die Vitalität, die es ausstrahlte, zur Geltung, und sie wirkte auf Flora faszinierend. Ihre Haut, zart und trocken, gebräunt von einem Leben an der frischen Luft, war überzogen mit Falten; wenn man ihre Wange berührte, fühlte sie sich an wie ein welkes Blatt. Das weiße Haar war kurz und lockte sich um ihre Schläfen. Sie hatte durchstochene Ohrläppchen, in die Länge gezogen von dem schweren, altmodischen Schmuck, den sie ihr Leben lang getragen hatte. Ihr Mund hatte dieselbe Form wie Antonys, und sie hatten das herzliche, plötzliche Lächeln gemeinsam. Aber wirklich gefangen nahmen Tuppys Augen, tiefliegende Augen im strahlenden Blau von Immergrünblüten, wach und aufmerksam für alles, was sich tat.

«...und dann sind wir nach Hause gekommen, die Jungs haben die Hühner gefüttert und die Eier abgenommen, und ich habe mir das Haar gewaschen.»

«Es sieht wünderschön aus. Es glänzt. Wie gepflegtes Holz. Hugh war eben hier, um nach mir zu sehen, und ich habe ihm von dir erzählt. Er ist jetzt unten, nimmt mit Antony einen Drink. Wie schön, daß er kommen konnte. Er hat soviel zu tun, der Ärmste. In gewisser Hinsicht ist er allerdings selbst schuld. Ich sage ihm dauernd, er soll sich einen Partner nehmen. In den letzten Jahren ist die Praxis für einen einzelnen viel zu groß geworden. Aber er schwört, daß er allein zurechtkommt. Ich glaube, es ist ihm lieber so. Dann hat er keine Zeit zum Grübeln und Unglücklichsein.»

Flora dachte an das, was Antony über Hugh Kyle gesagt hatte.

Er hat, abgesehen von wenigen Unterbrechungen, sein ganzes Leben hier verbracht.

Er muß ein glücklicher Mensch sein.

Nein. Dafür halte ich ihn eigentlich nicht.

«Ist er verheiratet?» fragte sie, ohne sich etwas dabei zu denken.

Tuppy warf ihr einen scharfen Blick zu. «Weißt du das nicht mehr, Rose? Hugh ist Witwer. Seine Frau ist bei einem Autounfall ums Leben gekommen.»

«Oh, o ja, natürlich.»

«Es war so traurig. Wir kennen Hugh seit einer Ewigkeit. Sein Vater war jahrelang der Arzt in Tarbole, und wir haben miterlebt, wie Hugh aufwuchs. Er war immer so ein kluger, gescheiter Junge. Er war in London, um sich zu habilitieren, aber als seine Frau starb, hat er alles hingeworfen und ist nach Tarbole zurückgekommen, um die Praxis seines Vaters zu übernehmen. Damals war er noch in den Zwanzigern, und es hat mir so leid um ihn getan. So eine Vergeudung von Begabung, von Talent.»

«Vielleicht sollte er wieder heiraten.»

«Natürlich sollte er das, aber er tut es bestimmt nicht. Er sagt, er will nicht. Er hat eine Haushälterin namens Jessie McKenzie, aber sie ist schlampig und gibt sich überhaupt keine Mühe, und der Haushalt der beiden ist alles andere als fröhlich.» Tuppy seufzte. «Aber was soll man machen? Wir können nicht über das Leben anderer bestimmen.» Sie lächelte, mit vor Heiterkeit funkelnden Augen. «Nicht mal ich kann über Hughs Leben bestimmen, so große Mühe ich mir auch gebe. Weißt du, ich war schon immer ein ganz unmöglicher Mensch, herrschsüchtig, habe mich in alles eingemischt. Aber meine Familie und meine Freunde wissen das, und sie nehmen es inzwischen recht gnädig hin.»

«Ich glaube, sie genießen es.»

«Ja.» Tuppy wurde nachdenklich. «Weißt du, Rose, als ich heute nachmittag hier lag, hatte ich eine so gute Idee…» Ihre Stimme stockte leicht, und sie griff nach Floras Hand, als gebe ihr die körperliche Berührung etwas von der Kraft der jungen Frau. «Mußt du wirklich mit Antony zurückfahren?» Flora starrte sie an. «Ich meine, Antony muß wegen seiner Arbeit nach Edinburgh zurück, aber ich habe gedacht, vielleicht – hast du eine Stelle in London?»

«Nein, eigentlich nicht, aber…»

«Aber du mußt zurück?»

«Ja, ich denke schon. Ich meine…» Jetzt kam Flora ins Stocken. Verzweifelt suchte sie nach einer Ausflucht.

«Denn», fuhr Tuppy fort, jetzt schon etwas entschlossener, «falls du nicht zurück mußt, könntest du hierbleiben. Wir haben dich alle so gern, und zwei Tage reichen nicht, dich richtig kennenzulernen. Es gibt so vieles, was ich tun möchte, was wir besprechen sollten. Wegen der Hochzeit…»

«Aber wir wissen doch noch gar nicht, wann wir heiraten!»

«Ja, aber es müssen Einladungslisten gemacht werden. Und außerdem gibt es hier Sachen, die Antony gehören und die er braucht, wenn er einen eigenen Haushalt gründet. Silber von seinem Vater, Bilder, die ihm gehören. Möbel, der Schreibtisch seines Großvaters. Um all das muß man sich kümmern. Es ist nicht gut, solche Dinge in der Luft hängenzulassen.»

«Aber Tuppy, du sollst dich doch nicht wegen Antony und

mir anstrengen. Wir sind nicht deshalb gekommen. Du sollst dich ausruhen, wieder zu Kräften kommen.»

«Aber vielleicht komme ich nicht wieder zu Kräften. Vielleicht wird es mir nie bessergehen. Jetzt mach kein so jämmerliches Gesicht, wir müssen uns alle den Tatsachen stellen. Und falls es mit mir nicht mehr besser wird, ist es viel leichter für mich, wenn ich diese ganzen lästigen Einzelheiten schon erledigt habe.»

Eine lange Pause entstand. Schließlich sagte Flora leise: «Ich glaube wirklich nicht, daß ich bleiben kann. Bitte, verzeih mir. Aber ich muß morgen mit Antony fahren.»

Die Enttäuschung überschattete Tuppys Gesicht, aber nur einen Augenblick lang. «Wenn das so ist», sagte sie lächelnd und tätschelte Floras Hand, «mußt du einfach bald wieder nach Fernrigg kommen, dann besprechen wir alles.»

«Ja, ich will es versuchen. Ich… es tut mir wirklich leid.»

«Mein liebes Kind, mach kein so tragisches Gesicht. Es ist nicht das Ende der Welt. Nur so ein dummer Gedanke von mir. Und jetzt solltest du vielleicht hinuntergehen. Unsere Gäste kommen, und du mußt sie begrüßen. Ab mit dir.»

«Bis morgen.»

«Natürlich. Gute Nacht, mein Liebes.»

Flora beugte sich vor, um ihr einen Gutenachtkuß zu geben. Als sie das tat, ging die Tür hinter ihr auf, und Jason erschien, im Bademantel, das Buch zum Vorlesen unter dem Arm. «Ich gehe gleich», versicherte Flora und stand auf.

Er machte die Tür zu. «Du siehst hübsch aus. Hallo, Tuppy, hast du heute nachmittag gut geschlafen?»

«Wunderbar.»

«Ich habe nicht *Peter Rabbit* mitgebracht, sondern *Die Schatzinsel*, weil Antony sagt, es wird Zeit, daß ich mutig genug werde, mir das anzuhören.»

«Wenn es zu sehr zum Fürchten ist», sagte Tuppy, «können wir jederzeit aufhören und es mit etwas anderem versuchen.»

Er gab ihr das Buch und stieg ohne große Umstände in das große weiche Bett neben ihr, zog sich die Decke über die Knie und machte es sich gemütlich.

«Hast du etwas Gutes zum Abendessen bekommen?» fragte Flora.

«Ja, toll. Ich muß von der Cola dauernd aufstoßen.» Offenbar lag ihm daran, daß sie ging, damit er und Tuppy mit der Geschichte anfangen konnten, und er fügte hinzu: «Hugh ist unten, aber sonst noch niemand.»

«Dann», sagte Flora, «sollte ich hinuntergehen und guten Abend sagen.»

Sie ging hinaus, machte die Tür hinter sich zu und blieb stehen, die Hände an die Wangen gepreßt, versuchte, sich zu fassen. Die Enttäuschung, die sie in Tuppys Blick gesehen hatte, würde ihr ein Leben lang nachgehen. Aber was hätte sie sonst sagen können? Was hätte sie anderes tun können, als sich zu weigern?

Warum konnte das Leben nicht einfach bleiben? Warum mußten Menschen, Gefühle, Beziehungen alles komplizieren? Was als gutgemeinte, harmlose Täuschung angefangen hatte, wurde häßlich, nahm monströse Ausmaße an. Wie hätte Flora wissen können, worauf sie sich einließ? Nichts, was Antony gesagt hatte, hätte sie auf den Eindruck vorbereiten können, den Tuppys herzliche, liebevolle Persönlichkeit auf sie gemacht hatte.

Sie seufzte tief, wappnete sich für die nächste Hürde und machte sich auf den Weg hinunter. Der Teppich fühlte sich unter den Sohlen ihrer goldenen Pumps dick an. Auf dem Fenstersims stand ein frischer Strauß aus Buchenlaub und Chrysanthemen. Die Halle war für die Einladung aufgeräumt worden, die Vorhänge an den Glastüren waren zugezogen, das Feuer war kräftig geschürt worden. Die Tür zum Wohnzimmer stand halb offen, und Stimmen drangen heraus.

Antony sprach. «Das heißt also, Hugh, daß Tuppy sich erholen wird. Stimmt das?»

«Selbstverständlich. Das habe ich die ganze Zeit gesagt.»

Die Stimme war tief, der Tonfall auf beunruhigende Weise vertraut. Flora blieb reglos stehen, wollte nicht lauschen, konnte sich aber auf einmal nicht mehr bewegen.

«Aber Isobel hat geglaubt…»

«Was hat Isobel geglaubt?»

Isobel erwiderte, gleichermaßen nervös wie kleinlaut: «Ich habe geglaubt… ich habe geglaubt, du willst mich schonen. Es mir verheimlichen.»

«Isobel!» Die Stimme klang vorwurfsvoll. «Du hast mich mein Leben lang gekannt. Ich würde dir nie etwas verheimlichen. Das muß dir doch klar sein. Schon gar nicht, wenn es um Tuppy geht.»

«Es… es war dein Gesichtsausdruck.»

«Leider» – das klang, als wolle er einen Witz daraus machen – «kann ich nichts für meinen Gesichtsausdruck. Ich bin vermutlich damit geboren worden.»

«Nein, ich erinnere mich.» Isobel war hartnäckig. «Ich kam aus dem Wohnzimmer, und du hast auf halber Höhe der Treppe gestanden. Nur dagestanden. Und du hattest einen Ausdruck im Gesicht, bei dem ich Angst bekommen habe. Ich wußte, es ist wegen Tuppy…»

«Aber es war nicht wegen Tuppy. Es war etwas anderes, etwas, was mir große Sorgen macht, aber es war nicht wegen Tuppy. Und ich habe dir gesagt, daß sie gesund wird. Ich habe dir gesagt, wenn ich mich recht erinnere, daß sie so zäh ist wie altes Heidekraut und uns vermutlich alle überlebt.»

Eine Pause entstand, und dann gab Isobel zu: «Ich habe dir nicht geglaubt.» Das klang, als werde sie gleich in Tränen ausbrechen.

Flora konnte es nicht länger ertragen. Sie ging durch die offene Tür hinein.

Das Wohnzimmer von Fernrigg wirkte an jenem Abend wie ein Bühnenbild, beleuchtet und möbliert für den ersten Akt eines viktorianischen Stücks. Der Eindruck verstärkte sich noch durch die Aufstellung der drei, die plötzlich schwiegen, als Flora auftauchte, und sich zu ihr umdrehten.

Aber sie hatte nur Augen für den zweiten Mann. Den Arzt. Hugh Kyle, der Isobel auf der anderen Seite des Kaminläufers gegenüberstand. Er war so groß, daß der venezianische Spiegel, der über dem hohen Kaminsims aus Marmor hing, seinen Kopf und seine Schultern zeigte.

«Rose!» sagte Isobel. «Komm ans Feuer. Du erinnerst dich an Hugh, nicht wahr?»

«Ja», sagte Flora. Seit sie seine Stimme gehört hatte, wußte sie, daß er es war. Der Mann, den sie heute morgen am Strand getroffen hatte. «Ja, ich erinnere mich.»

Tuppy

«Natürlich», sagte er. «Wir erinnern uns beide. Wie geht es Ihnen, Rose?»

Sie runzelte die Stirn. «Ich kann nichts dafür, daß ich es gehört habe. Sie haben über Tuppy gesprochen.»

Antony brachte ihr einen Drink, ohne zu fragen, was sie wolle. «Ja», sagte er. «Es scheint eine Art Mißverständnis gegeben zu haben.»

Sie nahm das Glas, das eisgekühlt und sehr kalt in ihrer Hand war. «Sie wird wieder gesund?»

«Ja. Hugh sagt das.»

Flora hatte das Gefühl, sie müsse gleich in Tränen ausbrechen.

«Es war meine Schuld», erklärte Isobel schnell. «Wie dumm von mir. Aber ich war so aufgeregt. Ich habe gedacht, Hugh will mir erklären, daß Tuppy...» Sie brachte das Wort *stirbt* nicht über die Lippen. «Daß es ihr nie wieder bessergehen wird. Und das habe ich zu Antony gesagt.»

«Aber es ist nicht wahr?»

«Nein.»

Flora schaute Antony an, und sein ruhiger Blick begegnete ihrem. Die beiden Verschwörer, dachte sie. In die eigene Falle gegangen. Sie hätten gar nicht nach Fernrigg zu kommen brauchen. Sie hätten sich gar nicht auf diese irrwitzige Scharade einlassen müssen. Das ganze sorgfältig durchgeführte Täuschungsmanöver war überflüssig gewesen.

Antony hatte ein ausdrucksvolles Gesicht. Man sah ihm deutlich an, daß er Floras Gedanken lesen konnte. Sie hatten sich zum Narren gemacht. Es tat ihm leid. Und doch war er auch erleichtert, die Anspannung wich aus seinem gutgeschnittenen Gesicht. Er hatte Tuppy unsagbar gern.

«Sie wird wieder gesund», wiederholte er mit tiefer Befriedigung. Flora griff nach seiner Hand und drückte sie. Er wandte sich wieder den anderen zu. «Ehrlich gesagt, wenn Rose und ich nicht geglaubt hätten, es ist dringend, wären wir vermutlich dieses Wochenende gar nicht gekommen.»

«Wenn das so ist», sagte Isobel, die klang, als ob sie sich erholt hätte, «bin ich froh, daß ich so dumm war und Hugh mißverstanden habe. Es tut mir leid, daß ich euch einen Schreck eingejagt habe, aber wenigstens hat euch das hergebracht.»

«Hört, hört», sagte Hugh. «Ich hätte keine wirkungsvollere Arznei verschreiben können. Ihr beide habt Tuppy unglaublich geholfen.» Er drehte dem Feuer den Rücken zu und lehnte die breiten Schultern an den Kaminsims. Durch das Zimmer hindurch spürte Flora seinen Blick. «Und jetzt, wo Sie hier sind, Rose, was ist es für ein Gefühl, wieder in Schottland zu sein?»

Er benahm sich gut, aber die blauen Augen waren nicht wärmer, und sie blieb mißtrauisch.

«Sehr schön.»

«Ist das Ihr erster Besuch, seit Sie damals hier waren?»

«Ja.»

«Sie war den ganzen Sommer in den Staaten.» Das war Antony, der aufmerksame Souffleur in den Kulissen.

Hugh hob die Augenbrauen. «Wirklich? Wo denn?»

Flora versuchte, sich daran zu erinnern, wo Rose gewesen war. «Ach... In New York. Und im Grand Canyon. Überall.»

Er neigte den Kopf in spöttischer Anerkennung. «Wie geht es Ihrer Mutter?»

«Sehr gut, vielen Dank.»

«Kommt sie auch nach Fernrigg?» Er klang geduldig, während er an dem zähen Gespräch festhielt.

«Nein. Ich... ich glaube, sie bleibt eine Weile in New York.»

«Aber zweifellos kommt sie zur Hochzeit her. Oder haben Sie vor, in New York zu heiraten?»

«Oh, schlag so was bloß nicht vor», sagte Isobel. «Wie sollen wir denn alle nach New York kommen?»

Antony sagte schnell: «Jedenfalls ist noch nichts entschieden. Noch nicht einmal das Datum, ganz zu schweigen vom Ort.»

«Wenn das so ist», sagte Hugh, «reden wir offenbar über ungelegte Eier.»

«Ja. Das stimmt.»

Eine kleine Pause entstand, in der sie alle einen Schluck tranken. Flora suchte verzweifelt nach einem anderen Gesprächsthema, aber ehe ihr etwas einfiel, hörte man vorfahrende Wagen, Türen schlugen zu, und Isobel sagte: «Da kommen die anderen.»

«Anscheinend alle auf einmal», sagte Antony, stellte seinen Drink ab und ging hinaus, um die Neuankömmlinge zu begrüßen.

Einen Augenblick später sagte Isobel: «Entschuldigt mich», und zu Floras Entsetzen stellte auch sie ihr Glas ab und folgte Antony, zweifellos, um die Damen nach oben zu führen, wo sie die Mäntel ablegen und sich das Haar kämmen konnten.

So blieben Flora und Hugh Kyle allein. Das Schweigen lastete schwer auf ihnen. Sie spielte mit dem Gedanken, direkt zum Angriff überzugehen – zu sagen: *Ich merke, Sie wollen das Verhältnis zu den Armstrongs nicht stören, aber Sie sind jetzt jedenfalls wesentlich freundlicher als heute morgen.* Aber, sagte sie sich, das war weder der richtige Zeitpunkt noch der richtige Ort für eine Kraftprobe. Außerdem war es unmöglich, sich zu verteidigen, wenn sie keine Ahnung hatte, was ihr zur Last gelegt wurde.

Die Möglichkeiten waren jedoch entmutigend. Rose, das ging Flora allmählich auf, war keine Frau mit besonders strengen Prinzipien. Sie hatte Antony ohne die geringsten

Gewissensbisse den Laufpaß gegeben, sich mit einem neuen Verehrer nach Griechenland abgesetzt und es Flora mit Absicht überlassen, die Scherben ihrer kaputten Verlobung aufzusammeln.

Wer konnte sich vorstellen, zu welchen Untaten Rose mit siebzehn fähig gewesen war, jung, frustriert und wahrscheinlich zu Tode gelangweilt? War es so abwegig, daß sie, um sich zu amüsieren, mit dem ersten passablen Mann angebändelt hatte, der ihr über den Weg lief?

Aber Hugh Kyle sah nicht so aus, als wäre er der Typ dafür. Kein Mann, bei dem ein Mädchen auf die Idee gekommen wäre, mit ihm herumzuspielen. Er war überwältigend. Flora zwang sich, ihn anzuschauen, wie er mit dem Rücken zum Feuer dastand und sie unverwandt aus den durchdringenden blauen Augen beobachtete, über den Rand des Whiskyglases hinweg. Heute abend trug er einen ganz ordentlichen Anzug, ein Seidenhemd und eine Art Clubkrawatte mit einem Emblem darauf. Wenn er nur nicht so groß gewesen wäre. Es war unangenehm, so dazustehen, zu ihm aufzuschauen, und der Ausdruck, den sie auf seinem Gesicht entdeckte, nahm ihr den letzten Mut. Sie war völlig verwirrt. Ihr fiel nichts ein, was sie hätte sagen können.

Er schien ihr Unbehagen zu spüren und tatsächlich so etwas wie Mitleid mit ihr zu haben, denn er war es, der das Schweigen brach.

«Tuppy hat mir erzählt, daß Sie und Antony morgen wegfahren müssen.»

«Ja.»

«Wenigstens hatten Sie einen schönen Nachmittag.»

«Ja, er war wunderschön.»

«Wie haben Sie ihn verbracht?»

«Wir sind spazierengegangen.»

An diesem Punkt wurden sie zu Floras unendlicher Erleichterung von Antony unterbrochen, der die beiden männlichen Gäste hereinführte.

«Alle sind gleichzeitig gekommen», sagte er. «Rose, ich glaube nicht, daß du Mr. Crowther kennst. Er ist nach Tarbole gezogen, nachdem du hier warst.»

Mr. Crowther trug den Sonntagsanzug eines Geistlichen, aber mit seinem roten Gesicht, dem dichten grauen Haar und der gut gepolsterten Figur sah er mehr wie ein erfolgreicher Buchmacher als wie ein Kirchenmann aus. Er packte Floras Hand mit einem kräftigen Griff, schüttelte sie und sagte: «Na so was, hoch erfreut. Ich hab's kaum erwarten können, Antonys Verlobte kennenzulernen. Einen schönen guten Abend.»

Er klang auch wie ein Buchmacher. Das Timbre der tiefen Stimme brachte den Kristallflitter des Kronleuchters zum Klirren. Flora stellte sich vor, wie er von seiner Kanzel herunter über Höllenfeuer, Pech und Schwefel predigte. Sie war sicher, daß er gewaltige Predigten hielt.

«Guten Abend.»

«Mrs. Armstrong hat sich so auf einen Besuch von Ihnen gefreut, wie wir alle.» Er sah Hugh Kyle, ließ endlich ihre Hand los und ging auf den anderen Mann zu. «Und da ist ja unser Doktor. Wie geht's, wie steht's?»

«Rose», sagte Antony.

Der andere Mann hatte sich bislang im Hintergrund gehalten und darauf gewartet, daß der ganze Überschwang sich legte. Jetzt wandte sie sich ihm zu.

«Du erinnerst dich an Brian Stoddart?»

Sie sah ein braungebranntes Gesicht, dunkle Augenbrauen, Lachfältchen um Augen und Mund, dunkles Haar und ganz helle, klare graue Augen. Er war nicht so groß wie Antony und älter als er, strahlte aber trotzdem eine Art animalische Vitalität aus, die Flora sofort spürte. Im Gegensatz zu den anderen Männern auf der Party hatte er sich einigermaßen in Schale geworfen – dunkle Hosen und ein Smokingjackett aus blauem Samt, dazu ein weißer Rollkragenpullover.

«Rose, wie lange es her ist», sagte er herzlich und streckte die Arme aus. Ohne sich etwas dabei zu denken, ging Flora auf ihn zu, sie küßten sich vorsichtig auf beide Wangen.

Er hielt sie ein Stück von sich weg. «Lassen Sie sehen, ob Sie sich verändert haben.»

«Alle meinen, sie sei hübscher geworden», sagte Antony.

«Unmöglich. Noch hübscher konnte sie gar nicht werden. Aber sie sieht so strahlend und gut aus. Sie sind ein glücklicher Mann, Antony.»

«Ja», sagte Antony, doch es klang, als sei er keineswegs sicher. «Nachdem das geklärt ist und Sie dem armen Mädchen mit Ihren Küssen den Verstand geraubt haben, kommen Sie mit und sagen mir, was Sie trinken möchten.»

Während Antony mit den Getränken beschäftigt war, führte Isobel die beiden Ehefrauen herein, und die ganze Szene wurde noch einmal aufgeführt, dieses Mal mit Isobel als Zeremonienmeisterin. Das war Mrs. Crowther, die Rose noch nicht kannte. (Riesenzähne, wie Jason gewarnt hatte, aber eine Person mit angenehmem Gesicht, gekleidet wie für ein schottisches Volksfest, im Tartankostüm mit Cairngorm-brosche.) Mrs. Crowther war so überschwenglich wie ihr Mann. «Wie reizend, daß Sie Mrs. Armstrong besuchen konnten. Wie schade, daß sie heute abend nicht bei uns sein kann.» Sie lächelte über Floras Kopf hinweg. «Guten Abend, Dr. Kyle. Guten Abend, Mr. Stoddart.»

«...und Anna, Rose», sagte Isobel mit ihrer sanften Stimme. «Anna Stoddart aus Ardmore.»

Anna Stoddart lächelte. Sie war offensichtlich schrecklich schüchtern und ziemlich unscheinbar. Es war schwer, ihr Alter zu schätzen, und es war ebenfalls schwer zu erraten, wie sie es geschafft hatte, einen derart umwerfenden Mann einzufangen. Sie trug ein teures, wenn auch ziemlich fades Abendkleid, aber ihr Schmuck war wunderschön. Diamanten blitzten an ihren Ohren und Fingern, bebten am Ausschnitt des langweiligen Kleides.

Sie streckte die Hand aus und zog sie dann linkisch wieder zurück, als hätte sie einen gesellschaftlichen Lapsus begangen. Flora, die ihr die Schüchternheit nachfühlen konnte, griff schnell nach der Hand, ehe sie ganz verschwunden war, und hielt sie fest.

«Hallo», sagte sie und suchte nach Anhaltspunkten. «Ich erinnere mich an Sie...»

Anna lachte leise auf. «Und ich erinnere mich an Sie», sagte sie. «Und ob ich mich an Sie erinnere. Und an Ihre Mutter.»

«Und Sie sind aus...?»

«Ardmore. Es liegt auf der anderen Seite von Tarbole.»

«Ein herrliches Anwesen», sagte Isobel zu Flora. «Direkt am Ende der Landzunge von Ardmore.»

«Sind Sie sehr isoliert?» fragte Flora.

«Ja, ein bißchen, aber ich habe mein Leben lang dort gewohnt, deshalb bin ich daran gewöhnt.» Eine Pause entstand, und dann, als sei sie durch Floras Interesse ermutigt, plapperte sie weiter: «Man kann Ardmore an einem klaren Tag von Fernrigg aus sehen. Über den Sund hinweg.»

«Heute nachmittag war es klar, aber ich bin gar nicht auf die Idee gekommen, hinüberzuschauen.»

«Haben Sie den Sonnenuntergang gesehen?»

«War er nicht sagenhaft? Ich habe ihn aus meinem Fenster verfolgt...»

Sie fühlten sich wohl miteinander, fingen an, sich anzufreunden, wurden aber von Brian unterbrochen. «Anna, Antony möchte wissen, was du trinkst.»

Sie wirkte verwirrt. «Oh... eigentlich möchte ich gar nichts.»

«Ach, komm schon», sagte er geduldig, «irgendwas mußt du doch trinken.»

«Dann einen Orangensaft...» Er ging, um ihr den Saft zu holen.

Flora fragte: «Möchten Sie einen Sherry?»

«Nein.» Anna schüttelte den Kopf. «Ich mache mir nichts

daraus.» Einen Augenblick später kam Mr. Crowther wie ein Schiff mit vollen Segeln über den Teppich auf sie zu. «Wir können zwei so hübsche junge Damen doch nicht sich selbst überlassen», sagte er und lachte dröhnend.

Irgendwie nahm der Abend seinen Lauf. Flora redete und lächelte, bis ihr das Gesicht weh tat, hielt sich in Antonys Nähe auf (ihm vollkommen ergeben, würden wahrscheinlich alle denken) und wich Hugh Kyle aus. Anna Stoddart holte sich einen Stuhl und setzte sich, und Mrs. Crowther zog sich einen Schemel heran und nahm neben ihr Platz. Brian Stoddart und Antony unterhielten sich über gemeinsame Freunde in Edinburgh, und Mr. Crowther und Hugh Kyle schlenderten zum Kamin zurück, wo sie ihren Gesten nach zu urteilen Angelerlebnisse austauschten. Isobel vergewisserte sich, daß die Gäste sich bestens unterhielten, und schlüpfte hinaus, um mit Mrs. Watty zu sprechen.

Dann ertönte der Gong; alle tranken ihre Drinks aus und strömten durch die Halle ins Eßzimmer.

Selbst in ihrer gegenwärtigen nervlichen Verfassung fiel Flora auf, wie schön alles war: die dunklen Wände, die alten Porträts, das flackernde Feuer. Weißes Leinen und glänzendes Silber spiegelten sich auf dem schimmernden Mahagonitisch wider, Rosensträuße waren in bauchigen Vasen arrangiert, und in den Silberkandelabern brannten blaßrosa Kerzen.

Nach einer kurzen Phase der Verwirrung – Isobel hatte die Sitzordnung verlegt und vergessen, wo wer sitzen sollte – wurden schließlich allen die richtigen Plätze zugewiesen: Hugh am einen Ende des Tisches, Mr. Crowther am anderen, während sich Brian und Antony in der Mitte gegenübersaßen. Die Damen wurden auf die vier Eckplätze verteilt, Flora zwischen Hugh und Brian, ihr gegenüber Mrs. Crowther.

Als schließlich alle Platz genommen hatten und ihre riesigen Servietten entfalteten, sagte Isobel schnell: «Mr. Crowther, würden Sie bitte das Tischgebet sprechen?»

Mr. Crowther kam schwerfällig auf die Beine. Alle senkten

die Köpfe, und Mr. Crowther, in einer Lautstärke, die eine Kathedrale gefüllt hätte, dankte dem Herrn für das Essen, das ihnen gleich aufgetan würde, bat ihn, es zu segnen und ebenso die Menschen in diesem Haus, vor allem Mrs. Armstrong, die in ihrer aller Herzen einen besonderen Platz einnehme. Amen.

Er setzte sich. Flora hatte ihn plötzlich gern. Dann tauchte Mrs. Watty in der Eßzimmertür auf und servierte die Suppe, während die Unterhaltung allmählich in Gang kam.

Flora, die eine Heidenangst davor hatte, mit Hugh Kyle Konversation machen zu müssen, war dankbar, als Mrs. Crowther ihn energisch mit Beschlag belegte. Mrs. Crowther hatte zwei Sherrys getrunken, und das merkte man nicht nur ihrer Gesichtsfarbe an, sondern auch ihrer Stimme.

«Neulich habe ich den alten Mr. Sinclair besucht, Herr Doktor, und er hat gesagt, daß Sie bei ihm waren. Er hält sich nicht so, wie er sollte...»

Neben Flora sagte Brian Stoddart: «Sie werden mit mir vorliebnehmen müssen.»

Sie wandte sich ihm lächelnd zu. «Ich habe nichts dagegen.»

«Ich kann Ihnen gar nicht sagen, wie wunderbar es ist, Sie wiederzusehen. Wie ein frischer Luftzug. Das ist das Schlimmste daran, hier im Niemandsland zu leben. Wir merken gar nicht, daß wir immer älter und langweiliger werden, und man weiß nicht recht, was man dagegen tun kann. Sie sind gerade rechtzeitig gekommen, um uns allen ein wenig Schwung zu geben.»

«Ich kann nicht glauben, daß Sie sich alt oder langweilig vorkommen», sagte Flora – teils, weil er das offenbar hören wollte, teils, weil seine Augen so funkelten, daß sie der Versuchung, ein bißchen mit ihm zu flirten, nur schwer widerstehen konnte.

«Ich hoffe, das ist ein Kompliment.»

«Überhaupt nicht, es ist eine Tatsache. Sie sehen nicht alt aus und klingen nicht langweilig.»

«Es ist ein Kompliment!»

Sie fing mit der Suppe an. «Sie haben mir erzählt, was das Schlimmste am Leben hier ist. Jetzt sagen Sie mir, was das Beste daran ist.»

«Schon schwieriger.»

«Das kann ich nicht glauben. Es muß tausend Vorteile geben.»

«Gut: Ein komfortables Haus, gute Jagd, guter Fischfang. Eine Ketsch, die im Ardmore Loch vor Anker liegt, und im Sommer Zeit, sie zu segeln. Und Platz auf den Straßen zum Autofahren. Was ergibt das?»

Sie stellte traurig fest, daß seine Frau in der Aufzählung nicht vorgekommen war.

«Ist das nicht ein bißchen materialistisch?»

«Kommen Sie, Rose. Sie haben nichts anderes erwartet.»

«Wie wäre es mit ein bißchen Verantwortung?»

«Sie meinen, ich sollte Verantwortung tragen?»

«Tun Sie das denn nicht?»

«Doch, selbstverständlich.»

«Zum Beispiel...?»

Ihre Hartnäckigkeit schien ihn zu amüsieren, aber er blieb entgegenkommend. «Ardmore House schluckt mehr von meiner Zeit, als Sie sich vorstellen können. Und dann ist da noch der Gemeinderat. Unzählige Sitzungen sind nötig, um zu entscheiden, ob die Straße für die Fischlaster verbreitert werden muß oder ob die Grundschule von Tarbole mehr Klos braucht. Sie kennen das sicher. Ungeheuer spannend.»

«Und was tun Sie sonst noch?»

«Wer sind Sie eigentlich, Rose? Sie klingen ja wie ein Arbeitgeber beim Bewerbungsgespräch.» Aber er machte immer noch ein amüsiertes Gesicht, und sie wußte, daß er sich gut unterhielt.

«Wenn das alles ist, was Sie mit Ihrer Zeit anfangen, sind Sie vermutlich wirklich in Gefahr, schrecklich langweilig zu werden.»

Er lachte laut. «Touché! Okay, zählt die Leitung des Jachtclubs als Arbeit?»

«Des Jachtclubs?»

«Sagen Sie das nicht so verdutzt, als hätten Sie noch nie etwas davon gehört.» Er sprach betont langsam und deutlich, als wäre sie taub und blöd zugleich. «Der Jachtclub von Ardmore. Sie waren einmal mit mir dort.»

«Ach, wirklich?»

«Rose, wenn ich Sie nicht so gut kennen würde, müßte ich wirklich glauben, daß Sie das vergessen haben. Diese fünf Jahre müssen länger gewesen sein, als mir bewußt war.»

«Das ist durchaus möglich.»

«Sie sollten Ihre Bekanntschaft mit dem Jachtclub erneuern. Leider ist die Saison jetzt zu Ende, und es tut sich nicht viel. Aber Sie könnten uns in Ardmore House besuchen. Wie lange bleiben sie?»

«Wir fahren morgen ab.»

«Morgen? Aber Sie sind doch erst fünf Minuten hier.»

«Antony muß zur Arbeit zurück.»

«Und Sie? Müssen Sie auch zur Arbeit?»

«Nein. Aber ich muß nach London.»

«Warum bleiben Sie denn nicht wenigstens eine Woche oder so? Damit wir alle eine Chance haben, Sie von neuem kennenzulernen. Sie richtig kennenzulernen.»

Etwas in seiner Stimme veranlaßte sie, ihn scharf zu mustern, aber die hellen Augen blickten unschuldig.

«Ich kann nicht bleiben.»

«Wollen Sie nicht?»

«Doch, natürlich. Ich meine, ich würde Sie und Anna gern besuchen, aber...»

Brian zerkrümelte ein Brötchen zwischen den Fingern. «Anna fährt Anfang der Woche zu einer Einkaufsorgie nach Glasgow.» Sein Profil war dunkel und zeichnete sich scharf vor dem Kerzenlicht ab. Die Bemerkung wirkte irgendwie bedeutungsvoll, aber Flora konnte sich nicht vorstellen, warum.

«Fährt sie immer zum Einkaufen nach Glasgow?»

Es war eine harmlose Frage, aber jetzt legte er den Löffel weg, schaute ihr lächelnd ins Gesicht, mit zwinkernden Augen, als teilten sie einen geheimen, urkomischen Witz.

«Fast immer», sagte er.

Das Gespräch wurde unterbrochen, als Isobel aufstand und um den Tisch herumging, um die leeren Suppenteller einzusammeln. Antony entschuldigte sich, stand ebenfalls auf und ging zur Anrichte, um sich um den Wein zu kümmern. Die Tür zur Küche öffnete sich, und wieder erschien Mrs. Watty mit einem Tablett, beladen mit dampfenden Schüsseln und einem Stapel Teller. Mrs. Crowther, die sich bislang mit Antony unterhalten hatte, beugte sich über den Tisch und erzählte Flora vom Weihnachtsbasar und vom Krippenspiel, das sie aufführen wollte. «Spielt Jason mit?» fragte Flora.

«Ja, natürlich.»

«Hoffentlich nicht als Engel», sagte Hugh.

«Warum sollte Jason kein Engel sein?» Mrs. Crowther gab sich entrüstet.

«Irgendwie», sagte Hugh, «fehlt ihm die rechte Holdseligkeit.»

«Es ist erstaunlich, Herr Doktor, wie engelhaft das ungezogenste Kind werden kann, wenn man ihm ein weißes Nachthemd anzieht und eine Goldpapierkrone aufsetzt. Sie müssen kommen und zuschauen, Rose.»

«Wie bitte?» Flora sah verwirrt auf.

«Kommen Sie denn zu Weihnachten nicht nach Fernrigg?»

«Ich... ich habe noch nicht darüber nachgedacht.» Hilfesuchend sah sie sich nach Antony um, aber sein Stuhl war immer noch leer. Zu ihrem eigenen Entsetzen blieben ihre Augen an Hugh hängen.

Er soufflierte sanft: «Vielleicht sind Sie in New York?»

«Ja, vielleicht.»

«Oder in London oder Paris?»

Wie gut er Rose kennt, dachte Flora, laut sagte sie: «Noch nichts entschieden.»

Brian beugte sich vor. «Ich habe schon angeregt, daß Rose morgen nicht nach London zurückfährt, sondern ein paar Tage hierbleibt. Aber meine Idee wurde kategorisch zurückgewiesen. Ein glatter Korb.»

«Aber das ist jammerschade!» Mrs. Crowther klang jetzt tatsächlich entrüstet. «Ich finde, das ist eine wunderbare Idee von Brian. Gönnen sie sich einen kleinen Urlaub, Rose. Amüsieren Sie sich. Ich glaube, wir können dafür sorgen, daß Sie sich nicht langweilen werden. Was meinen sie, Dr. Kyle?»

«Ich meine», sagte Hugh, «daß Rose sich nirgends langweilen wird. Unsere Hilfe braucht sie auf keinen Fall.» Seine Stimme klang ironisch.

«Außerdem, denken Sie doch daran, wie sehr sich Mrs. Armstrong darüber freuen würde…»

Aber wenn Mrs. Crowther, benommen vom Wein und der Gesellschaft, Hughs Unterton nicht bemerkt hatte – Flora war er nicht entgangen. Sie spürte, wie sie vor Ärger und Verlegenheit rot wurde. Ihr Glas war voll, sie griff danach und trank den Wein in einem Zug aus. Als sie das Glas abstellte, zitterte ihre Hand.

Gewandt, ohne Aufhebens, wurde der nächste Gang serviert. Ein Schmorbraten, dazu Rahmspinat und Kartoffelbrei. Flora fragte sich, wie sie es schaffen solle, das zu essen. An der Anrichte griff Isobel, die Mrs. Watty beim Servieren geholfen hatte, nach einem kleinen Tablett und ging zur Tür. Mr. Crowther erspähte sie mit seinen Adleraugen vom anderen Ende des Tisches aus.

«Wo wollen Sie denn hin, Miss Armstrong?»

Isobel blieb stehen und lächelte. «Ich bringe Tuppy ihr

Tablett hinauf. Das habe ich ihr versprochen, sie will hören, wie die Party läuft.»

Hugh erhob sich, um ihr die Tür aufzuhalten.

«Richten Sie ihr Grüße von uns allen aus», sagte Mrs. Crowther, was ein zustimmendes Gemurmel um den Tisch herum auslöste.

«Natürlich», versprach Isobel im Hinausgehen. Hugh schloß die Tür hinter ihr und kehrte zu seinem Stuhl zurück. Antony, der ebenfalls seinen Platz wieder eingenommen hatte, beugte sich über Mrs. Crowther hinweg und fragte Hugh, ob sein Boot schon winterfertig sei.

«Ja», sagte Hugh. «Letzte Woche. Geordie Campbell hat es zum Liegeplatz in Tarbole gebracht. Ich war vor ein paar Tagen bei ihm. Er hat nach dir gefragt, Antony, und mit großem Interesse gehört, daß du verlobt bist.»

«Ich sollte ihn mit Rose besuchen.»

Der Wein hatte Flora über die Verlegenheit hinweggeholfen, aber Hugh Kyles Rüffel ging ihr nach. Jetzt mischte sie sich gelassen in das Gespräch ein, als habe er die Bemerkung nicht gemacht. «Was für ein Boot haben Sie denn?»

Er sagte es ihr in nachsichtigem Tonfall, als habe sie sowieso keine Ahnung, wovon er rede.

«Ein Siebentonner mit Gabeltakelung.»

«Liegt es im Jachtclub von Ardmore?»

«Nein, das habe ich doch eben gesagt. Es ist am Liegeplatz in Tarbole.»

«Es muß inzwischen ja ein uralter Kahn sein», sagte Brian.

Hugh warf einen frostigen Blick in seine Richtung. «Es ist 1928 gebaut worden.»

«Sag ich ja. Uralt.»

«Haben hier alle ein Boot?» fragte Flora. «Ich meine, segeln Sie alle?»

Hugh legte Messer und Gabel weg und sagte in einem Ton, als versuche er, einem besonders unbedarften Kind etwas zu erklären: «Der Westen Schottlands gehört zu den besten Segelgebieten der Welt. Wenn einem nicht jedes Interesse am Segeln fehlt, wäre man ein Idiot, das nicht auszunutzen. Aber man muß wissen, was man tut. Man braucht Erfahrung und ein gewisses Können, wenn man mit Windstärke zwölf draußen vor Ardnamurchan zurechtkommen will. Es ist nicht ganz dasselbe, wie wenn man im Hafen von Monte Carlo sitzt, mit einem Gin Tonic in der einen Hand und einer Blondine im Bikini in der anderen.»

Mrs. Crowther lachte, aber Flora sagte kühl zu ihm: «Das hatte ich auch nicht vermutet.» Sie ließ sich von ihm nicht einschüchtern. «Sind Sie diesen Sommer viel gesegelt?»

Er griff wieder zu Messer und Gabel. «So gut wie gar nicht», sagte er und klang verdrossen.

«Warum?»

«Bedauerlicher Zeitmangel.»

«Ich nehme an, Sie haben viel zu tun?»

«Viel zu tun!» Mrs. Crowther brachte es nicht fertig, schweigend zuzuhören. «Das ist die Untertreibung des Jahres. Niemand in Tarbole arbeitet so schwer und soviel wie Dr. Kyle.»

«Tuppy meint, Sie sollten sich einen Partner nehmen», sagte Flora eine Spur gehässig. «Das hat sie vorhin erwähnt, als ich ihr gute Nacht sagte.»

Hugh war unbeeindruckt. «Tuppy versucht, mein Leben in die Hand zu nehmen, seit ich sechs Jahre alt wurde.»

«Wenn Sie mir diese Bemerkung nachsehen», sagte Brian betont freundlich, «scheint das ein trauriger Fehlschlag für Tuppy geworden zu sein.»

Ein eisiges Schweigen folgte. Sogar Mrs. Crowther fehlten die Worte. Flora schaute Antony hilfesuchend an, aber er unterhielt sich mit Anna. Vorsichtig, als wäre es verboten, ein Geräusch zu machen, legte sie Messer und Gabel weg und griff wieder nach dem Weinglas.

Nach einer Ewigkeit – jedenfalls kam es Flora so vor –

trank Hugh einen Schluck Wein, stellte das Glas ab und sagte ruhig: «Für die Fehlschläge habe ich allein gesorgt.»

«Aber natürlich hat Tuppy ganz recht», fuhr Brian in seinem leichten Ton fort. «Sie sollten sich einen Partner nehmen. Irgendeinen dynamischen, ehrgeizigen, zielstrebigen Medizinmann. Wer immer nur arbeitet und das Spielen vergißt, wird ein Langweiler.»

«Besser ein Langweiler als ein Faulpelz», konterte Hugh.

Es war Zeit dazwischenzugehen, ehe sie sich schlugen. «Haben Sie... haben Sie denn keine Hilfe?» fragte Flora.

«Ich habe eine Sprechstundenhilfe in der Praxis.» Seine Stimme klang schroff. «Sie gibt Spritzen und Augentropfen, stellt Rezepte aus und verbindet aufgeschlagene Knie. Sie ist ein Fels in der Brandung.»

Flora stellte sich die Sprechstundenhilfe vor, im Kittel, vollbusig, vielleicht auf frische, ländliche Weise hübsch. Sie fragte sich, ob sie in den Arzt verliebt war wie in einem alten Roman von A. J. Cronin. Es war immerhin nicht ausgeschlossen. Abgesehen davon, daß sie ihn nicht ausstehen konnte, war er ein angenehmer Mann, sah auf seine kräftige, unverwechselbare Art sogar gut aus. Vielleicht war Rose das auch aufgefallen, und sie hatte einen Flirt angefangen, den er ernst genommen hatte. Möglicherweise erklärte das seine Verbitterung.

Die Tür ging auf, und Isobel kam zur Gesellschaft zurück und setzte sich wieder neben Mr. Crowther, der aufstand und ihr den Stuhl zurechtrückte.

«Wie geht es Tuppy?» wollten alle wissen.

«Es geht ihr hervorragend. Sie läßt herzlich grüßen.» Isobel hatte heute abend etwas ganz Besonderes an sich. «Und sie schickt Rose eine Nachricht.»

Alle wandten sich Flora zu, lächelnd, erfreut darüber, daß die Nachricht ihr galt; dann schauten sie Isobel erwartungsvoll an.

«Sie meint», sagte Isobel deutlich, «daß wir Rose eine

Weile hierbehalten sollten. Sie meint, Rose sollte in Fernrigg bleiben und Antony allein nach Edinburgh zurückfahren lassen.» Sie strahlte Flora an. «Ich halte es für eine wunderbare Idee, und ich hoffe so sehr, daß du das auch findest, Rose.»

O Tuppy, du Verräterin.

Flora starrte Isobel an, traute ihren Ohren nicht. Es war, als stünde sie auf der Bühne, geblendet vom Rampenlicht, während tausend Augen sie anschauten. Sie hatte keine Ahnung, was sie sagen sollte. Hilflos schaute sie Antony an und erkannte die Spiegelung ihres eigenen Entsetzens auf seinem Gesicht. Dann hörte sie, wie jemand mit ihrer Stimme sagte: «Ich... ich glaube nicht...»

Antony sprang ihr tapfer bei. «Wir haben es dir doch gesagt, Isobel, Rose muß zurück...»

Aber von allen Seiten erhob sich Protest.

«Ach, Unsinn.»

«Warum muß sie denn fort?»

«Es ist so schön für uns alle, sie hierzuhaben.»

«Es ist so schön für Tuppy.»

«Sie hat doch keinen Grund, wegzufahren...»

Alle beschworen sie zu bleiben. Neben ihr lehnte sich Brian im Stuhl zurück und sagte laut und deutlich über das allgemeine Gemurmel hinweg: «Ich habe diesen Vorschlag auch schon gemacht. Ich halte das für eine hervorragende Idee.»

Sogar Anna versuchte über den Tisch hinweg, sie zu überreden. «Bleiben Sie. Fahren Sie noch nicht zurück.»

Alle hatten etwas gesagt bis auf Hugh. Das war Mrs. Crowther aufgefallen. «Und Sie, Herr Doktor? Meinen Sie nicht auch, daß Rose noch ein paar Tage bei uns verbringen sollte?»

Alle schwiegen, schauten Hugh erwartungsvoll an, warteten darauf, daß er ihnen beipflichtete.

Aber das tat er nicht. «Nein, ich meine nicht, daß sie bleiben sollte», erklärte er und fügte dann hinzu, zu spät, um seinen Worten den Stachel zu nehmen: «Wenn sie nicht will.» Er schaute Flora an, der kalte blaue Blick war eine Herausforderung.

Etwas geschah mit Flora: es hatte mit dem Wein zu tun, den sie getrunken hatte, mit der Begegnung heute morgen am Strand, mit Ärger und auch mit Trotz.

Über die Jahre hinweg, von weit her hörte sie die mahnende Stimme ihres Vaters: *Du schneidest dich aus reinem Trotz ins eigene Fleisch.*

«Wenn Tuppy es möchte», sagte sie langsam und deutlich, «dann bleibe ich selbstverständlich.»

Nachdem die Tortur des Abends vorbei war – nachdem alle gegangen, die Hunde hinausgelassen, die Kaffeetassen in die Küche getragen worden waren und Isobel sich zurückgezogen hatte –, saßen sich Antony und Flora am verlöschenden Feuer gegenüber.

«Warum?» fragte Antony.

«Ich weiß es nicht.»

«Ich habe gedacht, du hättest den Verstand verloren.»

«Vielleicht war das auch so. Aber jetzt ist es zu spät.»

«Oh, Flora!»

«Ich muß Wort halten. Dir macht es nichts aus, oder?»

«Mir macht es nichts aus. Wenn du das aushältst, wenn du zurechtkommst und Tuppy es will, wie könnte es mir dann etwas ausmachen? Aber…» Er brach ab.

«Aber was?»

«Glaub's mir oder glaub's mir nicht, aber ich denke an dich. Ich mußte dir versprechen, daß es nur für ein Wochenende ist.»

«Ich weiß. Aber da war alles noch anders.»

«Du meinst, wir haben geglaubt, Tuppy stirbt, und jetzt wissen wir, daß es nicht so ist?»

«Ja. Zum Beispiel.»

Er seufzte schwer, drehte sich um, schaute ins Feuer und stocherte mit der Schuhspitze nach einem verglühenden Scheit. «Was zum Teufel soll jetzt werden?»

«Das hängt von dir ab. Du könntest Tuppy die Wahrheit sagen.»

«Du meinst, ihr sagen, daß du nicht Rose bist?»

«Wäre das so unmöglich?»

«Ja. Unmöglich. Ich habe Tuppy mein Leben lang nie angelogen.»

«Bis jetzt.»

«Okay. Bis jetzt.»

«Ich glaube, du unterschätzt sie. Ich glaube, sie würde es verstehen.»

«Ich will es ihr nicht sagen.» Er klang wie ein dickköpfiger kleiner Junge.

«Ehrlich gesagt», gab Flora zu, «ich auch nicht.»

Sie schauten sich an. Antony grinste, aber es steckte nicht viel Heiterkeit dahinter. «Was sind wir doch für Feiglinge.»

«Zwei hinterhältige Verschwörer.»

«Und noch nicht einmal besonders erfolgreich.»

«Ach, ich weiß nicht.» Sie versuchte, einen Scherz daraus zu machen. «Für Anfänger sind wir gar nicht schlecht.»

«Ich frage mich, warum zum Teufel ich mich nicht in dich verlieben kann», sagte er traurig.

«Damit wäre das Problem gelöst, nicht wahr? Vor allem wenn ich mich gleichzeitig in dich verlieben würde.» Es wurde kühl. Flora fröstelte und rückte näher zum verglimmenden Feuer.

«Du siehst müde aus», sagte er. «Kein Wunder. Es war ein verteufelter Abend, und du hast ihn mit fliegenden Fahnen überstanden.»

«Da bin ich mir nicht so sicher, Antony. Hugh und Brian – sie können sich nicht leiden, nicht wahr?»

«Nein, nicht besonders, glaube ich. Aber sie sind so verschieden, da ist das nicht überraschend. Armer alter Hugh.

Ich frage mich, ob er je eine Mahlzeit genießen kann, ohne daß das Telefon klingelt und er weggerufen wird.»

Hugh hatte sich verabschiedet, ehe sie auch nur mit dem zweiten Gang fertig waren. Als Antony, der das Telefon abgenommen hatte, ihn rief, war er in die Halle gegangen und hatte kurz darauf, schon im Mantel, den Kopf hereingesteckt, sich entschuldigt und gute Nacht gesagt.

«Antony ... magst du Hugh?»

«Ja, ungeheuer. Als ich groß wurde, war er der Mensch, dem ich am ähnlichsten sein wollte. Er hat im Universitätsteam von Edinburgh Rugby gespielt und war ein Idol für mich.»

«Ich glaube, er mag mich nicht. Ich meine, aus irgendeinem Grund mag er Rose nicht.»

«Das bildest du dir ein. Er kann ziemlich ironisch sein, ich weiß, aber...»

«Könnten er und Rose... etwas miteinander gehabt haben?»

Antony starrte sie entgeistert an. «Hugh und Rose? Wie bist du auf so eine Idee gekommen?»

«Da muß etwas gewesen sein.»

«Aber das nicht. Das ist ausgeschlossen.» Er griff nach ihren Schultern. «Soll ich dir was sagen? Du bist müde, du bist überdreht, deine Phantasie spielt verrückt. Und ich bin auch müde. Ist dir klar, daß ich seit sechsunddreißig Stunden nicht mehr geschlafen habe? Langsam schafft mich das. Ich gehe ins Bett.» Er gab ihr einen energischen Kuß. «Gute Nacht.»

«Gute Nacht», sagte Flora. «Gute Nacht, Antony.» Und weil es sonst nichts mehr zu tun und nichts mehr zu sagen gab, stellten sie das Schutzblech vor das Feuer, machten die Lichter aus und gingen Arm in Arm, mehr um sich gegenseitig zu stützen als aus irgendeinem anderen Grund, langsam die dunkle Treppe hinauf.

Tuppy wachte zeitig auf, vom Gezwitscher eines Vogels, der auf der Birke vor ihrem Fenster saß, und mit einem warmen, glücklichen Gefühl.

Es war lange her, daß sie sich am Morgen so gefühlt hatte. In den letzten Jahren hatten böse Vorahnungen ihr Aufwachen überschattet – Ängste um ihre geliebte Familie, um ihr Land, um die ganze Welt in ihrem katastrophalen Zustand. Sie zwang sich jeden Tag, die Zeitung zu lesen und die Neunuhrnachrichten im Fernsehen anzuschauen, aber oft, vor allem in den frühen Morgenstunden, wünschte sie sich, sie hätte es nicht getan. Manchmal kam es ihr vor, als liege im kalten Licht der Dämmerung kein Versprechen, keine Hoffnung, und an solchen Tagen mußte sich Tuppy überwinden, damit sie aufstand, sich anzog, die übliche fröhliche Miene aufsetzte und zum Frühstück hinunterging.

Aber heute morgen war es anders. Sie schien sacht aus einem besonders schönen Traum ins Bewußtsein zu gleiten. Einen Augenblick lang hatte sie Angst davor, sich zu rühren, auch nur die Augen zu öffnen, weil sie befürchtete, der Traum könne sich auflösen und die kalte Wirklichkeit an seine Stelle treten.

Aber langsam ging ihr auf, daß es Wirklichkeit war. Es war tatsächlich geschehen. Isobel war nach der Abendeinladung heraufgekommen, um ihr zu sagen, Rose habe sich überreden lassen, habe versprochen, in Fernrigg zu bleiben, wenn Antony nach Edinburgh zurückmußte.

Sie fuhr nicht weg.

Tuppy machte die Augen auf. Sie sah das Fußende ihres Bettes, auf dem die ersten Lichtstrahlen schimmerten. Es war Sonntag. Tuppy liebte die Sonntage, die sie gern festlich mit der Familie, Freunden und gutem Essen verbrachte. Es war immer so gewesen. In Fernrigg setzten sich sonntags selten weniger als zwölf Leute zum Mittagessen an den Tisch. Danach, je nach Jahreszeit, wurde Tennis gespielt, wurden Spiele auf dem unebenen Rasen veranstaltet, oder sie gingen am stürmischen Strand von Fhada spazieren. Später versammelten sich alle zum Tee, vielleicht auf der Terrasse oder vor dem Kaminfeuer im Wohnzimmer. Es gab heiße Hörnchen, auf denen die Butter und das Heidelbeergelee schmolzen; Schokoladentorte und Obstkuchen und ganz besondere Ingwerkekse, die sich Tuppy aus London schicken ließ. Dann spielten sie Karten, lasen die Sonntagszeitungen, und wenn Kinder da waren, wurde vorgelesen.

Der geheime Garten, Der Wind in den Weiden, Die kleine Prinzessin – all die altmodischen Bücher. Wie viele tausend Male hatte Tuppy sie vorgelesen! *Es war einmal ein wunderschönes Puppenhaus.* Gestern abend war es Jason gewesen. Aber wie sich seine kleine Gestalt in ihre Armbeuge schmiegte, hätte es jeder von ihnen sein können. Die kleinen Jungen. So viele kleine Jungen. Manchmal, wenn sie müde war und die Zeit und die Erinnerungen durcheinandergerieten, vergaß sie, wann sie geboren und wann sie gestorben waren.

James und Robbie, ihre kleinen Brüder, wie sie auf dem Kaminläufer mit Zinnsoldaten spielten. Und Bruce, ihr eigener Sohn, unbändig wie ein Zigeuner, der barfuß herumlief, über den alle den Kopf schüttelten und sagten, das komme daher, daß er keinen Vater habe. Und dann Torquil und Antony, und jetzt Jason.

Sie hatten vielleicht verschieden ausgesehen, aber sie hatten alle die gleiche Freude in Tuppys Herzen entfacht, hatten ihr Leben gleichermaßen mit den fürchterlichsten Ängsten überschattet: gebrochene Arme, blutende Knie, Masern und Keuchhusten. Sag danke. Sag: Kann ich *bitte* herunterkommen? *Tuppy, reg dich bitte nicht auf, aber Antony ist eben von der Fichte gefallen.*

Und die Meilensteine. Schwimmen lernen, radfahren lernen, das erste Luftgewehr. Das war das allerschlimmste. *Falle nie mit dem Gewehr über andre Menschen her.* Sie hatten das jeden Abend laut sagen müssen, vor den Gebeten.

Und dann kamen sie in die Schule, das elende Tagezählen fing an, die schlimmen, tränenverschmierten Abschiede am Bahnhof von Tarbole, der neue Koffer gepackt, die Schultüte im Arm, die Gesichter schon rußig von der Bahn.

Die kleinen Jungen gehörten zu einem langen goldenen Faden, der weit in die Vergangenheit zurückreichte. Aber das Wunder war, daß sich derselbe Faden in die Zukunft erstreckte. Da war Torquil – der solide, tüchtige Torquil, der es zu etwas gebracht hatte, verheiratet mit Teresa, der in Bahrein lebte. Torquil hatte Tuppy nie die geringsten Sorgen bereitet. Antony war ein anderes Kaliber. Er war unruhig, sprunghaft und gutaussehend, hatte Dutzende von Mädchen nach Fernrigg mitgebracht, und doch schien es nie die Richtige zu sein. Tuppy hatte allmählich die Hoffnung aufgegeben, daß er heiraten und zur Ruhe kommen werde. Aber jetzt hatte er aus heiteren Himmel Rose Schuster wiedergetroffen, und Tuppys Glaube an Wunder war wiederhergestellt worden.

Rose. Hätte er, fragte sie sich, in hundert Jahren ein reizenderes Mädchen finden können? Als hätte Antony ihr ein kostbares Geschenk gemacht, war Tuppys natürliche Reaktion, ihre Freude mit dem Rest der Welt zu teilen. Nicht nur mit den Crowthers und den Stoddarts, die Nachbarn waren und fast zur Familie gehörten, sondern mit allen.

Der Gedanke setzte sich fest und nahm in ihrem aktiven Kopf Gestalt an. Die Einladung gestern abend war, wie Isobel ihr versichert hatte, ein voller Erfolg gewesen. Aber Tuppy hatte keinen Anteil daran gehabt. Und Hugh, das anmaßende Scheusal, hatte ihr Besuche verboten, so daß Tuppy sogar das Vergnügen an anderen Gesichtern und ein bißchen Ortsklatsch versagt geblieben war.

Aber gegen Ende der Woche... Sie rechnete. Heute war Sonntag. Antony ließ Rose in Fernrigg und kam nächstes Wochenende wieder, um sie abzuholen. Eine Woche. Jede Menge Zeit.

Sie würden ein Fest geben. Ein richtiges Fest. Einen Ball.

Schon das Wort beschwor Musik herauf, und sofort erfüllte das Hüpfen und Stampfen des Highland Reel ihren Kopf.

Didel didel dum dum, dum dum dum.

Ihre Zehen unter der Decke schlugen von allein den Takt. Die Aufregung packte sie, und sie vergaß, daß sie krank war. Die Aussicht auf das Sterben, die sie ohnehin nicht besonders ernst genommen hatte, wurde belanglos. Auf einmal gab es hundert wichtigere Dinge, an die sie denken mußte.

Es war fast hell. Sie streckte die Hand aus, schaltete die Lampe ein und schaute auf die kleine goldene Uhr neben ihrem Bett. Halb acht. Vorsichtig richtete sie sich auf und stieß die Kissen mit den Ellbogen zurecht. Sie griff nach ihrer Brille und dann nach dem Bettjäckchen, zog es an und band mit ungeschickten Fingern die Schleife am Hals zu. Dann zog sie die Nachttischschublade auf und holte einen Schreibblock und einen Bleistift heraus. Oben auf das leere Blatt schrieb sie:

Mrs. Clanwilliam

Ihre Schrift, die früher so schön gewesen war, wirkte zittrig, aber was machte das schon? Sie dachte kurz nach und schrieb weiter:

Charles und Christian Drummond
Harry und Frances McNeill

Es mußte am Freitag sein. Freitag war ein guter Abend für einen Ball, weil manche Leute Anstoß daran nahmen, wenn in den frühen Morgenstunden des Sonntags noch getanzt wurde. Antony würde sich den Freitag nachmittag freinehmen müssen, um rechtzeitig in Fernrigg zu sein, aber sie zweifelte nicht daran, daß er das schaffen würde.

Sie schrieb:

Hugh Kyle
Elizabeth McLeod
Johnny und Kirsten Grant

Früher war das ganze Essen, auch der Lachs, die gebratenen Truthähne und die Puddings, die auf der Zunge zergingen, aus der Küche von Fernrigg gekommen, aber von Mrs. Watty konnte man nicht erwarten, daß sie alles ganz allein bewältigte. Isobel mußte mit Mr. Anderson vom Bahnhofshotel in Tarbole sprechen. Er hatte einen hervorragenden Weinkeller und einen tüchtigen Küchenchef. Mr. Anderson würde die Bewirtung übernehmen.

Weitere Namen kamen auf die Liste. Die Crowthers und natürlich die Stoddarts und das Paar, das nach Tarbole gezogen war – er hatte irgend etwas mit dem Tiefkühlgeschäft zu tun.

Tommy und Angela Cockburn
Robert und Susan Hamilton
Didel didel dum dum, dum dum dum.

Die Posthalterin, Mrs. Cooper, hatte einen Mann, der Akkordeon spielte und der sich bestimmt überreden ließ, eine kleine Kapelle zusammenzustellen. Nur eine Geige und ein paar Trommeln. Isobel mußte dafür sorgen. Und Jason würde dabeisein. Tuppy sah ihn vor sich in dem kleinen Kilt und dem Samtwams, die seinem Großvater gehört hatten.

Das Blatt war fast voll, aber sie schrieb weiter:

Sheamus Lochlan
Die Crichtons
Die McDonalds

Sie schlug das nächste Blatt auf. Seit Jahren war sie nicht so glücklich gewesen.

Es war Isobel, die dem restlichen Haushalt von Fernrigg die Nachricht überbrachte. Isobel war nach oben gegangen, um ihrer Mutter guten Morgen zu sagen und das Frühstückstablett abzuholen, und kam in leicht verwirrtem Zustand in die Küche zurück.

Sie stellte das Tablett mit einem Geräusch auf dem Tisch ab, das einem Knall nahekam. Heftige Reaktionen waren für Isobel so untypisch, daß alle innehielten und sie anschauten. Sogar Jason, den Mund voller Speck, hörte zu kauen auf. Offensichtlich stimmte etwas nicht. Isobels widerspenstiges Haar sah aus, als hätte sie es sich gerauft, und der Ausdruck auf ihrem sanften Gesicht war eine Mischung aus Entnervtheit und widerwilligem Stolz.

Sie sagte nicht gleich etwas, sondern stand nur da, schlaksig im Tweedrock und in ihrem besten Sonntagspullover, ratlos und offenbar um Worte verlegen. Mrs. Watty, die Kartoffeln für das Mittagessen schälte, saß abwartend da, das Messer in der Luft. Schwester McLeod, die die letzten Gläser von gestern abend aus der Spülmaschine räumte und überflüssigerweise nachpolierte, war gleichermaßen gespannt. Flora stellte mit einem leisen Klingeln die Kaffeetasse ab.

Mrs. Watty brach das Schweigen. «Was ist denn?»

Isobel zog sich einen Küchenstuhl heran und sank darauf nieder, die langen Beine ausgestreckt. «Sie will noch ein Fest», seufzte sie.

Tuppys Haushalt, dem die Strapazen von gestern abend noch deutlich anzusehen waren, nahm diese Nachricht mit wortloser Ungläubigkeit entgegen. Einen Augenblick lang brach nur das Ticken der alten Uhr das Schweigen.

Isobels Blick wanderte von einem verständnislosen Gesicht zum anderen. «Es ist wahr», sagte sie. «Es soll am nächsten Freitag stattfinden. Ein Ball.»

«Ein *Ball*?» Schwester McLeod hatte Visionen ihrer Patientin, wie sie Reels tanzte, und richtete sich mit der ganzen Autorität ihres Berufs auf. «Nur über meine Leiche», erklärte sie.

«Sie hat beschlossen», fuhr Isobel fort, als hätte die Schwester nichts gesagt, «daß Mr. Anderson vom Bahnhofshotel die Bewirtung übernimmt, und Mrs. Coopers Mann soll eine Kapelle zusammenstellen.»

«Um Himmels willen», war alles, was Mrs. Watty dazu einfiel.

«Und sie hat schon eine lange Liste von Leuten gemacht, die eingeladen werden sollen.»

Jason, der sich nicht vorstellen konnte, was daran so dramatisch sein sollte, beschloß, den Speck aufzuessen. «Werde ich auch eingeladen?» fragte er, wurde aber ausnahmsweise ignoriert.

«Sie haben doch nein gesagt?» fragte die Schwester, die auf Isobel zukam und sie mit stählernem Blick fixierte.

«Natürlich habe ich nein gesagt.»

«Und was hat sie gesagt?»

«Sie hat überhaupt keine Notiz davon genommen.»

«Es kommt nicht in Frage», sagte die Schwester. «Stellen Sie sich den Wirbel vor, denken Sie an den Lärm. Mrs. Armstrong ist nicht gesund. Sie ist einem solchen Tumult nicht gewachsen. Und sie stellt sich doch nicht etwa vor, daß sie an der Party teilnehmen kann?»

«Nein. In diesem Punkt kann ich Sie beruhigen. Wenigstens», fügte Isobel, die ihre Mutter kannte, hinzu, «hoffe ich das.»

«Aber warum in aller Welt?» wollte Mrs. Watty wissen. «Warum will sie noch eine Party? Wir haben nach der von gestern abend noch nicht einmal das Eßzimmer wieder in Ordnung gebracht.»

Isobel seufzte. «Ein Fest für Rose. Sie will, daß alle Rose kennenlernen.»

Die Blicke aller wandten sich Flora zu. Flora, die angesichts dieser neuesten Bombe mehr Grund als alle anderen hatte, entsetzt zu sein, ertappte sich dabei, daß sie rot wurde. «Aber ich will kein Fest. Ich meine, ich habe gesagt, ich bleibe, weil Tuppy es will, aber ich wußte ja nicht, was sie in petto hatte.»

Isobel tätschelte ihr die Hand, tröstete sie. «Gestern abend hatte sie noch nichts in petto. Sie hat sich das alles heute früh ausgedacht. Du kannst also nichts dafür. Das ist eben Tuppy mit ihrer manischen Gastfreundschaft.»

Flora suchte nach einem praktischen Einwand. «Aber es ist doch bestimmt nicht genug Zeit. Ich meine, ein Ball...

Wenn ihr Einladungen verschicken wollt, ist das nicht einmal eine Woche!»

Aber auch daran war schon gedacht worden. «Die Einladungen werden telefonisch übermittelt», sagte Isobel und fügte resigniert hinzu: «Und das Telefonieren muß ich übernehmen.»

Die Schwester entschied, dieser Unsinn habe lange genug gedauert. Sie zog sich einen Stuhl heran und setzte sich. Das gestärkte Schürzenlätzchen blähte sich vor ihr, so daß sie plötzlich wie eine Kropftaube aussah. «Man muß ihr sagen, daß das nicht in Frage kommt», erklärte sie wieder.

Mrs. Watty und Isobel seufzten unisono. «Das ist nicht so einfach, Schwester», sagte Mrs. Watty mit der Stimme einer Mutter, die über ein blitzgescheites, aber schwieriges Kind spricht. «Sie kennen Mrs. Armstrong nicht so gut wie Miss Isobel und ich. Wenn sie sich etwas in den Kopf setzt, bringen keine zehn Pferde sie davon ab.»

Jason nahm sich eine Scheibe Toast und strich Butter darauf. «Ich war noch nie auf einem Ball», bemerkte er, aber wiederum nahm niemand die geringste Notiz von ihm.

«Was ist mit Antony, könnte er nicht mit ihr reden?» fragte die Schwester hoffnungsvoll.

Aber Mrs. Watty und Isobel schüttelten den Kopf. Antony nützte da gar nichts. Außerdem war Antony noch im Bett, holte Schlaf nach, und niemand wollte ihn stören.

«Wenn niemand aus ihrer Familie sie zur Vernunft bringen kann», erklärte die Schwester, und ihr Ton deutete an, sie halte sie für einen ausgesprochen kläglichen Haufen, «dann muß es eben Dr. Kyle tun.»

Bei der Erwähnung von Hughs Namen lebten Mrs. Watty und Isobel auf. Seltsamerweise hatten sie gar nicht an Hugh gedacht. «Dr. Kyle», wiederholte Mrs. Watty nachdenklich. «Ja. Das ist wirklich eine gute Idee. Uns hört sie gar nicht erst zu, aber vom Arzt läßt sie sich bestimmt etwas sagen. Kommt er heute morgen?»

«Ja», sagte die Schwester. «Er hat gesagt, vor dem Mittagessen.»

Mrs. Watty stützte die massigen Ellbogen auf den Tisch und senkte verschwörerisch die Stimme. «Warum halten wir sie dann nicht einfach bis dahin bei Laune? Es hat keinen Sinn, da sind Sie sicher meiner Meinung, Schwester, Mrs. Armstrong mit Widerworten und Theater aufzuregen. Überlassen wir das doch einfach Dr. Kyle.»

Und so wurde das Problem zur Befriedigung aller vorerst aufgeschoben, und Flora empfand beinahe so etwas wie Mitleid mit Hugh Kyle.

Der Morgen zog sich hin. Flora half Mrs. Watty mit dem Frühstücksgeschirr, saugte den Eßzimmerteppich und deckte den Tisch für das Mittagessen. Isobel setzte den Hut auf und ging mit Jason in die Kirche. Mrs. Watty fing mit dem Kochen an, woraufhin Flora, von der Schwester instruiert, nach oben ging, um Tuppy zu besuchen.

«Und sprechen Sie ja nicht über diesen Ball», warnte die Schwester. «Wenn sie davon anfängt, wechseln Sie einfach das Thema.»

Flora versprach es. Sie wollte eben aus der Küche gehen, als Mrs. Watty sie zurückrief, sich die Hände abtrocknete, eine Schublade aufzog und eine große Papiertüte mit mehreren Strängen grauer Wolle herausholte, aus der sie einen Pullover für Jason stricken wollte.

«Das ist eine nette Beschäftigung für Sie», sagte sie zu Flora. «Sie und Mrs. Armstrong können die Wolle für mich aufwickeln. Warum die keine sauberen Knäuel verkaufen können, geht über meinen Verstand, aber so ist es nun einmal, offensichtlich schaffen sie es nicht.»

Flora nahm gehorsam die Wolltüte und ging hinauf zu Tuppys Zimmer. Als sie hineinging, fiel ihr sofort auf, daß Tuppy besser aussah. Die dunklen Augenringe, die Nervosität waren verschwunden. Sie setzte sich im Bett auf und streckte die Arme aus, als Flora eintrat.

«Ich habe gehofft, daß du es bist. Komm her und gib mir einen Kuß. Wie hübsch du aussiehst.» Flora hatte dem Sonntag zu Ehren einen Rock und einen Shetlandpullover angezogen. «Weißt du, es ist das erste Mal, daß ich deine Beine zu sehen bekomme. Bei solchen Beinen weiß ich wirklich nicht, warum du sie dauernd unter Hosen verstecken mußt.» Flora gab ihr einen Kuß und wollte sich dann von ihr lösen, aber Tuppy hielt sie fest. «Bist du böse auf mich?»

«Böse?»

«Wegen des Dableibens. Es war unfair von mir, dir gestern abend diese Nachricht durch Isobel zu schicken, aber ich wollte, daß du es dir anders überlegst, und da ist mir nichts Besseres eingefallen.»

Flora war entwaffnet. Sie lächelte. «Nein, ich bin dir nicht böse.»

«Schließlich hast du ja nichts so schrecklich Wichtiges zu tun, daß du unbedingt zurück mußt. Und ich wollte so gern, daß du bleibst.»

Sie ließ Flora los, und Flora setzte sich auf den Bettrand. «Aber jetzt kriegst du Zoff», sagte sie und vergaß mit Absicht die Instruktionen der Schwester. «Das weißt du, nicht wahr?»

«Ich weiß nicht mal, was Zoff ist.»

«Ich meine, du bekommst Ärger, weil du schon wieder ein Fest planst.»

«Ach, das.» Tuppy gluckste, hochzufrieden mit sich. «Die arme Isobel wäre fast in Ohnmacht gefallen, als ich es ihr gesagt habe.»

«Du warst ganz schön unartig.»

«Aber warum? Warum soll ich kein Fest geben? Wenn ich schon in diesem blöden Bett bleiben muß, brauche ich wenigstens etwas, was mir Spaß macht.»

«Du sollst gesund werden, keine wilden Partys planen.»

«Ach, so wild wird es schon nicht. Und in diesem Haus sind schon so viele Feste gefeiert worden, daß das von ganz allein geht. Außerdem muß niemand etwas tun. Ich habe alles organisiert.»

«Isobel muß einen ganzen Tag am Telefon verbringen, um die Gäste einzuladen.»

«Ja, aber das macht ihr nichts aus. So bleibt sie jedenfalls in Schwung.»

«Aber was ist mit dem Haus, mit dem Blumenschmuck, mit den Möbeln, die weggeräumt werden müssen, und so weiter?»

«Watty kann die Möbel wegräumen. Das geht blitzschnell. Und...» – Tuppy suchte nach einer Eingebung – «für den Blumenschmuck kannst du sorgen.»

«Vielleicht kann ich das nicht.»

«Dann nehmen wir eben Topfpflanzen. Oder Anna hilft uns. Rose, es hat keinen Sinn, mir Steine in den Weg zu legen, denn ich habe schon an alles gedacht.»

«Die Schwester sagt, es hängt davon ab, was Hugh sagt.»

«Die Schwester hat den ganzen Morgen ein Gesicht gemacht wie ein Bus von hinten. Und wenn es von Hugh abhängt, kannst du beruhigt sein. Er wird es für eine großartige Idee halten.»

«Darauf würde ich mich an deiner Stelle nicht verlassen.»

«Nein, ich verlasse mich nicht darauf. Ich kenne Hugh sein Leben lang, und er kann ganz schön stur sein.» Tuppy machte ein amüsiertes Gesicht. «Aber es überrascht mich, daß du das so schnell herausgefunden hast.»

«Ich habe gestern abend beim Essen neben ihm gesessen.» Flora öffnete die Papiertüte und holte den ersten grauen Strang heraus. «Fühlst du dich kräftig genug, für Mrs. Watty Wolle zu wickeln?»

«Ja, natürlich, ich halte den Strang, und du kannst das Wickeln übernehmen.» Sobald sie mit dieser anspruchslosen Aufgabe angefangen hatten, sprach Tuppy weiter, als hätte es keine Gesprächspause gegeben: «Ich möchte hören, wie es gestern abend war, alles.»

Flora malte den Abend für Tuppy in den schillerndsten Farben aus und bemühte sich, begeistert zu klingen.

«Und die Crowthers sind so nett, nicht wahr?» sagte Tuppy, als Flora schließlich der Stoff ausgegangen war. «Ich habe ihn so gern. Wenn man ihn kennenlernt, wirkt er ziemlich einschüchternd, aber er ist so ein guter Mensch. Und Hugh hat sich gut unterhalten?»

«Ja. Wenigstens glaube ich das. Aber mittendrin kam ein Anruf für ihn, und er mußte weg.»

«Der liebe Junge. Wenn er nur Hilfe hätte. Aber so ist das nun einmal...» Tuppy ließ die Hände sinken, und Flora hörte mit dem Wickeln auf und wartete. «Ich glaube, daß er soviel arbeitet, ist für Hugh eine Art Therapie. Nennt man das heute nicht so? Eine Therapie?»

«Du meinst, weil seine Frau gestorben ist?»

«Ja. Ich glaube, das meine ich. Weißt du, er war so ein netter kleiner Junge. Er kam oft her, um mit Torquil zu spielen. Sein Vater war unser Hausarzt – das habe ich dir schon erzählt. Ein ganz einfacher Mann, von der Isle of Lewis, aber ein hervorragender Arzt. Und Hugh war auch so gescheit. Hugh hat ein Stipendium in Fettes bekommen, und dann hat er an der Universität Edinburgh Medizin studiert.»

«Er hat für die Universität Rugby gespielt, nicht wahr?»

«Das muß Antony dir erzählt haben. Antony hat immer große Stücke auf Hugh gehalten. Ja, er hat Rugby für die Universität gespielt, aber aufregender war, daß er das Examen mit Auszeichnung bestanden und die Cunningham-Medaille bekommen hat. Die ganze wunderbare Welt der Medizin stand ihm offen. Dann hat Professor McClintock – er war Professor für Chirurgie am St. Thomas-Krankenhaus in London – Hugh aufgefordert, nach London zu kommen und bei ihm zu studieren. Wir waren alle so stolz. Ich hätte nicht stolzer auf Hugh sein können, wenn er mein eigenes Kind gewesen wäre.»

Flora fiel es schwer, diesen ganzen Ruhm mit ihrem ver-

162

drossenen Tischherrn von gestern abend in Einklang zu bringen. «Warum ist das alles schiefgegangen?» fragte sie.

«Ach, eigentlich ist es gar nicht schiefgegangen.» Sie hob die Hände mit dem Wollstrang, und Flora wickelte weiter.

«Er hat geheiratet?»

«Ja. Diana. Er hat sie in London kennengelernt, sie haben sich verlobt, und er hat sie nach Tarbole mitgebracht.»

«Hast du sie kennengelernt?»

«Ja.»

«Hast du sie gemocht?»

«Sie war sehr schön, sehr charmant, elegant gekleidet. Ich glaube, ihr Vater hatte eine Menge Geld. Es war sicher nicht leicht für sie hierherzukommen, wo sie niemanden kannte. Tarbole war eine ganz andere Welt als die, an die sie gewöhnt war, und sie paßte nicht hierher. Ich glaube, sie hielt uns alle für schrecklich langweilig. Armer Hugh. Es muß eine furchtbare Zeit für ihn gewesen sein. Ich habe natürlich nichts zu ihm gesagt. Es ging mich nichts an. Ich glaube, daß sein alter Vater etwas direkter war. Vielleicht zu direkt. Aber inzwischen war Hugh so vernarrt in sie, daß es keine Rolle mehr gespielt hätte, was irgend jemand von uns dazu sagt. Und wenn wir ihn auch nicht verlieren wollten, war uns doch daran gelegen, daß er glücklich wird.»

«Und ist er glücklich geworden?»

«Das weiß ich nicht, Rose. Wir haben ihn zwei Jahre lang nicht mehr zu sehen bekommen. Als er wiederkam, war Diana tot – bei einem schrecklichen Autounfall umgekommen –, und Hugh hatte alles hingeworfen und war nach Tarbole zurückgekehrt, um die Praxis seines Vaters zu übernehmen. Und dann ist er hiergeblieben.»

«Wie lange ist das her?»

«Fast acht Jahre.»

«Man sollte meinen, daß er inzwischen darüber hinweggekommen ist. Wieder geheiratet hat...»

«Nein. Nicht Hugh.»

Schweigend wickelten sie Wolle auf. Das Knäuel wurde all-mählich dick. Flora wechselte das Thema. «Ich mag Anna sehr gern», sagte sie.

Tuppys Gesicht hellte sich auf. «Darüber bin ich froh. Ich habe sie auch sehr gern, aber es ist schwer, sie richtig kennen-zulernen. Sie ist sehr schüchtern.»

«Sie hat mir gesagt, daß sie immer hier gelebt hat.»

«Ja. Ihr Vater war ein guter Freund von mir. Er hieß Archie Carstairs und kam aus Glasgow. Er hat eine Menge Geld ver-dient, und alle meinten, er sei ein ziemlich ungeschliffener Diamant – damals waren die Leute so dumm und versnobt –, aber ich mochte ihn sehr. Er war ein hervorragender Segler – er kreuzte immer mit einer ziemlich protzigen Hochseejacht herum. So kam er zum erstenmal nach Ardmore. Er verliebte sich in den Loch und in die schöne Landschaft, und wer könnte ihm das verübeln? Auf der ganzen Welt gibt es nichts dergleichen. Jedenfalls hat er kurz nach dem ersten Weltkrieg Ardmore House gebaut. Im Lauf der Jahre verbrachte er im-mer mehr Zeit hier, und schließlich zog er sich ganz nach Ardmore zurück. Anna wurde hier geboren. Archie hat spät geheiratet – ich glaube, er war vorher zu sehr mit dem Geld-verdienen beschäftigt, als daß er Zeit zum Heiraten gehabt hätte –, und deshalb war Anna das Kind ziemlich alter Eltern. Ihre Mutter hat Annas Geburt nur um ein paar Monate über-lebt. Ich denke oft, wenn ihre Mutter länger gelebt hätte, wäre Anna ein ganz anderer Mensch geworden. Aber so ist es nun einmal, solche Dinge geschehen, und es ist nicht an uns, nach den Gründen zu fragen.»

«Und Brian?»

«Was ist mit Brian?»

«Wie hat sie Brian kennengelernt?»

Tuppy lächelte schwach. «Brian kam eines Sommers in den Loch von Ardmore gesegelt, mit einem schäbigen kleinen Boot, das er ganz allein aus Südfrankreich hierhergebracht hatte. Damals hatte Archie den Jachtclub von Ardmore schon eröffnet. Das war sein Spielzeug, ein Hobby, das ihn nach der Pensionierung beschäftigte und außerdem dafür sorgte, daß er mit seinen alten Segelfreunden in Kontakt blieb. Brian legte an, ging auf einen Drink an Land, und Archie kam mit ihm ins Gespräch und war so beeindruckt von seinem seglerischen Können, daß er ihn nach Ardmore House zum Abendessen einlud. Für Anna war er wie ein junger Ritter, der auf einem weißen Pferd angeritten kam. Sie schaute Brian an, verlor ihr Herz und hat seither nicht aufgehört, ihn zu lieben.»

«Sie hat ihn geheiratet.»

«Natürlich.»

«Was hat ihr Vater dazu gesagt?»

«Er war ziemlich mißtrauisch. Er bewunderte Brian und hatte ihn sogar ganz gern, aber er hatte nie die Absicht, ihn zu seinem Schwiegersohn zu machen.»

«Hat er versucht, Anna die Heirat auszureden?»

«Zu seiner Ehre muß ich sagen, ja, ich glaube, er hat es versucht. Aber Leute, von denen man das gar nicht erwartet, können unglaublich stur sein. Anna war inzwischen eine Frau, kein Kind mehr. Sie wußte, was sie wollte, und sie hatte vor, es zu bekommen.»

«War Brian in sie verliebt?»

Eine lange Pause entstand. Dann sagte Tuppy: «Nein, das glaube ich nicht. Aber ich glaube, daß er sie mochte. Und natürlich mochte er auch die ganzen materiellen Vorteile, die damit verbunden waren, daß er Anna heiratete.»

«Du sagst – auf sehr freundliche Weise –, daß er sie wegen ihres Geldes geheiratet hat.»

«Das möchte ich nicht sagen, weil ich Anna so gern habe.»

«Spielt das überhaupt eine Rolle, wenn sie glücklich sind?»

«Das habe ich mich damals auch gefragt.»

«Ist sie sehr reich?»

«Ja. Als Archie starb, hat sie alles geerbt.»

«Und Brian?»

«Brian hat nur ein Legat, das Archie ihm vermacht hat. Zufällig weiß ich, daß es sehr großzügig war, aber das eigentliche Kapital, der Hauptteil des Vermögens, gehört Anna.»

«Mal angenommen, die Ehe scheitert?»

«Dann verfällt Brians Legat. Er hätte gar nichts mehr.»

Flora dachte an Anna, ihre bescheidene Art und ihre wunderschönen Diamanten. Und sie tat ihr plötzlich wieder leid, weil es trostlos sein mußte, wenn man den Ehemann nur mit Geld halten konnte.

«Brian sieht sehr gut aus.»

«Brian? Ja, natürlich sieht er gut aus. Er ist gutaussehend und frustriert. Er hat bei weitem nicht genug zu tun.»

«Die beiden haben keine Kinder?»

«Anna hat ein Kind verloren, in dem Sommer, in dem du mit deiner Mutter hier warst. Aber vermutlich erinnerst du dich nicht daran. Du warst wohl schon fort.»

Das Wollknäuel war fast fertig. Die letzten Fäden lagen um Tuppys dünne Handgelenke. «Sie ist wieder schwanger», sagte Tuppy.

Flora hörte mit dem Aufwickeln auf. «Anna? Wirklich? Oh, das freut mich.»

Tuppy war sofort betroffen. «Das hätte ich nicht sagen dürfen. Es ist mir einfach herausgerutscht. Ich sollte es niemandem sagen. Hugh hat es mir erzählt, um mich aufzuheitern, als es mir so schlecht ging. Und ich habe versprochen, es für mich zu behalten.»

«Dein Geheimnis ist bei mir gut aufgehoben», schwor Flora. «Ich habe es sogar schon vergessen.»

Es war Mittag, und sie waren beim letzten Strang Wolle, als Hugh kam. Sie hörten seine Schritte auf der Treppe und im Flur. Ein flüchtiges Klopfen, dann war er bei ihnen im Zimmer. Er trug seinen Alltagsanzug, hatte die Arzttasche in der Hand, und aus der Jackentasche schaute ein Stethoskop heraus.

«Guten Morgen», sagte er.

Tuppy musterte ihn. «Du siehst aus, als hätte dir noch nie jemand gesagt, daß der Sonntag ein Ruhetag sein soll.»

«Als ich heute morgen aufgewacht bin, habe ich ganz vergessen, daß Sonntag ist.» Er trat ans Fußende des Bettes und kam direkt zur Sache. «Was höre ich da?»

Tuppy machte ein entnervtes Gesicht. «Ich habe doch gewußt, daß sie es dir erzählen, ehe ich die Gelegenheit dazu habe.»

Er stellte die Tasche auf den Boden und stützte die Arme auf das Messinggitter des Bettes. «Dann erzählen Sie es mir jetzt.»

Der letzte Wollfaden glitt von Tuppys Handgelenken und in das letzte dicke Knäuel.

«Wir geben am nächsten Freitag eine kleine Party für Rose und Antony», teilte Tuppy ihm mit, als wäre das die natürlichste Sache der Welt.

«Aus wieviel Leuten besteht eine kleine Party?»

«Etwa... sechzig.» Sie erwiderte seinen Blick. «Siebzig?» fügte sie hoffnungsvoll hinzu.

«Siebzig Leute, die in der Halle herumhüpfen, Champagner trinken und reden wie ein Wasserfall. Wie soll sich das Ihrer Meinung nach auf Ihren Gesundheitszustand auswirken?»

«Wenn überhaupt, dann zum Besseren.»

«Wer wird das alles organisieren?»

«Es ist schon organisiert. Ich habe genau eine halbe Stunde vor dem Frühstück dazu gebraucht. Aber jetzt lege ich die Hände in den Schoß.»

Er machte ein skeptisches Gesicht. «Tuppy, es fällt mir schwer, das zu glauben.»

«Ach, sei doch nicht so muffelig. Alle tun so, als ob wir einen Staatsempfang geben.»

Hugh schaute Flora an. «Und was hält Rose davon?»

«Ich?» Flora hatte die Wollknäuel eingesammelt und in die Papiertüte zurückgepackt. «Ich... ich halte es für eine wun-

167

derbare Idee, aber wenn Sie meinen, daß es zuviel für Tuppy wird...»

«Sei nicht so wetterwendisch, Rose», unterbrach Tuppy verärgert. «Du bist genauso schlimm wie alle anderen.» Sie wandte sich wieder Hugh zu. «Ich habe dir doch gesagt, alles ist geplant. Mr. Anderson übernimmt die Bewirtung, Rose den Blumenschmuck, Watty räumt die Möbel aus der Halle, und Isobel ruft alle an. Und wenn du nicht sofort ein anderes Gesicht machst, Hugh, wirst du nicht eingeladen.»

«Und was machen Sie?»

«Ich? Überhaupt nichts. Ich bleibe einfach hier sitzen und schaue in die Luft.»

Die blauen Augen blickten unschuldig. Hugh legte den Kopf schief und musterte sie mißtrauisch. «Kein Besuch», sagte er.

«Was meinst du damit, kein Besuch?»

«Ich meine, niemand, der sich nach oben stiehlt und einen kleinen Plausch mit Ihnen hält.»

Tuppy sah bitter enttäuscht aus. «Nicht mal ein oder zwei Gäste?»

«Wenn Sie mit einem oder zwei anfangen, geht es gegen Ende des Abends in Ihrem Schlafzimmer zu wie in der U-Bahnstation am Piccadilly Circus zur Stoßzeit. Kein Besuch. Und ich verlasse mich nicht darauf, daß Sie mir Ihr Wort geben. Ich postiere die Schwester als Wache an der Tür, mit einem Spieß, einer Bettpfanne oder einer anderen Waffe ihrer Wahl. Und das ist mein letztes Wort, Mrs. Armstrong.» Er richtete sich auf und kam um das Bett herum. «Und wenn Sie jetzt so nett sein könnten, Rose, die Schwester zu holen und ihr zu sagen, daß ich hier bin.»

«Ja, selbstverständlich.» Auf diesen kaum verhohlenen Hinauswurf hin, gab sie Tuppy schnell einen Kuß, stand vom Bett auf und verließ das Zimmer. Die Schwester war schon auf dem Weg nach oben, und sie begegneten sich auf dem Treppenabsatz.

Die Schwester machte ein grimmiges Gesicht. «Ist Dr. Kyle bei Mrs. Armstrong?»

«Ja, er wartet auf Sie.»

«Ich hoffe, er hat ihr diese schwachsinnige Idee ausgeredet.»

«Da bin ich mir nicht so sicher. Ich glaube eher, die Party steigt.»

«Der Herr behüte uns», sagte die Schwester.

Mrs. Watty nahm es philosophischer. «Na ja, wenn sie unbedingt eine Party will, warum soll sie dann keine haben?» Sie fügte hinzu: «Wir schaffen das schon. Hier hat es so viele Partys gegeben, daß wir es vermutlich auch im Kopfstand schaffen würden.»

«Ich soll für den Blumenschmuck sorgen.»

Mrs. Watty machte ein amüsiertes Gesicht. «Sie hat Ihnen also auch eine Aufgabe zugeteilt. Es ist eine Spezialität von Mrs. Armstrong, Leuten Aufgaben zuzuteilen.»

«Ja, aber Blumenarrangements liegen mir nicht. Ich kann nicht mal Narzissen in eine Vase stellen.»

«Ach, das werden Sie schon schaffen.» Sie öffnete einen der Schränke und zählte einen Tellerstapel ab. «War es leicht, den Arzt zu überreden?»

«Nicht leicht, aber er hat sich überreden lassen. Unter der Bedingung, daß Tuppy keine Besucher empfängt. Die Schwester soll vor ihrer Tür Wache stehen.»

Mrs. Watty schüttelte den Kopf. «Der arme Dr. Kyle, was er auch alles durchmachen muß. Als ob er nicht schon genug Sorgen hätte, auch ohne daß wir ihm noch mehr aufladen. Und offenbar hat er im Augenblick überhaupt keine Hilfe. Jessie McKenzie – die soll ihm den Haushalt führen –, also, die ist vor zwei Tagen mit der Fähre von Skye aus nach Portree gefahren, habe ich gehört. Dort wohnt ihre Mutter, und offenbar geht's ihr schlecht.»

«Oje.»

«Es ist nicht so einfach, in Tarbole Hilfe zu bekommen.

169

Heutzutage arbeiten die meisten Frauen, verpacken Heringe oder helfen in den Fischräuchereien.» Sie schaute auf die Uhr, erinnerte sich an den Braten und vergaß Dr. Kyles Sorgen. Vorsichtig bückte sie sich und klappte die Backofentür auf. Bratendurft und zischendes Fett schlugen ihnen entgegen.

«Ist Antony noch nicht auf?» Mrs. Watty schob einen Spieß in die Seite des Bratens. «Ich glaube, es wird Zeit, daß Sie ihn wecken. Sonst verschläft er den ganzen Tag und muß sich dann sofort auf den Heimweg machen.»

Flora nickte. Als sie durch die Halle zu Antonys Zimmer gehen wollte, hörte sie, wie Hugh die Treppe herunterkam. Als er sie sah, blieb sie stehen, und ohne recht zu wissen, warum, wartete sie, bis er unten war.

Er trug eine Hornbrille, die ihn ausgesprochen distinguiert aussehen ließ. Am Fuß der Treppe stellte er seine Tasche auf den Boden, nahm die Brille ab, steckte sie in ein Etui und ließ es in die Jackentasche gleiten. «Was gibt's?» fragte er. Zu ihrer Überraschung merkte Flora, daß es tatsächlich etwas zu sagen gab.

«Hugh, gestern abend... Sie wollten nicht, daß ich sage, ich bleibe, nicht wahr?»

Er schien auf solche Direktheit nicht gefaßt zu sein. «Nein. Aber ich habe das Gefühl, daß Sie es sich deshalb anders überlegt haben.»

«Warum wollten Sie nicht, daß ich bleibe?»

«Nennen Sie es eine Vorahnung.»

«Von etwas Schlimmem?»

«Wenn Sie so wollen.»

«Ist Tuppys Fest etwas Schlimmes?»

«Wir hätten darauf verzichten können.»

«Aber es steigt?»

«Im Augenblick sieht es so aus.»

Sie wartete, doch als er nichts sagte, hakte sie nach. «Aber es kann nichts schaden? Ich meine, es kann Tuppy nichts schaden?»

«Nein, unter der Voraussetzung, daß sie tut, was ihr gesagt wird. Schwester McLeod mißbilligt es streng. Ihre Meinung von mir ist abgrundtief gesunken. Aber vielleicht erweist sich das als der kleine Ansporn, den Tuppy braucht. Und wenn nicht…» Er brach ab, ließ die ungesagten Worte für sich sprechen.

Wie er da vor ihr stand, sah er so mitgenommen aus, daß Flora wider Willen Mitleid empfand. «Machen Sie sich keine Sorgen», sagte sie und versuchte, fröhlich zu klingen, «wenigstens macht sie das, was sie am liebsten tut. Wie der Neunzigjährige, der gefragt wird, wie er sterben möchte, und sich aussucht, von einem eifersüchtigen Ehemann erschossen zu werden.»

Hughs Gesicht zeigte ein Lächeln, so spontan wie unerwartet. Sie hatte ihn noch nie zuvor richtig lächeln sehen und war nicht gefaßt darauf, wie sein ganzes Gesicht sich dadurch veränderte. Einen Moment lang erhaschte sie einen Blick auf den jungen, unbeschwerten Mann, der er einmal gewesen war.

«Genau», sagte er.

Der Morgen war grau und mild gewesen, ganz unbewegt. Aber jetzt war eine Brise aufgekommen, die Wolken wurden weggefegt, die Sonne brach durch, und urplötzlich war alles in ihr flüssiges, goldenes Licht getaucht. Es ergoß sich durch die zwei hohen Fenster zu beiden Seiten der Tür in die Halle. In den Strahlen wirbelten Staubkörnchen, und Einzelheiten, die sie zuvor nicht bemerkt hatte, traten deutlich hervor: der Stoff seines Anzugs, schäbig und an manchen Stellen fadenscheinig, die Taschen, ausgeleiert vom Gewicht verschiedener Gegenstände, die er hineingestopft hatte, sein Pullover, der direkt in der Mitte ungeschickt ausgebessert war; und seine Hand auf dem Treppenpfosten, die langen Finger, der Siegelring, die peinliche Sauberkeit.

Sie bemerkte, daß er müde war. Er lächelte immer noch über ihren kleinen Scherz, aber er sah todmüde aus. Sie dachte daran, wie er gestern zum Essen gekommen war, seinen besten Anzug angezogen, in dem leeren, düsteren Haus nach einem sauberen Hemd gesucht hatte, weil seine Haushälterin fort war und ihre Mutter in Portree besuchte.

Sie sagte: «Der Anruf gestern abend – ich hoffe, das war nichts Ernstes.»

«Ziemlich ernst. Ein uralter Mann und eine Schwiegertochter, die mit den Kräften am Ende ist. Er war aus dem Bett gestiegen, um auf die Toilette zu gehen, und ist die Treppe hinuntergefallen.»

«War er verletzt?»

«Durch ein Wunder hat er sich nichts gebrochen, aber er hat Prellungen und einen schlimmen Schock. Er gehört ins Krankenhaus. Im Lochgarry Hospital könnte er ein Bett bekommen, aber er will nicht. Er ist in dem Haus geboren, in dem er jetzt wohnt, und dort will er auch sterben.»

«Wo ist das Haus?»

«In Boturich.»

«Ich weiß nicht, wo Boturich ist.»

«Am anderen Ende vom Loch Fhada.»

«Aber das müssen dreißig Kilometer sein.»

«Ungefähr.»

«Wann sind Sie nach Hause gekommen?»

«Gegen zwei Uhr morgens.»

«Und wann sind Sie aufgestanden?»

Um seine Augen legten sich Lachfältchen. «Was ist denn das? Ein Verhör?»

«Sie müssen müde sein.»

«Ich habe keine Zeit, müde zu sein. Und jetzt» – er schaute auf die Uhr und bückte sich nach seiner Tasche – «muß ich weiter.»

Sie begleitete ihn und hielt ihm die Tür auf. Das feuchte Gras, der Kies und das leuchtende, flammende Laub glitzerten in der Sonne. Er sagte, wieder in der gewohnten Art: «Wir sehen uns ja zweifelslos noch», und sie schaute ihm nach, wie er die Treppe hinunterging, ins Auto stieg und zwischen den Rhododendronbüschen am Pförtnerhäuschen vorbei und durch das offene Tor fuhr.

In der Sonne hätte es warm sein müssen, aber Flora fröstelte. Sie ging ins Haus, schloß die Tür und ging hinauf, um Antony zu wecken.

Er war schon auf und rasierte sich, stand in scharlachroten Lederpantoffeln und zwei Handtüchern vor dem Waschbekken, eins um die Hüfte gewickelt, das zweite wie einen Schal um den Hals geschlungen. Als sie den Kopf zur Tür hereinsteckte, drehte er sich zu ihr um. Er hatte ein schiefes Gesicht: Seifenschaum auf der einen Seite, die andere sauber.

«Ich bin heraufgeschickt worden, um dich zu wecken», sagte sie. «Es ist halb eins.»

«Ich bin wach, und ich weiß, wie spät es ist. Komm rein.»

Er wandte sich wieder dem Spiegel zu und fuhr fort, sich zu rasieren. Flora schloß die Tür und setzte sich auf den Bettrand. «Wie hast du geschlafen?» fragte sie sein Spiegelbild.

«Wie tot.»

«Wie stark fühlst du dich?»

Eine Pause entstand, und dann sagte Antony: «Aus irgendeinem Grund bekomme ich bei dieser Frage unsägliche Angst.»

«Das solltest du auch. Es gibt wieder ein Fest. Am Freitag. Einen Ball.»

Nach einer Weile seufzte er: «Jetzt ist mir klar, warum du dich nach meiner Verfassung erkundigt hast.»

«Tuppy hat das ganze vor dem Frühstück organisiert. Sie scheint alle überfahren zu haben, einschließlich Hugh Kyle. Der einzige Mensch, der wirklich dagegen ist, ist die Schwester, und sie läuft mit Grabesmiene herum.»

«Du meinst, die Party steigt?»

«Ja. Sie steigt.»

«Ich nehme an, sie ist für Antony und Rose.»

Flora nickte.

«Zur Feier der Verlobung.»

«Wieder richtig.»

Er war mit dem Rasieren fertig und spülte die Klinge unter fließendem Wasser ab. «Das darf doch nicht wahr sein», sagte er.

Sie hatte ein schlechtes Gewissen. «Es ist meine Schuld. Ich hätte nicht sagen dürfen, daß ich bleibe.»

«Wie hättest du das wissen können? Wie hätte irgend jemand ahnen können, daß sie sich so etwas ausdenkt?»

«Wir können wohl kaum etwas dagegen unternehmen.»

Er drehte sich um und schaute sie an, mit wirrem Kupferhaar und düsterer Miene. Aufgebracht riß er sich das Handtuch vom Hals und schleuderte es auf einen Stuhl.

«Mist, überhaupt nichts. Das ist, wie wenn man im Moor ertrinkt. Ende der Woche sind von uns nur noch ein paar Bläschen übrig. Und ziemlich schlammige.»

«Wir könnten reinen Tisch machen. Tuppy die Wahrheit sagen.» Der Gedanke hatte den ganzen Morgen in Floras Kopf herumgespukt, aber jetzt sprach sie ihn zum erstenmal aus.

Antony schüttelte energisch den Kopf. «Nein.»

«Aber...»

«Kommt nicht in Frage. Gut, Tuppy geht es besser. Gut, Isobel hat alles falsch verstanden, und Tuppy wird auf wunderbare Weise wieder gesund. Aber sie ist alt, sie ist schwer krank, und falls ihr irgend etwas zustoßen sollte, weil du und ich auf dem Luxus eines reinen Gewissens bestanden haben, könnte ich mir das nie verzeihen. Das begreifst du doch, nicht wahr?»

Flora seufzte. «Ja, ich glaube schon», sagte sie kläglich.

«Du bist ein tolles Mädchen.» Er beugte sich herunter und gab ihr einen Kuß. Seine Wange war glatt; er roch sauber und nach Zitrone. «Und jetzt mußt du mich entschuldigen; ich muß mir was anziehen.»

An jenem Nachmittag war Ebbe. Nach dem Mittagessen brachen Flora und Antony zu einem Spaziergang auf. Sie nahmen die Hunde mit – auch Sukey, die Antony energisch aus Tuppys Daunendecke geschält hatte – und gingen zum Strand von Fhada hinunter, der sauber und weiß von der Flut hinterlassen worden war.

Es war kein fröhlicher Ausflug. Antonys Abfahrt nach Edinburgh stand beiden bevor: sie wechselten kaum ein Wort. Und doch schuf auch das Schweigen zwischen ihnen eine Art von Gemeinsamkeit. Flora wußte, daß Antony sich ebenso sehr sorgte wie sie.

Am Wasserrand blieben sie stehen. Antony fand ein langes Stück Seetang und warf es in die Wellen. Plummer sauste hinterher, beim Schwimmen heftig planschend. Gleich darauf machte er einen Satz aus dem Meer, den Seetang schief im Maul. Sukey, die nicht gern nasse Füße bekam, saß ein gutes Stück weiter hinten und beobachtete ihn. Plummer legte den Seetang hin, schüttelte sich ausgiebig und wartete, die großen nassen Ohren gespitzt, darauf, daß Antony wieder warf. Das tat er auch, dieses Mal noch weiter, und Plummer stürzte sich wieder in die Brecher.

Sie standen im Wind und schauten ihm zu. Flora sagte: «Irgendwann müssen wir es ihnen sagen, Antony. Irgendwann müssen sie erfahren, daß ich Flora bin, nicht Rose. Vielleicht ist ein reines Gewissen Luxus, aber mit einem schlechten kann ich nicht leben.» Sie schaute ihn an. «Es tut mir leid, aber ich kann es einfach nicht.»

Sein Profil war steinern, sein Gesicht vom Wind gerötet. Er steckte die Hände tief in die Taschen und seufzte.

«Ja, ich weiß. Ich habe eben auch so etwas gedacht.» Er wandte den Kopf und schaute sie an. «Aber ich muß es ihnen sagen. Nicht du.»

Sie war eine Spur verletzt. «So etwas würde ich niemals tun.»

«Nein. Aber du wirst es in den nächsten Tagen nicht leicht

haben. Es wird schlimmer werden, nicht besser, und ich kann dir nicht helfen. Am nächsten Wochenende, nach dem Ball, machen wir reinen Tisch, falls es Tuppy bessergeht. Dann beichten wir, wenn du es so ausdrücken willst.» Er sah bei dem Gedanken ziemlich niedergeschlagen aus. «Aber du mußt mir versprechen, daß du bis dahin niemandem etwas sagst.»

«Antony, das würde ich nie tun.»

«Versprich es.»

Sie versprach es. Die Sonne verschwand hinter einer Wolke, und es wurde plötzlich kühl. Sie warteten, leicht fröstelnd, bis Plummer zu ihnen zurückkam, dann drehten sie sich um und machten sich auf den langen Rückweg zum Haus.

Als sie ankamen, wurde Plummer zum Trocknen in Mrs. Wattys Küche verbannt, und Sukey schoß wie ein Pfeil die Treppe zu Tuppys Zimmer hinauf. Antony und Flora zogen die Mäntel und Gummistiefel aus und gingen ins Wohnzimmer, wo Isobel und Jason am Feuer beim Tee saßen, vertieft in irgendeinen Abenteuerfilm im Fernsehen. Offenbar wurde keine Konversation von ihnen erwartet, deshalb leisteten sie den beiden schweigend Gesellschaft, aßen gebutterten Toast und schauten geistesabwesend wilden Schwertkämpfen und Verfolgungsjagden über fackelbeleuchtete Wendeltreppen zu. Endlich war es aus, der Held wurde bis zur nächsten Folge in ein Verlies gesperrt. Isobel schaltete den Fernseher aus, und Jason wandte seine Aufmerksamkeit Antony und Flora zu.

«Ich wollte mit euch spazierengehen, und als ich nach euch gesucht habe, wart ihr weg», sagte er anklagend.

«Tut mir leid», entgegnete Antony wenig überzeugend.

«Spielst du mit mir Karten?»

«Nein.» Er stellte die leere Teetasse ab. «Ich muß packen und dann nach Edinburgh fahren.»

«Ich komme mit und helfe dir.»

«Ich will nicht, daß du mitkommst. Rose kommt mit und hilft mir.»

«Aber warum…» Seine Tonlage war ziemlich schrill. Er hatte an den Sonntagabenden oft schlechte Laune, weil er am nächsten Tag wieder in die Schule mußte. Isobel griff taktvoll ein.

«Antony und Rose haben eine Menge zu besprechen, ohne daß wir alle zuhören. Und wenn du die Karten aus der Schublade holst, spiele ich mit dir.»

«Es ist nicht fair…»

«Willst du Schwarzer Peter spielen oder Quartett?»

Sie verließen das Zimmer, während Jason auf dem Kaminläufer die Quartettkarten austeilte, und gingen in Antonys Zimmer hinauf, das auf schmerzliche Weise ordentlich wirkte, als wäre er schon fort. Die Vorhänge waren nicht zugezogen, die Deckenlampe hatte nichts Gemütliches. Er sammelte sein Rasierzeug ein und packte es in die Tasche, während Flora saubere Hemden stapelte und seinen Hausmantel zusammenfaltete. Es dauerte nicht lange. Er legte die silbernen Haarbürsten obenauf, machte den Deckel zu und ließ die Schlösser zuschnappen.

«Kommst du zurecht?» Er sah so besorgt aus, daß sie sich zu einem Lächeln zwang. «Natürlich.»

Er griff in die Tasche und holte ein Stück Papier hervor. «Ich habe meine Telefonnummer aufgeschrieben, für den Fall, daß du mich erreichen willst. Das ist das Büro, dies ist meine Privatnummer. Wenn es niemand hören soll, kannst du dir bestimmt ein Auto ausleihen und nach Tarbole fahren. Am Hafen ist eine Telefonzelle.»

«Wann kommst du zurück?»

«Am Freitag nachmittag, so früh ich es schaffe.»

«Ich werde hiersein», sagte sie überflüssigerweise.

«Das will ich hoffen.»

Er nahm die Reisetasche und ging zu Tuppy, um sich von ihr zu verabschieden, während Flora Isobel und Jason sagte,

Antony fahre gleich ab. Jason wurde weggeschickt, um Mrs. Watty zu holen, die mit einer Schachtel gebutterter Hörnchen und einer Tüte Äpfel aus der Küche erschien. Sie konnte den Gedanken nicht ertragen, daß ein Familienmitglied ohne reichlich Proviant eine Reise antrat. Schließlich kam Antony herunter und verabschiedete sich von allen mit einem Kuß. Während die anderen zu ihren verschiedenen Beschäftigungen zurückkehrten, traten Antony und Flora in den dunklen Abend hinaus. Sein Auto wartete vor der Haustür. Er warf die Tasche auf den Rücksitz, legte die Arme um Flora und drückte sie an sich.

Sie sagte schwach: «Es wäre mir lieber, wenn du nicht fahren müßtest.»

«Mir auch. Paß gut auf dich auf. Und versuch, dich nicht allzusehr hineinziehen zu lassen.»

«Ich stecke schon drin.»

«Ja.» Es klang hoffnungslos. «Ja, ich weiß.»

Sie schaute ihm nach, als er abfuhr, bis das Rücklicht seines Autos hinter dem Tor verschwand. Dann ging sie ins Haus zurück, schloß die Tür und fühlte sich plötzlich sehr einsam. Aus dem Wohnzimmer, wo Isobel und Jason das Spiel wiederaufgenommen hatten, drang Stimmengemurmel. Flora schaute auf die Uhr. Es war fast Viertel vor sechs. Vielleicht sollte sie hinaufgehen und ein Bad nehmen.

Ihr Zimmer, das ihr von Anfang an so gut gefallen hatte, wirkte in der Kühle und dem Zwielicht eigenartig; das Zimmer einer Fremden in einem fremden Haus. Sie zog die Vorhänge zu und schaltete die Nachttischlampe an, was die Atmosphäre etwas gemütlicher machte, aber nicht viel. Sie schaltete den Elektroofen ein, kniete sich, voller Sehnsucht nach Wärme, auf dem Läufer davor so dicht an die rot werdenden Heizstäbe wie irgend möglich.

Es dauerte ein paar Augenblicke, bis sie begriff, daß sie unter Identitätsverlust litt. Antony war der einzige, der wußte, daß sie Flora war, aber ihr war nicht klargewesen, wieviel ihr das bedeutete. Jetzt, da er fort war, kam es ihr vor, als habe er Flora mitgenommen und nur Rose zurückgelassen. Sie wußte, daß sie Rose inzwischen mißtraute, sie nicht mehr besonders mochte. Sie dachte an Rose in Griechenland, versuchte sich vorzustellen, was Rose machte, wie sie in der Sonne lag, wie sie unter den Sternen tanzte, zu leiser Gitarrenmusik, oder was auch immer man auf Spetse spielte. Doch diese Bilder in ihrem Kopf hatten keine Tiefe. Sie waren zweidimensional, nicht überzeugend, wie übertrieben kolorierte Postkarten. Rose schien nicht in Griechenland zu sein. Rose war hier, in Fernrigg.

Ihre Hände waren eiskalt. Sie hielt sie in die Wärme. *Ich bin Flora. Ich bin Flora Waring.*

Das Versprechen, das sie Antony gegeben hatte, lastete auf ihrem Gewissen wie ein Felsblock. Daß sie es gegeben hatte, war vielleicht der Grund, daß sie sich so leidenschaftlich sehnte, die Wahrheit sagen zu können. Irgend jemandem. Jemandem, der zuhörte und verstand.

Aber wem?

Als die Antwort kam, war sie so naheliegend, daß sie nicht begriff, warum sie nicht sofort darauf gekommen war. Antony hatte darauf bestanden, es niemandem hier zu sagen. Und sie hatte ihr Wort gegeben. Aber damit waren nur die Armstrongs gemeint, die Menschen, die in diesem Haus wohnten.

In der Ecke stand ein kleiner Sekretär, in den sie noch nicht einmal einen Blick geworfen hatte. Jetzt stand sie auf, ging hinüber und klappte den Deckel auf. Wie in diesem ordentlichen Haushalt zu erwarten, fand sie geprägtes Briefpapier, Umschläge, Löschpapier und einen Füllfederhalter in einer Silberschale. Sie zog einen Stuhl heran, griff zu dem Füllfederhalter, nahm sich ein Blatt Papier und schrieb das Datum.

So fing sie einen langen Brief an ihren Vater an.

Brian

Früh am nächsten Morgen, als Flora zum Frühstück herunterkam, klingelte das Telefon. Als sie durch die Halle ging, zögerte sie. Niemand schien abzunehmen, deshalb ging sie hin, setzte sich auf den Rand der Truhe und nahm den Hörer ab.

«Hallo.»

Eine Frauenstimme. «Ist dort Fernrigg?»

«Ja.»

«Isobel?»

«Nein. Möchten Sie Isobel sprechen?»

«Ist das... ist das Rose?»

Flora zögerte. «Ja.»

«Oh, Rose, hier ist Anna Stoddart.»

«Guten Morgen, Anna. Soll ich Isobel holen?»

«Nein, das spielt keine Rolle, ich kann es Ihnen genauso sagen. Ich wollte mich nur für die Einladung am Samstag bedanken. Ich... ich habe es so genossen.»

«Das freut mich. Ich richte es Isobel aus.»

«Entschuldigen Sie, daß ich so früh anrufe, aber ich fahre gleich nach Glasgow. Ich meine, ich bin schon auf dem Sprung. Und ich wollte nicht wegfahren, ohne mich bedankt zu haben.»

«Ich wünsche Ihnen eine gute Reise.»

«Oh, es wird bestimmt schön. Ich bin nur zwei Tage fort. Vielleicht haben Sie Lust, mich in Ardmore zu besuchen, wenn ich zurück bin. Zum Mittagessen, zum Tee oder so...»

Ihre Stimme verebbte, als hätte sie das Gefühl, sie habe schon zuviel gesagt. Flora ertrug ihre Zaghaftigkeit nicht. Schnell und betont begeistert sagte sie: «Furchtbar gern. Wie nett von Ihnen. Ich möchte so gern Ihr Haus sehen.»

«Wirklich? Wie schön. Dann rufe ich Sie an, wenn ich wieder da bin.»

«Tun Sie das.» Sie fügte hinzu: «Haben Sie schon von dem Ball gehört?»

«Ball?»

«Ich habe gedacht, vielleicht hat es sich schon zu Ihnen herumgesprochen. Am Freitag abend ist hier ein Ball. Tuppy hat sich das gestern morgen ausgedacht.»

«*Diesen* Freitag?» Anna klang ungläubig, was auch kein Wunder war.

«Diesen Freitag, ja. Die arme Isobel muß den ganzen Morgen am Telefon verbringen und Leute anrufen. Ich sage ihr, daß Sie schon Bescheid wissen, dann ist es schon ein Anruf weniger.»

«Aber wie aufregend. Ich bin heilfroh, daß Sie es mir gesagt haben, weil ich mir jetzt in Glasgow ein neues Kleid kaufen kann. Ich brauche sowieso ein neues Kleid...»

Wieder hing ihre Stimme unsicher in der Luft. Anna gehörte offenbar zu den Menschen, denen es schwerfällt, ein Telefongespräch zu beenden. Flora wollte eben in abschließendem Ton sagen, viel Spaß in Glasgow, als Anna sagte: «Augenblick. Legen Sie nicht auf.»

«Das hatte ich gar nicht vor.»

Am anderen Ende der Leitung wurde etwas gemurmelt, dann sagte Anna: «Brian möchte mit Ihnen sprechen. Auf Wiedersehen.»

Brian? «Auf Wiedersehen, Anna. Viel Spaß in Glasgow.» Dann kam Brian Stoddarts helle, klare Stimme.

«Rose!»

«Guten Morgen», sagte Flora mißtrauisch.

«Was für eine unchristliche Zeit für ein Telefongespräch. Haben Sie schon gefrühstückt?»

«Ich bin gerade auf dem Weg in die Küche.»

«Ist Antony abgefahren?»

«Ja, gestern nach dem Tee.»

«Sie sind also allein. Und Anna fährt auch gleich ab. Da könnten wir uns doch heute abend Gesellschaft leisten. Ich lade Sie zum Essen ein.»

Eine Reihe von Gedanken jagte durch Floras Kopf, und der wichtigste war, daß Anna das Gespräch offenbar mitbekam, die Einladung also nichts Hinterhältiges haben konnte. Aber was würde Tuppy davon halten? Und Isobel? War es klug, einen Abend mit diesem undurchsichtigen, gutaussehenden Mann zu verbringen? Und selbst, wenn die Einladung ganz harmlos gemeint sein sollte, hatte sie überhaupt Lust, mit ihm auszugehen?

«Rose?»

«Ja, ich bin noch da.»

«Ich habe gedacht, Sie sind nicht mehr dran. Ich hab nicht mal mehr Ihren Atem gehört. Wann soll ich Sie abholen?»

«Ich habe noch nicht gesagt, daß ich mitkomme.»

«Aber natürlich kommen Sie mit, zieren Sie sich doch nicht so. Wir gehen ins Fishers' Arms in Lochgarry, und ich füttere Sie mit Scampi, bis Sie platzen. Hören Sie, ich muß Schluß machen. Anna ist auf dem Sprung, sie wartet darauf, daß ich sie zur Bahn bringe. Ich hole Sie zwischen halb acht und acht ab. In Ordnung? Wenn Isobel großzügiger Laune ist, kann sie mir einen Drink spendieren. Liebe Grüße an Tuppy, und Isobel vielen Dank für die Einladung am Samstag. Wir haben es beide ungeheuer genossen. Bis heute abend.»

Er legte auf, und Flora saß mit dem toten Hörer in der Hand da. Unerhört, dieser Mann. Empört legte sie auf, doch dann mußte sie lächeln. Im Grunde war es albern. Brians Charme war einfach zu dick aufgetragen, um ihr gefährlich zu werden. Der Vorfall war viel zu belanglos, als daß er eine gründliche Seelenerforschung gerechtfertigt hätte. Außerdem mochte sie Scampi.

Sie merkte, daß sie hungrig war, und ging in die Küche.

Jason war von Mr. Watty zur Schule gebracht worden. Isobel saß noch am Küchentisch, las einen Brief und trank eine letzte Tasse Tee mit der Schwester. Mrs. Watty schnitt am Fenster Fleisch für eine Pastete.

«War das nicht das Telefon?» fragte sie neugierig.

«Ja, ich bin drangegangen.» Flora setzte sich und schüttete Cornflakes in einen Teller. «Es war Anna Stoddart, die sich für Samstag abend bedankt hat.»

Isobel schaute von ihrer Post auf. «Ach, wie nett», sagte sie geistesabwesend.

«Sie fährt für zwei Tage nach Glasgow.»

«Ja, sie hat so was gesagt.»

«Und Brian hat mich eingeladen, heute abend mit ihm essen zu gehen.»

Sie beobachtete Isobels Gesicht, wartete auf die leiseste Mißbilligung. Aber Isobel lächelte nur. «Was für eine nette Idee. Wie reizend von ihm.»

«Er hat gesagt, weil wir beide allein sind, könnten wir uns Gesellschaft leisten. Er holt mich um halb acht ab, und er sagt, wenn du großzügiger Laune bist, kannst du ihm einen Drink spendieren.»

Isobel lachte, aber Mrs. Watty schüttelte den Kopf. «Dieser unverschämte Junge!»

«Mögen Sie ihn nicht, Mrs. Watty?»

«Ach, ich mag ihn ganz gern, aber er ist furchtbar direkt.»

«Womit Mrs. Watty meint», sagte Isobel, «daß er eben kein mürrischer Schotte ist. Ich finde es ungeheuer nett von ihm, daß er Mitleid mit Rose hat.»

«Und ich habe ihnen von dem Ball am Freitag erzählt, damit du sie nicht mehr anrufen mußt. Und Anna kauft sich ein neues Kleid.»

«Ach, du liebe Zeit», sagte Isobel.

«Was meinst du damit?»

«Anna kauft sich dauernd neue Kleider. Sie gibt ein Vermögen dafür aus, und eins sieht aus wie das andere.» Sie seufzte. «Ich glaube, wir sollten uns alle Gedanken darüber machen, was wir am Freitag anziehen. Ich könnte wieder mal den blauen Spitzenfummel herauskramen, aber den haben alle bestimmt schon lange satt.»

«Sie sehen reizend aus in Ihrem blauen Spitzenkleid», versicherte Mrs. Watty. «Es spielt keine Rolle, ob die Leute es schon mal gesehen haben.»

«Und Rose. Was ziehst du an, Rose?»

Aus unerfindlichen Gründen traf Flora diese Frage unvorbereitet. Bisher hatte sie andere Sorgen gehabt, als sich darüber Gedanken zu machen, was sie auf Tuppys Fest tragen sollte. Sie schaute der Reihe nach in die erwartungsvollen Gesichter. «Ich habe nicht die leiseste Ahnung», gestand sie.

Die Schwester starrte Flora ungläubig an. Sie war immer noch strikt gegen das Fest, aber wider Willen wirkte die allgemeine Vorfreude auch auf sie ansteckend. Sie war außerdem ein schrecklicher Snob, und jetzt konnte sie es nicht fassen, daß eine junge Dame, die zu Besuch in ein Haus wie Fernrigg kam, nicht wenigstens ein Ballkleid und womöglich auch noch ein passendes Diadem eingepackt hatte.

«Haben Sie denn gar nichts im Koffer?» fragte sie Flora.

«Nein. Ich bin nur für das Wochenende hergekommen. Ich war nicht darauf gefaßt, daß ich ein Kleid für einen Ball brauche.»

Betretenes Schweigen herrschte, während alle diese Information verarbeiteten.

«Was ist mit dem Kleid von Samstag abend?» schlug Isobel vor.

«Das war bloß ein Wollrock mit Bluse.»

«O nein», ächzte Mrs. Watty. «Die Party ist zu Ihren Ehren. Da müssen Sie schon etwas Festlicheres tragen.»

Sie hatte das Gefühl, alle zu enttäuschen. «Könnte ich mir was kaufen?»

«Nicht in Tarbole», sagte Isobel. «Im Umkreis von hundertfünfzig Kilometern kannst du nichts zum Anziehen kaufen.»

«Ist denn nichts im Haus, was wir ändern könnten?» fragte

die Schwester. Flora sah sich schon in einem Kleid aus alten Bettüberwürfen.

Isobel schüttelte den Kopf. «Selbst wenn etwas da wäre, wir sind nicht gerade begabte Schneiderinnen.»

Die Schwester räusperte sich. «Als junges Mädchen habe ich mir alle Kleider selber genäht. Und vielleicht habe ich etwas mehr Zeit als alle anderen.»

«Sie meinen, Sie könnten für Rose etwas machen?»

«Wenn das helfen würde…»

Bei diesem Vorschlag wandte sich Mrs. Watty vom Fleischschneiden ab, wobei ihr freundliches Gesicht einen merkwürdigen Gegensatz zu dem mörderischen Messer in ihrer Hand bildete. «Was ist mit dem Dachboden? Die Schrankkoffer auf dem Dachboden sind voll mit alten Sachen, die früher Mrs. Armstrong gehört haben. Und herrliche Stoffe…»

«Mottenkugeln», sagte Isobel. «Das riecht alles nach Mottenkugeln.»

«Eine gründliche Wäsche und das Durchlüften auf der Leine bringen das schon in Ordnung.» Die Idee setzte sich fest. Mrs. Watty legte das Messer weg, wusch sich die Hände und sagte, sie werde nach oben gehen und nachschauen; was man gleich erledigen könne, dürfe man nicht aufschieben. Darüber schien Einigkeit zu herrschen. Gleich darauf trotteten alle vier zum Dachboden hinauf.

Er war riesig, erstreckte sich von einer Seite des Hauses zur anderen. Im trüben Licht einer schwachen Birne sah man überall Spinnweben, es roch nach Kampfer und alten Crikketstiefeln. Eine Menge faszinierender Gegenstände, die Flora liebend gern inspiziert hätte, standen herum: eine Waschmaschine mit Messinggewichten und einem an der Seite angebrachten Meßstab; ein viktorianischer Puppenwagen; eine Schneiderpuppe; Messingkübel, mit denen früher heißes Wasser transportiert worden war.

Aber Mrs. Watty ging sofort auf die Schrankkoffer zu, die aufgereiht an der Wand standen. Sie waren riesig und schwer, mit runden Deckeln und Ledergriffen zum Tragen. Gemeinsam hoben Mrs. Watty und Isobel den Deckel des ersten Koffers. Er war vollgestopft mit Kleidern. Der Geruch nach Mottenkugeln war tatsächlich erschreckend stark, aber die Kleidungsstücke wurden herausgeholt, eins überladener und unmöglicher als das andere: schwarze Seide mit Jettstickerei, teerosengelber Satin mit gerüschtem Rock, eine schlaffe Boucléjacke, gefüttert mit rissigem Chiffon, von der Isobel versicherte, so etwas habe man früher ein «Bridgejäckchen» genannt.

«Hat Tuppy wirklich all diese Sachen getragen?»

«Oh, früher konnte sie recht elegant sein. Und als sparsame alte Schottin hat sie natürlich nie etwas weggeworfen.»

«Was in aller Welt ist das?»

«Ein Abendcape.» Isobel schüttelte den zerknitterten Samt aus und blies gegen den Pelzkragen. Eine unerschrockene Motte flog aus dem Pelz. «Ich kann mich daran erinnern, wie Tuppy es getragen hat...» Ihre Stimme wurde träumerisch, als sie weit zurückliegende Tage heraufbeschwor.

Es wurde immer hoffnungsloser. Flora erwog bereits, nach Tarbole zu fahren, den nächsten Zug nach Glasgow zu nehmen und sich dort etwas zu kaufen, als Mrs. Watty etwas hervorzog, was offensichtlich einmal weiß gewesen war, aus Batist und Spitze. Wie ein altes Taschentuch, dachte Flora, aber es war ein Kleid, mit hohem Halsbündchen und langen Ärmeln.

Isobel erkannte es mit einer gewissen Aufregung. «Aber das war Tuppys Tenniskleid.»

«Tenniskleid?» Flora war ungläubig. «Aber darin hat sie doch bestimmt nicht Tennis gespielt.»

«Doch, als junges Mädchen.» Isobel nahm es Mrs. Watty ab und hob es an den Schultern noch. «Was meinen sie, Schwester? Könnten wir damit etwas anfangen?»

Sachkundig befühlte die Schwester den spinnwebzarten Baumwollstoff und schürzte die Lippen. «Es ist nichts dagegen zu sagen... und die Spitze ist wunderschöne Arbeit.»

«Aber es ist viel zu kurz für mich», widersprach Flora.

Die Schwester hielt es ihr an. Es war zu kurz, aber es hatte, meinte die Schwester, «reichlich Zugabe» im Saum. «Ich könnte ihn herauslassen, das würde gar nicht auffallen.»

Scheußlich, dachte Flora insgeheim. Aber wenigstens waren es keine alten Bettüberwürfe, und alles war besser, als nach Glasgow fahren zu müssen.

«Es ist ganz durchsichtig. Ich müßte was drunter tragen.»

«Ich könnte es füttern», sagte die Schwester. «In einem hübschen Farbton. Vielleicht Rosa.»

Rosa. Flora wurde ganz kleinlaut, aber sie sagte nichts. Mrs. Watty und Isobel schauten sich an, warteten auf eine inspiration. Dann fiel Mrs. Watty ein, daß sie zuviel Baumwollfutter bestellt hatten, als Isobels Schlafzimmervorhänge ausgewechselt worden waren. Eine Bahn davon, so gut wie neu, müsse noch irgendwo herumliegen. Schließlich, nach langen Überlegungen und viel Sucherei, förderte Mrs. Watty den Stoff mit einem Triumphschrei aus der obersten Schublade eines gelblackierten Frisiertischs zutage.

«Ich hab doch gewußt, daß ich ihn irgendwo hingetan habe. Ich wußte bloß nicht mehr, wo.»

Es war ein helles Pastellblau. Sie schüttelte den Stoff aus den Falten und hielt ihn hinter das schlaffe Kleidungsstück aus vergilbtem Batist, das Floras Ballkleid werden sollte.

«Was meinen Sie?» fragte sie Flora.

Das Blau war wenigstens besser als Rosa. Wenn es gewaschen war, sah das Kleid vielleicht nicht allzu schlimm aus. Sie schaute auf und sah, daß alle ihr skeptisches Gesicht beobachteten, erpicht auf ihre Zustimmung. Wie drei willkürlich zusammengesuchte Feen, die Pate für sie standen, warteten sie darauf, sie in die Ballkönigin des Abends zu verwandeln. Flora schämte sich, weil es ihr an Begeisterung mangelte. Zur Entschädigung lächelte sie jetzt, als sei sie hingerissen, und versicherte ihnen, sie hätte kein vollkommeneres Kleid finden können, wenn sie eine Woche lang danach gesucht hätte.

Am Nachmittag war der dicke, an Ronald Waring adressierte Brief immer noch nicht aufgegeben. Zum einen hatte Flora keine Briefmarken. Zum anderen hatte sie keine Ahnung, wo ein Briefkasten war. Nach dem Essen, als Isobel sie fragte, was sie machen wolle, fiel Flora der Brief ein.

«Macht es dir etwas aus, wenn ich nach Tarbole fahre? Ich möchte einen Brief aufgeben.»

«Das macht mir überhaupt nichts aus. Im Gegenteil, das ist großartig, weil mir die Handcreme ausgegangen ist und du mir welche mitbringen kannst.» Sie fügte hinzu: «Und du kannst Jason aus der Schule abholen, das erspart Watty eine Fahrt.» Sie zögerte einen Moment. «Du kannst doch Auto fahren?»

«Ja, wenn niemand was dagegen hat, daß ich mir eins ausleihe.»

«Du kannst den Lieferwagen nehmen», sagte Isobel gelassen. «Es macht nichts, wenn er eine Delle bekommt.»

Sofort sprach sich herum, daß eine Fahrt nach Tarbole bevorstand, und Flora wurde mit Aufträgen überschwemmt. Die Schwester brauchte dünne Nadeln und blaue Nähseide, die zum Futter des Kleides paßte. Tuppy wollte Gesichtstücher und hundert Gramm extra starke Pfefferminzpastillen. Flora ging mit der Einkaufsliste in der Hand zu Mrs. Watty in die Küche.

«Ich fahre nach Tarbole. Und ich hole Jason von der Schule ab. Kann ich etwas für Sie besorgen?»

«Weiß Watty, daß er nicht nach Tarbole fahren muß?»

«Nein, ich sage es ihm beim Hinausfahren. Isobel hat gesagt, ich kann den Lieferwagen nehmen.»

«Wenn Watty nicht fährt», sagte Mrs. Watty und ging auf den Kühlschrank zu, «dann können Sie das für mich abgeben.» Und sie holte eine große Fleischpastete in einer Emailleschüssel aus dem Kühlschrank.

«Wo soll ich das hinbringen?»

«Das ist für Dr. Kyle.» Sie holte Butterbrotpapier aus einer

Schublade, riß ein großzügig bemessenes Blatt ab und wik-kelte die Pastete ein. «Ich habe eine für heute abend ge-macht, und ich habe zu Miss Isobel gesagt, da kann ich gleich auch noch eine für den armen Mann machen, der ohne Haushälterin auskommen muß. Wenigstens kriegt er dann einmal am Tag was Ordentliches zwischen die Zähne.»

«Aber ich weiß überhaupt nicht, wo er wohnt. Ich habe keine Ahnung, wo sein Haus ist.»

«In Tarbole, oben auf dem Hügel. Sie können es nicht verfehlen.» Flora war sofort überzeugt davon, daß sie es ver-fehlen würde. «Auf der Seite sehen Sie den neuen Anbau mit der Praxis. Und am Tor ist ein Messingschild.»

Sie reichte Flora die verpackte Pastete. Sie war extrem schwer und würde Dr. Kyle nach Floras Schätzung vier Tage lang ernähren.

«Was soll ich damit machen? Sie auf der Fußmatte abstel-len?»

«Nein.» Mrs. Watty hielt Flora offenbar für beschränkt. «Bringen Sie sie in die Küche und stellen Sie sie in den Kühl-schrank.»

«Und wenn die Tür abgeschlossen ist?»

«Dann liegt der Schlüssel auf dem Fenstersims. Unter der Veranda, auf der rechten Seite.»

Flora sammelte ihre restlichen Sachen ein. Sie sagte: «Schön, dann will ich hoffen, daß ich die Pastete im richti-gen Haus hinterlasse», und ging durch die Hintertür hinaus, während Mrs. Watty sich vor Lachen den Bauch hielt, als hätte Flora einen wunderbaren Witz gemacht.

Watty war im Gemüsegarten. Flora erklärte ihm, daß sie Jason abholen würde. «Der Lieferwagen steht in der Ga-rage», sagte Watty. «Er hat eigentlich keine besonderen Ei-genheiten, ist leicht zu fahren. Der Zündschlüssel steckt.»

Vielleicht war der Wagen leicht zu fahren, aber Eigenarten hatte er trotzdem: er war Tuppys Stolz, Mrs. Wattys Schande und der größte Witz von Tarbole. Nachdem Tuppy beschlossen hatte, der alte Daimler verbrauche zuviel Benzin und für tägliche Fahrten sei ein zusätzliches, kleineres Auto erforderlich, hatte sie den Lieferwagen gebraucht von Mr. Reekie gekauft, dem Fischhändler von Tarbole. Und obwohl ihn Watty auf die eindringliche Bitte seiner Frau neu lackiert hatte, war die Inschrift auf der Seite noch deutlich lesbar:

Archibald Reekie

Frischfisch

Ausgezeichnete Qualität

Frisch geräucherte Bücklinge – täglich geliefert

Flora, die den Lieferwagen zum erstenmal sah, fand, er habe eine gewisse Klasse. Sie setzte sich hinter das Lenkrad, ließ den Motor an und fuhr mit relativ wenig Lärm beim Schalten nach Tarbole.

In der kleinen Stadt wimmelte es an jenem Nachmittag vor Geschäftigkeit. Der Hafen lag voller Boote, und die Kais waren vollgestopft von Lastwagen. Motorengeräusche, das Surren von Kränen, laute Kommandorufe, das Zischen von Hochdruckschläuchen und das endlose Geschrei hungriger Möwen erfüllten die Luft. Überall sah man Menschen: Fischer in gelbem Ölzeug, Lastwagenfahrer in Overalls, Hafenbeamte in Uniformen. Frauen in Gummistiefeln und gestreiften Kitteln liefen herum, und alle waren beschäftigt mit der schwierigen Aufgabe, den Fisch aus den Booten auszuladen, auszunehmen, zu verpacken, in die wartenden Laster zu verfrachten und auf den Weg zu bringen.

Sie erinnerte sich daran, was Antony ihr über Tarbole erzählt hatte – wie es vor kurzer Zeit noch ein kleines Fischerdorf gewesen war, sich aber neuerdings zum Mittelpunkt einer riesigen Heringsindustrie gewandelt hatte. Der Wohlstand hatte unausweichliche Spuren hinterlassen. Als sie die Straße aus Fernrigg herunterkam, fuhr Flora an der neuen Schule vorbei, die gebaut worden war, damit die wachsende

190

Kinderschar von Tarbole Platz hatte. Städtische Wohnhäuser erstreckten sich hügelaufwärts, und nicht nur Fischlaster, sondern auch Autos verstopften die engen Straßen am Hafen.

Nachdem sie Mr. Reekies Lieferwagen fünf Minuten lang im Kreis gefahren hatte, parkte sie ihn schließlich vor der Bank, neben einem Schild, auf dem stand *Parken streng verboten*. Sie erledigte die Einkäufe – was nicht lange dauerte, weil das meiste in ein und demselben Laden erhältlich war – und fand dann ohne große Mühe das Postamt. Sie kaufte eine Marke, die sie auf den an ihren Vater adressierten Umschlag klebte, dann zögerte sie nur einen Moment, ehe sie ihn in den Kasten warf. Sie hörte, wie er mit einem schmatzenden Geräusch landete, und blieb einen Augenblick lang stehen, nicht sicher, ob sie froh darüber war, daß er jetzt fort, ihren Händen, ihrer Kontrolle entzogen war. Sie dachte daran, wie ihr Vater ihn bekommen würde, wie er den Brief erst allein lesen, dann vielleicht Marcia vorlesen würde. Es spielte eine große Rolle, daß Marcia bei ihm war. Alles würde weniger dramatisch wirken, vielleicht würde er nicht allzu schlecht von Flora denken. Was am wichtigsten war: Marcia würde nicht zulassen, daß er schlecht von sich dachte.

Sie ging zum Auto zurück, und als sie um die Ecke bog, sah sie zu ihrem Entsetzen, daß ein junger Constable daneben wartete. Sie rannte los, wollte sich entschuldigen, um Gnade bitten, ins Auto steigen und so schnell wie möglich verschwinden, aber als sie ihn erreichte, sagte er nur: «Sie sind wohl eine Freundin von Mrs. Armstrong aus Fernrigg?»

Flora war perplex. «Ja, stimmt.»

«Ich hab mir doch gedacht, daß ich das Auto kenne.»

«Tut mir leid, ich glaubte…»

«Müssen Sie noch mehr Besorgungen machen?»

«Ja. Ich muß Dr. Kyle eine Pastete bringen. Und dann muß ich Jason aus der Schule abholen.»

«Wenn Sie zu Dr. Kyles Haus wollen, dann lassen Sie das

Auto besser hier und gehen zu Fuß. Machen Sie sich keine Sorgen, ich behalte es im Auge.»

«Oh, vielen Dank.»

Er hielt ihr überaus höflich die Wagentür auf. Sie legte die Päckchen auf den Sitz und nahm die Pastete heraus. Der junge Constable lächelte wohlwollend auf sie herunter.

«Sie... Sie könnten mir vielleicht erklären, wo er wohnt?»

«Bergauf, außerhalb der Stadt, im letzten Haus auf der linken Seite, kurz vor dem Hotel. Es hat einen Vorgarten, und am Tor ist Dr. Kyles Schild.»

«Herzlichen Dank.»

Der junge Constable lächelte verlegen. «Gern geschehen.»

Der Hügel vor der Stadt war ausgesprochen steil, so steil, daß die Straße stufenförmig gepflastert war. Es war, als steige man eine lange, flache Treppe hinauf. Anfangs kleine Reihenhäuser auf Straßenhöhe, dann ein Pub, dann wieder Reihenhäuser. Die Häuser wurden größer, hatten alle einen kleinen Garten um sich herum. Schließlich, fast oben, kam Flora zum letzten Haus, das größer als alle anderen war, solide und schmucklos. Es lag ein wenig abseits von der Straße, mit einem gefliesten Weg, der vom Tor zur Veranda führte. An der Seite hatte es einen weißen Betonanbau, der wie eine riesige Schuhschachtel aussah. Obwohl sie eigentlich keine Bestätigung mehr brauchte, inspizierte Flora das schmiedeeiserne Tor, und richtig – da hing das Messingschild mit Hugh Kyles Namen darauf. Eine kräftige Politur könnte nicht schaden, dachte Flora, öffnete das Tor und ging über den leicht abfallenden Weg zur Haustür.

Sie klingelte, doch schon als sie das klagende Scheppern im Haus widerhallen hörte, wußte sie, daß niemand da war. Nach dem mühsamen Aufstieg wog die Pastete schwer in ihrer Hand. Höflichkeitshalber klingelte sie noch einmal und suchte dann, wie Mrs. Watty ihr geraten hatte, nach dem Haustürschlüssel. Er war leicht zu finden, und Flora schob ihn ins Schlüsselloch, drehte ihn und schloß auf.

Sie trat in einen gefliesten Flur, sah vor sich eine Treppe, die ins Düstere hinaufführte, und es roch wie in alten Trödelläden, ziemlich muffig, aber ganz angenehm. Zögernd ging sie weiter, ließ aber die Tür hinter sich offen. Ihr Blick streifte die altmodische Hutablage mit einem Schirmständer darunter, das hübsche Intarsientischchen, das weiß gestrichene schmiedeeiserne Treppengeländer. Auf allem lag eine dicke Staubschicht. Die Uhr auf dem Fenstersims war stehengeblieben. Flora fragte sich, ob sie kaputt sei, ob niemand daran gedacht hatte, sie aufzuziehen – oder Zeit zum Aufziehen gehabt hatte.

Zu ihrer Rechten war eine Tür, hinter der das unwohnlichste Wohnzimmer lag, das sie je gesehen hatte: alles am Platz, keine Blume in Sicht, die Jalousien halb heruntergezogen. Sie ging weiter, öffnete die Tür gegenüber und schaute in ein düsteres viktorianisches Eßzimmer. Der Tisch war aus schwerem Mahagoni, auf der passenden Anrichte standen Karaffen und silberne Weinkörbe. Alle Stühle waren an die Wand gerückt, und auch hier waren die Jalousien halb zugezogen. Ungefähr so fröhlich wie in einem Beerdigungsinstitut, dachte Flora. Leise, weil sie keine Geister aufscheuchen wollte, schloß sie die Tür und ging auf der Suche nach der Küche den Flur zum hinteren Teil des Hauses entlang.

Hier nahm die sterile Ordnung ein jähes Ende. Es war keine große Küche. Für die Größe des Hauses war sie sogar ziemlich klein, aber auch so herrschte auf jeder waagrechten Fläche ein beeindruckendes Chaos. Töpfe, Bratpfannen, Kasserollen stapelten sich auf der Abtropffläche; schmutziges Geschirr sammelte sich im Spülbecken, und der Tisch in der Mitte verriet eine hastige Mahlzeit – offenbar hatte jemand gleichzeitig Cornflakes, Spiegeleier und Obstkuchen zu sich genommen. Der krönende Abschluß war die halbleere Whiskyflasche mitten auf dem Tisch. Aus irgendeinem Grund verlieh sie dem traurigen Chaos etwas Bedrohliches, als sei sie der Vorbote einer Katastrophe.

Der Kühlschrank stand in der Ecke neben dem Herd. Flora ging darauf zu, stolperte über eine schadhafte Läuferecke und wäre fast auf die Nase gefallen. Als sie den Läufer inspizierte, fiel ihr auf, daß der Boden schmutzig war. Er sah aus, als wäre er eine Woche lang nicht gefegt worden, vom Scheuern ganz zu schweigen.

Flora öffnete den Kühlschrank und stellte die Pastete schnell hinein, ehe weitere Scheußlichkeiten ihr Auge beleidigen konnten. Sie machte die Tür zu, drehte sich um, lehnte sich dagegen und musterte das Schlachtfeld. Ganz offensichtlich war Jessie McKenzie eine Schlampe, und je eher Hugh Kyle sie loswurde, desto besser. Kein Mann, wie unpraktisch er auch sein mochte, konnte eine Küche in wenigen Tagen in einen solchen Saustall verwandeln.

Traurig schaute sie sich um. Sie wußte, daß es ihm unendlich peinlich gewesen wäre, wenn er herausgefunden hätte, daß Flora das Chaos gesehen hatte. Am besten ging sie jetzt auf Zehenspitzen wieder hinaus und ließ ihn im Glauben, Watty habe die Pastete gebracht.

Außerdem mußte sie Jason von der Schule abholen. Flora schaute auf die Uhr und stellte fest, daß es erst Viertel vor drei war. Sie hatte eine Stunde, bis sie in der Schule sein mußte. Was konnte sie mit der Zeit anfangen? Im Hafen spazierengehen? In Sandys Imbißbude eine Tasse Kaffee trinken? Aber natürlich würde sie nichts dergleichen tun, denn schon während sie darüber nachdachte, zog sie die Handschuhe aus, knöpfte die Jacke auf, hängte sie an den Haken hinter der Tür und rollte die Ärmel hoch. *Du blöde Kuh*, schalt sie sich selbst und suchte nach einer Schürze. Sie fand eine neben der Spüle, eine blaue Metzgerschürze, für einen Mann gemacht und viel zu groß für sie. Sie band sie sich doppelt um die Taille, förderte einen Spüllappen zutage und ließ das warme Wasser laufen. Das Wasser war kochendheiß – wenigstens etwas, dachte Flora.

Im Schrank unter der Spüle entdeckte sie unerwarteterweise eine kräftige Spülbürste, jede Menge Seifenpulver und ein Paket Stahlwolle. (Offenbar hatte Jessie McKenzie die besten Absichten, setzte sie nur nicht in die Tat um.) Davon machte sie reichlichen Gebrauch. Als es ans Wegräumen ging, stapelte Flora das saubere Geschirr im Schrank, hängte Tassen und Krüge an Haken und wandte sich dann dem Stapel von Töpfen zu. Als sie glänzend und säuberlich nach Größe aufgereiht auf dem Regal über dem Herd standen, wirkten sie nicht nur brauchbar, sondern sogar hübsch. Nachdem sie erst einmal für ein sauberes und leeres Spülbecken gesorgt hatte, war die Verwandlung von Hugh Kyles Küche überraschend schnell geschehen. Sie räumte den Tisch ab, warf den vergammelten Obstkuchen fort, stellte die Whiskyflasche taktvoll weg und schüttelte die Krümel vom Tischtuch. Sie wischte den Tisch und die Arbeitsflächen mit einem feuchten Lappen ab. Alles glänzte. Es gibt im Leben nichts Befriedigenderes, als einen verdreckten Raum gründlich zu säubern. Flora machte es jedenfalls großen Spaß. Blieb nur noch der Boden. Sie schaute auf die Uhr, und weil es erst zwanzig nach drei war, nahm sie den abgewetzten Läufer hoch, legte ihn zusammengerollt vor die Hintertür und suchte nach einem Besen. Er fand sich samt einer Kehrschaufel in einem feuchten Schrank, der nach Schuhcreme und Mäusen roch. Sie fegte den Dreck weg, der sich offenbar über Monate angesammelt hatte, füllte einen Eimer mit kochendheißem Wasser und Putzmittel und machte sich ans Werk.

Drei Eimer und ein halbes Päckchen Seifenpulver später war sie so gut wie fertig. Das Linoleum glänzte feucht, roch sauber und enthüllte ein braun-blaues Muster, überraschend frisch und hübsch. Nur unter dem Abtropfbrett lag noch eine dunkle Höhle, und Flora kroch mit dem Kopf nach vorn hinein, inzwischen so begeistert, daß sie nicht vor dem Gedanken an Mäusekot, Spinnweben oder krabbelnde Spinnen zurückschreckte. Während die Scheuerbürste kratzte und gegen die Holztäfelung stieß, füllte sich der kleine Raum mit Dampf.

Schließlich legte sie die Bürste weg, wrang den Lappen aus und wischte den letzten Seifenschaum weg.

Es war geschafft. Flora kroch unter dem Abtropfbrett hervor und wollte eben aufstehen, als sie durch die Beine des Küchentischs hindurch, der mitten auf dem sauberen Boden stand, ein zweites Paar Füße sah; braune Lederschuhe mit Gummisohlen und Hosenbeine aus Tweed. Sie setzte sich auf die Hacken, und ihr Blick wanderte langsam nach oben, bis er schließlich Hugh Kyles verblüfftes Gesicht erreichte.

Es war schwer zu sagen, wer von beiden überraschter war. Dann sagte Flora unvermittelt: «Verdammt!»

«Weshalb?»

«Ich hatte gehofft, Sie kommen nicht zurück.»

Er machte keine Bemerkung dazu, schaute sich nur um, völlig verwirrt. «Was zum Teufel machen Sie hier?»

Es ärgerte sie, daß sie ertappt worden war, nicht wegen ihrer Sklavenarbeit, sondern weil Hugh mit Sicherheit an ihrer Einmischung Anstoß nehmen und zweifellos steif und verdrossen reagieren würde. «Was glauben Sie denn? Ich habe den Boden geschrubbt.»

«Aber das hätten Sie nicht tun sollen.»

«Warum nicht? Er war schmutzig.»

Er schaute sich um, betrachtete die pieksauberen Regale und Arbeitsflächen, die glänzende Spüle, die ordentlich aufgereihten Töpfe und das Steingut. Er sah immer noch verwirrt aus. Er rieb sich den Nacken, das Inbild eines Mannes, der um Worte verlegen ist.

«Ich muß sagen, das ist ungeheuer nett von Ihnen, Rose. Herzlichen Dank.»

Sie wollte nicht, daß er ihr dankbar war. «Gern geschehen», sagte sie leichthin.

«Aber ich begreife es immer noch nicht. Warum sind Sie hier?»

«Mrs. Watty hat eine Pastete für Sie gemacht und mich gebeten, sie vorbeizubringen. Sie ist im Kühlschrank.» Ein Gedanke ging ihr durch den Kopf. «Ich habe Sie gar nicht kommen hören.»

«Die Haustür war offen.»

«Himmel, ich habe vergessen, sie zuzumachen.»

Das Haar war ihr über das Gesicht gefallen. Sie schob es mit dem Handgelenk zurück und stand auf. Die riesige Schürze hing ihr feucht um die Beine. Sie nahm den Eimer, leerte ihn im Abfluß aus, wrang den Lappen und packte alles in den Schrank unter der Spüle. Dann drehte sie sich zu Hugh um, während sie die Ärmel herunterrollte.

«Sie haben eine unfähige Haushälterin», sagte sie unverblümt. «Sie müssen jemand anderen finden, der sich um Sie kümmert.»

«Jessie tut, was sie kann. Es liegt daran, daß sie verreist ist. Sie mußte nach Portree zu ihrer Mutter.»

«Wann kommt sie zurück?»

«Das weiß ich nicht. Morgen, vielleicht übermorgen.»

«Sie sollten ihr kündigen und jemand anderen suchen.» Sie kam sich brutal vor, aber sie ärgerte sich über ihn. Kein Mensch auf der Welt hatte das Recht, so müde auszusehen. «Es ist lächerlich. Sie sind der Arzt in dieser Stadt. Da muß sich doch jemand finden lassen, der Ihnen hilft. Was ist mit Ihrer Sprechstundenhilfe?»

«Sie ist eine verheiratete Frau mit drei Kindern. Sie hat mehr als genug zu tun.»

«Aber kennt sie denn niemanden, der für Sie arbeiten könnte?»

Hugh schüttelte den Kopf. «Ich weiß nicht», sagte er.

Sie hatte gesehen, daß er müde war, aber jetzt begriff sie, daß er es nicht nur nicht wußte, sondern daß ihm gleichgültig war, ob jemand eine Haushälterin für ihn finden konnte. Es tat ihr leid, daß sie herumgenörgelt hatte wie eine unzufriedene Ehefrau. «Wissen Sie, Sie haben mich genauso überrascht wie ich Sie», sagte sie in etwas sanfterem Ton. «Wo sind Sie denn so plötzlich hergekommen?»

Er schaute sich nach einer Sitzgelegenheit um, sah die Stühle, die Flora in einer Ecke gestapelt hatte, holte sich einen und stellte ihn an den Tisch.

«Aus Lochgarry», sagte er, lehnte sich zurück, die Beine gekreuzt, die Hände in den Taschen. «Ich war im Krankenhaus. Ich habe Angus McKay besucht.»

«Ist das der alte Mann vom Loch Fhada, von dem Sie mir erzählt haben? Der die Treppe hinuntergefallen ist?»

Hugh nickte.

«Er war also schließlich doch damit einverstanden, ins Krankenhaus zu gehen?»

«Ja. Er war schließlich damit einverstanden. Das heißt, er hat sich schließlich überreden lassen.»

«Von Ihnen?»

«Ja, von mir. Der Notarztwagen hat ihn heute morgen in Boturich abgeholt. Heute nachmittag war ich dort, um nach ihm zu sehen. Er liegt mit fünf anderen alten Männern in einem Zimmer, die alle die Wand anstarren und auf den Tod warten, und er hat keine Ahnung, was mit ihm passiert ist. Ich habe die übliche Dosis Aufmunterung verbreitet, aber er lag nur da und schaute mich an. Wie ein alter Hund. Ich kam mir vor wie ein Mörder.»

«Aber so dürfen Sie sich nicht vorkommen. Sie können nichts dafür. Sie haben selbst gesagt, daß seine Schwiegertochter mit den Kräften am Ende ist, weil sie ihn pflegen muß, noch dazu an einem so abgelegenen Ort. Und er hätte wieder die Treppe hinunterfallen oder einen noch schlimmeren Unfall haben können. Alles mögliche hätte passieren können.»

Er ließ sie das alles sagen, ohne sie zu unterbrechen. Als sie ausgesprochen hatte, schaute er sie eine Weile schweigend an. Dann sagte er: «Angus ist alt, Rose. Er ist gebrechlich und verwirrt, und jetzt haben wir ihn entwurzelt. Es ist ungeheuerlich, einem Menschen so etwas anzutun. Er ist in Boturich geboren, sein Vater hat Boturich vor ihm bewirtschaftet, sein Großvater auch. Und jetzt, wo es zu Ende geht, wo wir keine

Verwendung mehr für ihn haben, karren wir ihn weg und liefern ihn ein, aus den Augen, aus dem Sinn, und lassen Fremde für ihn sorgen.»

Es erstaunte Flora, daß er als Arzt sich solche Gefühle erlaubte. «Aber so ist es nun einmal», sagte sie. «Das können Sie nicht ändern. Sie können nicht verhindern, daß die Menschen alt werden.»

«Aber Sie müssen verstehen, daß Angus für mich kein gewöhnlicher Mensch ist. Angus ist ein Teil von mir, ein Teil meiner Kindheit. Mein Vater war ein vielbeschäftigter Arzt, er konnte nicht viel Zeit mit einem kleinen Jungen verbringen, deshalb bin ich an schönen Samstagen immer dreißig Kilometer hin und zurück mit dem Fahrrad nach Boturich am Loch Fhada gefahren, um Angus McKay zu besuchen. Er war ein großer Mann, kräftig wie ein Stier, und ich habe geglaubt, er weiß alles. Er wußte auch alles über Vögel, Füchse, Hasen, darüber, wo es die dicksten Forellen gibt und wie man einen Köder macht, dem auch der schlauste Lachs nicht widerstehen kann. Ich habe ihn für den klügsten Menschen auf der Welt gehalten. Allmächtig. Wie Gott. Und wir sind zusammen zum Fischen gegangen oder mit einem Fernglas den Berg hinaufgestiegen, und er hat mir gezeigt, wo die Goldadler nisten.»

Flora lächelte. Das Bild von dem alten Mann und dem Jungen gefiel ihr. «Wie alt waren Sie damals?»

«Etwa zehn. Etwas älter als Jason.»

Jason. Flora hatte Jason völlig vergessen. Erschrocken schaute sie auf die Uhr und band hastig die Schürzenbänder auf. «Ich muß mich beeilen. Ich soll Jason von der Schule abholen. Er wird glauben, wir haben ihn vergessen.»

«Ich hatte eigentlich gehofft, Sie machen mir eine Tasse Tee.»

«Ich habe keine Zeit. Ich hätte um Viertel vor vier dort sein sollen, und jetzt ist es zwanzig vor vier.»

«Ich könnte den Rektor anrufen und ihm sagen, daß Jason noch eine Weile warten soll.»

Das Angebot kam unerwartet. So was, dachte Flora, er versucht tatsächlich, nett zu mir zu sein. Sie legte die Schürze weg. «Würde das Jason nichts ausmachen?»

«Bestimmt nicht.» Hugh stand auf. «Sie haben eine Spielzeugeisenbahn in der Schule, und wenn die Jungen brav sind, dürfen sie damit spielen. Jason wird begeistert sein, wenn er sie für sich allein hat.» Er ging in den Flur, ließ die Tür offen. Flora schaute ihm nach. Es war ausgesprochen beunruhigend, wenn jemand, von dem man glaubt, man habe ihn richtig eingeordnet, sich plötzlich ganz anders verhielt als erwartet. Während er die Nummer der Schule wählte, drehte sie sich um, füllte den Kessel und setzte ihn auf. Aus dem Flur kam Hughs Stimme.

«Hallo, Mr. Fraser? Hier ist Dr. Kyle. Ist der kleine Jason Armstrong noch da? Wären Sie so nett, ihn noch etwa eine Viertelstunde dazubehalten? Antonys Verlobte ist auf dem Weg, ihn abzuholen und nach Fernrigg zu bringen, aber sie ist aufgehalten worden. Genau gesagt, sie kocht mir eben eine Tasse Tee. Ja, sie ist hier. Oh, sehr freundlich. Vielen Dank. Wir sind da, wenn er kommt. Sagen Sie ihm, er braucht nicht zu klingeln, er soll gleich hereinkommen. Wir sind in der Küche. Sehr gut. Vielen Dank. Auf Wiedersehen, Mr. Fraser.»

Sie hörte, wie er auflegte, und gleich darauf war er wieder in der Küche.

«Alles erledigt. Einer der Lehrer bringt Jason mit dem Auto her und setzt ihn am Tor ab.»

«Heißt das, daß er nicht mit der Eisenbahn spielen darf?»

Hugh holte einen zweiten Stuhl aus der Ecke. «Keine Ahnung.»

Flora hatte eine Teekanne mit angeschlagener Tülle gefunden, einen Krug Milch im Kühlschrank und zwei alte, hübsche Henkelbecher von Wedgewood.

«Ich weiß nicht, wo der Tee und der Zucker sind.»

Er suchte in einem Schrank und förderte schließlich beides

zutage. Der Tee wurde in einer uralten Büchse mit dem Bild von George V. aufbewahrt. Sie war zerbeult, und der meiste Lack war verschwunden. «Die sieht aus, als wäre sie schon eine Weile hier», bemerkte Flora.

«Ja, wie alles in diesem Haus. Mich eingeschlossen.»

«Haben Sie Ihr ganzes Leben hier verbracht?»

«Den größten Teil. Mein Vater hat vierzig Jahre lang hier gewohnt, und es wäre untertrieben zu sagen, er habe nichts von Veränderungen gehalten. Als ich zurückkam, um die Praxis von ihm zu übernehmen, war es, als würde ich in die Vergangenheit zurückversetzt. Anfangs hatte ich vor, alle möglichen Änderungen vorzunehmen und das ganze Haus zu modernisieren, aber der berüchtigte Verfall der Arbeitsmoral an der Westküste hatte schon eingesetzt, und meine ganze Zeit und Mühe ging für den Anbau drauf. Als er erst einmal stand, habe ich das Haus vergessen. Oder vielleicht gar nicht mehr darauf geachtet.»

Flora war erleichtert. Wenigstens hatte er die Eßzimmermöbel nicht selbst ausgesucht. Das Wasser kochte. Sie füllte die Teekanne, stellte sie auf den Tisch und sagte höflich: «Es ist ein gutes, solides Haus.» Es klang, als sage man einer stolzen Mutter, ihr Baby sehe gesund aus, wenn einem zu dem häßlichen Kind sonst nichts einfällt.

«Tuppy findet es grauenhaft», sagte Hugh gelassen. «Sie nennt es Mausoleum. Ich muß ihr wohl oder übel zustimmen.»

«An dem Haus ist nichts verkehrt.» Sie begegnete seinem skeptischen Blick. «Ich meine», tastete sie sich weiter vor, «es hat ein gewisses Potential.» Sie setzte sich an den Tisch und goß den Tee ein. Die Atmosphäre war angenehm häuslich geworden. Dadurch ermutigt fuhr sie fort. «Es gibt kein Haus, das man nicht hübsch machen könnte, wenn man sich ein bißchen Mühe gibt. Es braucht nur –» sie suchte nach einer Eingebung – «einen neuen Anstrich.»

Er machte ein erstauntes Gesicht. «Ist das alles?»

«Es wäre ein Anfang. Ein neuer Anstrich kann Wunder wirken.»

«Ich müßte es versuchen.» Er nahm sich Milch und eine großzügig bemessene Portion Zucker, rührte um, bis es die richtige Mischung für einen Schwerarbeiter war. Er trank, offenbar ohne sich die Kehle zu verbrennen, und goß sich sofort die nächste Tasse ein. «Ein neuer Anstrich.» Er stellte die Teekanne ab. «Und vielleicht hochgezogene Jalousien, damit die Sonne hereinkann. Und der Geruch nach frischer Politur. Und Blumen. Und Bücher und Musik. Und ein Feuer im Kamin, wenn man am Ende eines langen Wintertags von der Arbeit nach Hause kommt.»

Ohne sich etwas dabei zu denken, sagte Flora: «Sie brauchen keine neue Haushälterin, Sie brauchen eine neue Frau.» Sein Blick ließ sie sehnlichst wünschen, sie hätte nichts gesagt. «Es tut mir leid», sagte sie schnell.

Aber er wirkte nicht gekränkt. Bedächtig nahm er sich Milch und Zucker, rührte um und sagte: «Sie wissen, daß ich verheiratet war.» Es war die Feststellung einer Tatsache, kein Vorwurf.

«Ja. Tuppy hat es mir gesagt.»

«Was hat sie Ihnen sonst noch gesagt?»

«Daß Ihre Frau bei einem Autounfall ums Leben gekommen ist.»

«Sonst nichts?»

«Nein.» Sie hatte das Gefühl, für Tuppy eintreten zu müssen. «Sie hat es mir nur gesagt, weil sie Sie so gern hat. Es gefällt ihr gar nicht, daß Sie allein leben.»

«Nach meiner Verlobung mit Diana habe ich sie nach Tarbole mitgebracht. Der Besuch war nicht unbedingt das, was man einen Erfolg nennt. Hat Tuppy etwas darüber gesagt?»

«Eigentlich nicht.» Flora war unbehaglich zumute.

«Ich sehe Ihnen am Gesicht an, daß sie etwas gesagt hat. Tuppy mochte Diana nicht. Wie alle anderen hat sie gedacht, ich mache einen schrecklichen Fehler.»

«Und war es ein Fehler?»

«Ja. Von Anfang an, aber meine Gefühle machten mich so blind, daß ich es mir nicht einmal selbst eingestehen wollte. Ich habe sie in London kennengelernt, als ich an meiner Habilitation arbeitete. Ich hatte dort einen Freund, John Rushmoore – ich kannte ihn von der Universität Edinburgh her. Wir hatten dort gemeinsam Rugby gespielt. Dann bekam er eine Stelle in London, und ich traf ihn wieder, als ich auch dort war. Durch ihn habe ich Diana kennengelernt. Sie und John gehörten zu einer Welt, die ich nie gekannt hatte, und wie jedes Landei ließ ich mich davon blenden. Auch von ihr. Als ich sie heiraten wollte, sagte mir alle Welt, ich hätte den Verstand verloren. Ihr Vater hielt überhaupt nichts von mir. Von Anfang an war ich für ihn ein schottischer Habenichts, der hinter dem Geld seiner Tochter her war. Mein Professor war auch nicht begeistert. Ich hatte noch zwei Jahre vor mir, ehe ich mit meiner Habilitation fertig war, und er meinte, meine Karriere habe Vorrang vor Ehewünschen. Natürlich war mein Vater derselben Ansicht.»

Er schwieg einen Moment und starrte vor sich hin. Dann fuhr er fort: «Es mag sich seltsam anhören, aber die Meinung meines Vaters zählte am meisten für mich. Ich hatte das Gefühl, wenn er auf meiner Seite sei, könnten alle anderen sich zum Teufel scheren. Also brachte ich Diana mit nach Hause, damit er sie kennenlernen konnte, und um mit ihr anzugeben. Ich mußte sie überreden, damit sie mitkam. Sie war nur einmal in Schottland gewesen, bei irgendeiner Moorhuhnjagd, und Tarbole reizte sie überhaupt nicht. Aber schließlich überredete ich sie, weil ich mir in meiner Naivität einbildete, mein Vater und die Freunde, die ich ein Leben lang gekannt hatte, würden in sie genauso vernarrt sein wie ich.» Er lächelte schuldbewußt.

«Aber es wurde nichts daraus. Ehrlich gesagt war es eine Katastrophe. Es regnete dauernd, Diana haßte Tarbole, sie haßte dieses Haus, sie haßte das Landleben. Schön, sie war verwöhnt. Und wie so viele verwöhnte Frauen konnte sie unglaublich charmant und gewinnend sein, aber nur Leuten gegenüber, die sie amüsierten oder anregten. Hier war niemand, der das konnte. Sie machte meinen Vater sprachlos, und er war sowieso nie ein besonders gesprächiger Mensch. Er war ungeheuer höflich, sie war ein Gast in seinem Haus, aber nach dem dritten Tag reichte es uns allen. Mein Vater trieb es auf die Spitze. Er ging mit mir in seine Praxis und sagte mir, er glaube, ich sei verrückt geworden. Er sagte noch eine Menge anderes, das meiste läßt sich nicht wiederholen. Und dann platzte mir der Kragen, und ich sagte auch eine Menge unwiederholbare Sachen. Als dieses Gespräch vorüber war, blieb mir nichts anderes übrig, als Diana ins Auto zu packen und nach London zurückzufahren. Eine Woche später haben wir geheiratet. Man könnte sagen, eher wegen der Reaktion meines Vaters als ihr zum Trotz.»

«Ging es gut?»

«Nein. Anfangs war es in Ordnung. Wir waren verrückt nacheinander. Wenn man romantisch veranlagt ist, könnte man wohl sagen, wir waren sehr verliebt. Aber unsere beiden Welten lagen zu weit auseinander; wir hatten nichts gemeinsam, was eine Brücke hätte bauen können. Als wir uns kennenlernten, stellte Diana sich ein Leben als Gesellschaftslöwin, als Frau eines glänzenden Chirurgen vor, statt dessen war sie mit einem hart arbeitenden Studenten verheiratet, der die meiste Zeit im Krankenhaus verbrachte. Es war keine gute Ehe, aber die Schuld daran traf mich genauso wie sie.»

Flora legte die Hände zum Wärmen um den Teebecher. «Vielleicht, wenn die Umstände anders gewesen wären...»

«Aber sie waren nun einmal nicht anders. Wir mußten das Beste aus dem machen, was wir hatten.»

«Wann kam sie ums Leben?»

«Fast zwei Jahre, nachdem wir geheiratet hatten. Damals waren wir nur noch selten zusammen, und ich dachte mir nichts dabei, als Diana mir sagte, sie fahre über das Wochenende zu einer alten Schulfreundin in Wales. Aber als sie ums Leben kam, saß sie in John Rushmoores Auto, mit ihm am Steuer. Und sie fuhren nicht nach Wales, sondern nach Yorkshire.»

Flora starrte ihn an. «Sie wollen doch nicht sagen... Ihr Freund?»

«Doch. Mein Freund. Sie hatten schon seit Monaten ein Verhältnis, und ich hatte nie auch nur den leisesten Verdacht gehabt. Danach, als alles vorbei war, kam es heraus. Offenbar hatten es alle gewußt, aber niemand hatte den Mut gehabt, mich aufzuklären. Es ist erschütternd, auf einen Schlag die Frau und den Freund zu verlieren. Es ist noch erschütternder, wenn man auch seinen Stolz verliert.»

«Kam John Rushmoore auch ums Leben?»

«Nein», sagte Hugh betont beiläufig. «Ihn gibt's noch.»

«Haben Sie deshalb Ihre Habilitation hingeworfen und sind nach Tarbole zurückgekommen?»

«Ich bin zurückgekommen, weil mein Vater krank war.»

«Sie haben nie daran gedacht, nach London zurückzugehen?»

«Nein.»

«Könnten Sie denn nicht immer noch Privatdozent werden?»

«Nein. Es ist zu spät. Jetzt gehöre ich hierher. Vielleicht habe ich immer hierhergehört. Ich bin mir nicht sicher, ob ich mein Leben in einer Großstadt hätte verbringen können, weit weg von der sauberen Luft und dem Geruch des Meeres.»

«Sie sind genau wie...» fing Flora an und unterbrach sich gerade noch rechtzeitig. Sie hatte sagen wollen: *Sie sind genau wie mein Vater.* Während sie Hugh zuhörte, hatte sie vergessen, daß sie Rose sein sollte. Jetzt spürte sie den ganz natürlichen Drang, Vertrauen mit Vertrauen zu erwidern, Erinnerungen gegen Erinnerungen auszutauschen. Hugh hatte eine Tür geöffnet, die vorher verschlossen und verriegelt gewesen war, und sie wollte so gern durch diese Tür gehen.

Aber sie konnte nicht, weil sie ihm als Rose nichts im Austausch zu geben hatte. Als Rose konnte sie keine Erinnerungen, keinen Trost bieten. Diese Erkenntnis war plötzlich schlimmer, als sie ertragen konnte, und einen Augenblick lang dachte sie sogar daran, die Wahrheit zu sagen. Sie wußte, daß er es in seiner augenblicklichen Stimmung verstanden hätte. Zwar hatte sie Antony ihr Versprechen gegeben, aber schließlich war Hugh Arzt. War es nicht wie die Beichte bei einem Pfarrer, wenn man einem Arzt ein Geheimnis anvertraute? Zählte es überhaupt?

Von Anfang an hatten sich Floras bessere Instinkte gegen die Lüge gewehrt, die sie und Antony in die Welt gesetzt hatten, einfach deshalb, weil sie andere, unschuldige Menschen einbezog und sie verletzen konnte. Aber jetzt schien die Lüge zurückzuschlagen, und Flora war in ihre Fallstricke geraten – an Händen und Füßen gefesselt, darin gefangen, unfähig, sich zu rühren.

Hugh wartete darauf, daß sie den Satz beendete. Als sie es nicht tat, hakte er nach: «Wie wer?»

«Ach...» *Ich verspreche es*, hatte sie erst gestern am Strand zu Antony gesagt. «...Nicht wichtig. Ich dachte nur an jemanden, den ich mal gekannt habe und der so fühlte wie Sie.»

Der Augenblick war vorüber. Die Versuchung war vorbei. Sie war immer noch Rose und wußte nicht, ob sie froh oder traurig sein sollte. In der Küche war es warm und ruhig. Die einzigen Geräusche kamen von draußen: ein Lastwagen schaltete in einen anderen Gang, fuhr am Tor vorbei den Berg hinauf. Ein Hund bellte; eine Frau, die mit beladenem Korb von den Schiffen heraufkam, rief ihrem Freund über die Straße hinweg etwas zu. Möwenschreie erfüllten die Luft.

Mit dem Frieden war es schlagartig aus, als Jason ankam. Die Tür ging auf und schlug mit einer Wucht zu, daß das Haus erbebte. Flora fuhr zusammen, schaute Hugh an und sah, daß sich ihr überraschter Ausdruck in seinem Gesicht widerspiegelte. Sie hatten Jason vollkommen vergessen. Seine hohe Kinderstimme durchdrang die Luft.

«Rose!»

«Sie ist hier!» rief Hugh zurück. «In der Küche.»

Rasche Schritte durch den Flur, die Tür flog weit auf, und Jason platzte herein.

«Hallo. Mr. Thomson hat mich in seinem Auto herge-bracht, und im Hafen liegt ein riesiges Schiff, und er sagt, es kommt aus Deutschland. Hallo, Hugh.»

«Hallo, alter Junge.»

«Hallo, Rose.» Er kam um den Tisch herum zu ihr, legte ihr die Arme um den Hals und gab ihr einen geistesabwesen-den Kuß. «Hugh, ich habe ein Bild für Tuppy gemalt. Heute nachmittag.»

«Zeig mal.»

Jason kämpfte mit der Schnalle seiner Schultasche und zog das Bild heraus. «Oje, es ist ganz zerknittert.»

«Das macht nichts», sagte Hugh. «Laß sehen.»

Jason reichte es Hugh und lehnte sich gegen sein Knie. Hugh faltete die Zeichnung sorgfältig auseinander und strich die Falten auf dem Küchentisch glatt. Flora waren seine Hände schon einmal aufgefallen. Als sie jetzt sah, wie ge-schickt sie Jasons verschmiertes, knalliges Bild behandelten, bewirkte das aus unerfindlichen Gründen etwas Seltsames in ihrer Magengrube. Sie hörte ihn sagen: «Das ist ein schönes Bild. Was ist denn drauf?»

«Ach, Hugh, du bist blöd.»

«Könntest du das näher ausführen?»

«Was?»

«Erklär es mir.»

«Schön, schau her. Das ist ein Flugzeug und ein Mann mit einem Fallschirm. Und da ist noch ein Mann, der ist schon gelandet, und er wartet auf den anderen Mann, und er sitzt unter einem Baum.»

«Aha. Sehr gut. Es wird Tuppy gefallen. Nein, nicht wieder zusammenfalten. Laß es so. Rose trägt es für dich, dann zerknittert es nicht wieder. Das machen Sie doch, Rose?»

Sie hatte nicht zugehört. «Was?» Sie schaute vom Tisch auf und begegnete dem tiefen Blau seiner Augen.

«Ich habe gesagt, Sie passen auf das Bild auf.»

«Ja, natürlich.»

«Ihr trinkt Tee?» fragte Jason. «Gibt es auch was zu essen?» Er schaute sich hoffnungsvoll um.

Flora dachte an den weggeworfenen Obstkuchen. «Ich weiß nicht. Wir trinken nur Tee.»

«Schau mal in die rote Dose auf der Anrichte», sagte Hugh, «da ist vielleicht ein Keks drin.»

Jason holte die Dose, stellte sie auf den Tisch und machte sie mühsam auf. Er holte einen großen Schokoladenkeks heraus, in Silberpapier verpackt.

«Kann ich den haben?»

«Wenn du's riskieren willst. Ich habe keine Ahnung, wie lange er schon da drin ist.»

Jason wickelte den Keks aus und probierte. «Ist in Ordnung. Ein bißchen matschig, aber in Ordnung.» Mampfend schaute er von Hughs Gesicht zu Floras. «Warum hast du mich nicht abgeholt?»

«Ich habe Hugh Tee gekocht. Es hat dir doch nichts ausgemacht, oder?»

«Nein, überhaupt nichts.» Er kam zu ihr und lehnte sich an sie. Sie legte den Arm um ihn und zog ihn an sich. «Ich habe mit der Eisenbahn gespielt», erklärte er ihr im Brustton tiefster Befriedigung. Flora fing zu lachen an. Sie schaute zu Hugh hinüber, erwartete, daß er ihre Heiterkeit teilte, aber er schien Jason nicht gehört zu haben. Sein Ausdruck war geistesabwesend und in sich gekehrt; er schaute die beiden mit der völligen Versunkenheit eines Mannes an, der unmittelbar vor einer wunderbaren Entdeckung steht.

Jason war im Bett, Tuppy lag gut eingepackt oben, und Rose – die ganz reizend ausgesehen hatte – war fort, mit Brian Stoddart zum Essen gefahren. Isobel saß allein am Kaminfeuer, strickte und hörte Mozart. Für sich zu sein war für sie ein seltenes Vergnügen; Mozart zu hören statt der Neunuhrnachrichten ein noch selteneres. Es gab Isobel einen schuldbewußten Stich, denn Tuppy hörte immer die Neunuhrnachrichten, und der Grund dafür, daß Isobel sie heute nicht hören mußte, war Tuppys Krankheit. Aber das Schuldbewußtsein war nicht so stark, daß es sie gequält hätte. Schließlich hatte sie einen anstrengenden Tag hinter sich, war erschöpft von der ganzen Telefoniererei. Sie beschwichtigte ihr schlechtes Gewissen, strickte weiter und genoß das neue Gefühl, sich zu verwöhnen.

Das Telefon klingelte. Sie seufzte, schaute auf die Uhr, schob die Nadeln in das Wollknäuel und ging in die Halle, um abzunehmen. Es war Hugh Kyle. «Ja, Hugh?»

«Isobel, tut mir leid, daß ich störe, aber ist Rose da?»

«Leider nein.»

«Oh. Na ja, macht nichts.»

«Kann ich ihr etwas ausrichten?»

«Es ist nur… sie war heute nachmittag hier und hat mir eine prächtige Pastete von Mrs. Watty gebracht, und sie hat ihre Handschuhe vergessen. Ich nehme jedenfalls an, daß es ihre sind. Und ich wollte nicht, daß sie glaubt, sie habe sie verloren.»

«Ich sag's ihr. Ich sehe sie heute abend nicht mehr, aber ich sag's ihr morgen früh.»

«Ist sie ausgegangen?»

«Ja.» Isobel lächelte, weil es so schön für Rose war, daß sie wenigstens etwas Spaß hatte, wenn sie schon Antonys Gesellschaft entbehren mußte. «Brian Stoddart hat sie zum Essen eingeladen.»

Ein langes Schweigen entstand, dann sagte Hugh schwach: «Was?»

«Brian Stoddart hat sie zum Essen eingeladen. Anna ist nicht da, deshalb leisten sie einander Gesellschaft.»

«Wohin sind sie gefahren?»

«Ich glaube, nach Lochgarry. Brian hat was über das Fishers' Arms gesagt. Er hat hier noch einen Drink genommen, ehe sie abgefahren sind.»

«Aha.»

«Ich sag Rose das mit den Handschuhen.»

«Was?» Er klang, als hätte er die Handschuhe völlig vergessen. «Oh, ja. Es ist nicht wichtig. Gute Nacht, Isobel.»

Selbst für Hugh war das ziemlich abrupt. «Gute Nacht», sagte Isobel. Sie legte den Hörer auf und blieb einen Augenblick lang verwirrt am Telefon stehen. Ob irgend etwas nicht stimmte? Aber ihr fiel nichts ein. Wahrscheinlich hörte sie schon wieder die Flöhe husten. Sie schaltete das Licht aus und ging zu ihrer Musik zurück.

Lochgarry lag etwa dreißig Kilometer südlich von Fernrigg, am äußersten Rand eines Salzwasserloch und an der Kreuzung der Hauptverkehrsstraßen aus Fort William, Tarbole und aus Morven und Ardnamuchan im Süden. Vor langer Zeit war es nur ein kleines Fischerdorf gewesen, mit einem bescheidenen Gasthaus, das auf die Bedürfnisse der seltenen Besucher zugeschnitten war. Aber dann war die Eisenbahn gekommen, in ihrem Kielwasser die reichen Freizeitsportler aus England, und danach war nichts mehr beim alten gewesen. Das Castle Hotel in Lochgarry war gebaut worden, um nicht nur die Freizeitsportler aufzunehmen, sondern auch ihre Familien, Freunde und Dienstboten, und im August und September hallten die Berge vom Krachen der Gewehre wider.

Nach dem Zweiten Weltkrieg änderte sich wieder alles. Die Industrie hielt Einzug in der Form eines riesigen Sägewerks mit Holzlagern. Weitere Häuser wurden gebaut, außerdem eine neue Schule mit einem einzigen Klassenzimmer und ein neues Krankenhaus. Die Straßen wurden verbreitert, und im Sommer schwoll der Verkehr zu einer Flut an. Die Wiesen, die zum Wasser hin abfielen, wurden zu Campingplätzen umgewandelt, und aus einem unebenen Stück Weideland, durchsetzt mit Ginsterbüschen, war ein Golfplatz mit neun Löchern geworden.

Das Fishers' Arms, das kleine Gasthaus, das seit Menschengedenken mit Blick auf den Loch dagestanden hatte, legte Zeugnis für diese ganzen Veränderungen ab. Im Lauf der Jahre war es oft vergrößert worden, hatte Erkerfenster bekommen, neue Terrassen, war weiß gestrichen und mit einem Spalier für Kletterpflanzen versehen worden. Innen, über schiefe Treppen und Rampen zu erreichen, gab es nicht nur Zimmer, sondern auch Bäder. Ein Eigentümer baute eine Bar. Ein anderer baute ein Restaurant. Ein dritter ließ den Garten zu einem Parkplatz einebnen. Als Flora es zu Gesicht bekam, war von dem ursprünglich bescheidenen Gasthaus kaum noch etwas zu sehen.

Als sie ankamen, war der Parkplatz bereits recht voll. Brian stellte das Auto ab, und sie gingen in die windige Dunkelheit hinaus. Die Luft roch nach Seetang, vereinzelte Cottagelichter spiegelten sich im dunklen Wasser des Loch wider. Aus dem Gasthaus drangen die Geräusche von klapperndem Steingut und der Duft nach gutem Essen.

«Es scheint sehr beliebt zu sein», bemerkte Flora.

«Ist es auch. Aber keine Bange, ich habe einen Tisch bestellt.» Er nahm ihren Arm, und sie gingen über den Parkplatz, die Treppe hinauf und durch den Haupteingang. Drinnen waren helle Lichter, Tartanteppiche und Blumenarrangements aus Kunststoff. Ein Schild wies treppaufwärts zur Damengarderobe. Flora löste sich sanft von Brian und sagte, sie wolle nach oben gehen und den Mantel ablegen.

«Tun Sie das. Ich bin in der Bar.»

Ein Kellner in weißer Jacke erschien. «Guten Abend, Mr. Stoddart. Wir haben Sie lange nicht mehr gesehen.»

«Hallo, John. Ich hoffe, Sie haben heute abend ein gutes Essen für uns.»

Inzwischen ging Flora die Treppe hinauf zur Damengarderobe, einem Wunderwerk aus geblümten Tapeten und mauvefarbenen Rüschen. Sie zog den Mantel aus, hängte ihn auf und ging zum Spiegel, um sich das Haar zu kämmen. Dem Anlaß zu Ehren hatte sie ihren türkisen Wollrock angezogen (notgedrungen, schließlich hatte sie keinen anderen dabei) und einen schwarzen Pullover mit langen Ärmeln. Allerdings hatte sie sich ohne große Begeisterung angezogen. Im Grunde hätte sie diese Verabredung mit Brian am liebsten abgesagt, aber sie wußte, daß sie keine Ausrede finden würde. Deshalb hatte sie sich wenig Mühe mit ihrem Äußeren gegeben, und dennoch schien es einer jener Abende zu sein, an denen alles richtig aussah. Ihr Haar schimmerte wie Seide, ihre Haut wirkte blühend, ihre dunklen Augen strahlten.

«Wie hübsch du aussiehst», hatte Isobel gesagt.

«Sie glitzern wie ein Christbaumanhänger», hatte Brian zu ihr gesagt, als er sie in sein Auto setzte, einen metallic-braunen 3,5-Liter-Mercedes. Flora fragte sich unwillkürlich, ob Brian ihn bezahlt hatte oder seine Frau. Die Fahrt von Fernrigg aus war ungeheuer schnell gewesen, aber sonst ohne Zwischenfall, und sie hatten sich über Belanglosigkeiten unterhalten. Sie war sich nicht recht sicher, ob das ihre Absicht oder die Brians gewesen war.

Jetzt ging sie hinunter. Die Bar war überfüllt, doch Brian war es gelungen, den besten Tisch am Kaminfeuer zu bekommen. Als sie durch die Tür kam, stand er auf und wartete, bis sie bei ihm war. Ihr war bewußt, daß sie beobachtet wurde. Blicke folgten ihr durch den Raum, als dürfe man sich den Anblick einer unbekannten, jungen und attraktiven Frau nicht entgehen lassen.

Sein Lächeln galt dem Publikum ebenso wie ihr.

«Kommen Sie, setzen Sie sich ans Feuer. Ich habe Ihnen einen Drink bestellt.» Sie setzten sich, und er griff in die

Tasche, holte ein goldenes Zigarettenetui heraus und hielt es ihr hin. Als sie den Kopf schüttelte, nahm er sich eine Zigarette und zündete sie mit einem goldenen Feuerzeug an, in das seine Initialen eingraviert waren. Vor ihm stand schon ein Whiskyglas, aber jetzt kam Floras Drink, auf einem Silbertablett.

Das Glas war beschlagen vom Eis. «Was ist denn das?»

«Natürlich ein Martini. Was denn sonst?» Flora wollte gerade protestieren, sie trinke nie Martinis, als er fortfuhr: «Und ich habe ihn besonders trocken bestellt, so wie Sie es mögen.»

Weil er sich offensichtlich soviel Mühe gemacht hatte, wäre es unhöflich gewesen, den Drink abzulehnen. Flora nahm ihn vom Tablett, die Kälte tat ihren Fingern weh. Brian hob das Whiskyglas. Über den Rand hinweg behielt sein Blick sie im Auge.

«Slaintheva», sagte er.

«Ich kann die Sprache nicht.»

«Das heißt ‹Gesundheit›. Es ist gälisch. Das einzige gälische Wort, das ich gelernt habe, seit ich hier lebe.»

«Bestimmt ein sehr nützliches Wort. Ich bin sicher, damit entkommt man jeder peinlichen Lage.»

Er lächelte, und sie trank einen Schluck Martini und hätte sich fast verschluckt. Es war, als trinke man kaltes Feuer, und nahm ihr den Atem. Ächzend stellte sie das Glas ab. Er lachte schallend. «Was stimmt denn nicht?»

«Er ist so stark.»

«Unsinn, daran sollten Sie doch gewöhnt sein. Früher haben Sie nichts anderes getrunken.»

«Ich habe noch nie... seit langer Zeit keinen mehr getrunken.»

«Rose, Sie sind doch nicht etwa auf dem Pfad der Tugend, oder?» Er klang ehrlich besorgt. «Das könnte ich nicht ertragen. Sie haben früher Martinis getrunken, ohne mit der Wimper zu zucken, und Kette geraucht.»

«Hab ich das?»

«Ja, haben Sie: Gauloises. Sie sehen, ich habe nicht die winzigste Einzelheit vergessen.»

Sie versuchte, sich herauszureden. «Ich rauche immer noch, aber nicht oft.»

«Das muß am Einfluß eines braven Mannes liegen.»

«Ich nehme an, Sie meinen Antony?»

«Wen sonst könnte ich meinen? Ich kann nicht glauben, daß es in Ihrem Leben so viele brave Männer gegeben hat.»

«Schon gut, dann liegt es also an Antony.»

Brian schüttelte verständnislos den Kopf. «Was in aller Welt hat Sie dazu gebracht, sich mit ihm zu verloben?»

Diese vertrauliche Wende des Gesprächs so früh am Abend gab Flora ein Gefühl, als laufe sie Schlittschuh auf hauchdünnem Eis. Sie wurde mißtrauisch. «Ich denke, dafür gibt es tausend Gründe.»

«Nennen Sie mir einen.»

«Wenn Sie das etwas anginge, täte ich es vielleicht.»

«Selbstverständlich geht mich das etwas an. Alles, was Sie tun, geht mich etwas an. Aber irgend etwas stimmt nicht. Sie passen einfach nicht zu Antony. Als Anna mir erzählt hat, daß Sie ihn heiraten wollen, konnte ich es nicht glauben. Das kann ich übrigens immer noch nicht.»

«Mögen Sie Antony nicht?»

«Alle Welt mag Antony. Das ist sein Problem. Er ist so verflucht nett.»

«Da haben Sie den Grund, nach dem Sie gesucht haben. Er ist nett.»

«Ach, lassen Sie das, Rose.» Er stellte den Drink auf den Tisch und beugte sich zu ihr herüber, die Hände lose zwischen den Knien verschlungen. Heute abend trug er einen elegant geschnittenen Blazer, dunkelgraue Flanellhosen und Halbschuhe von Gucci mit dem rot-grünen Firmensignet. Sein Haar war tiefschwarz, kräuselte sich aus seiner Stirn; seine hellen Augen unter den dunklen Brauen strahlten. Im

Auto, dicht neben ihm, war ihr der teure Duft seines After-shave bewußt gewesen. Jetzt bemerkte sie das Funkeln seiner Armbanduhr, seiner Manschettenknöpfe, seines Siegelrings. Offenbar war kein einziges Detail vernachlässigt worden.

Seine musternden Blicke und ihre Reaktion darauf waren gefährlich. Sie suchte nach einem sichereren Thema. «Hat Anna Ihnen von Tuppys Ball erzählt?»

Einen Moment lang trübte ein Anflug von Ärger seinen strahlenden Blick, verschwand aber sofort wieder. Er lehnte sich im Sessel zurück und griff nach dem Whisky.

«Ja, sie hat mir irgendwas erzählt, ehe sie abgefahren ist.»

«Sie sind eingeladen.»

«Zweifellos.»

«Kommen Sie?»

«Glaub schon.»

«Das klingt nicht besonders begeistert.»

«Ich kenne Tuppy Armstrongs Partys seit einer Ewigkeit. Immer dieselben Leute in denselben Kleidern, die dieselben Dinge sagen. Aber wie ich Ihnen neulich gesagt habe, man wird vielfach dafür gestraft, daß man hier draußen lebt, im Niemandsland.»

Er sah nicht aus wie jemand, der unter allzu vielen Strafen leidet.

«Das ist keine besonders liebenswürdige Reaktion auf eine Einladung.»

Er lächelte, wieder ganz Charme. «Wohl nicht, aber wenn Sie da sind und so verführerisch aussehen wie immer, halten mich keine zehn Pferde davon ab.»

Wider Willen mußte Flora lachen. «Ich werde nicht besonders verführerisch aussehen. Ehrlich gesagt, vermutlich sogar ausgesprochen seltsam.»

«Seltsam? Wieso seltsam?»

Sie erzählte ihm vom morgendlichen Drama wegen des Kleides, bemühte sich, daraus eine urkomische Geschichte zu machen. Doch als sie fertig war, sah Brian sie ungläubig an.

«Rose, das geht nicht. Sie können unmöglich in einem alten Fetzen vom Dachboden in Fernrigg auf eine Party gehen.»

«Was soll ich denn sonst machen?»

«Ich fahre Sie nach Glasgow, dann können Sie dort ein Kleid kaufen. Ich fahre Sie nach Edinburgh. Oder nach London. Oder noch besser, ich fliege mit Ihnen nach Paris. Wir bleiben über Nacht und kaufen bei Dior ein.»

«Was für hübsche Ideen Sie haben.»

«Es freut mich, daß Sie sie für hübsch halten. Ich halte sie für unwiderstehlich. Kommen Sie schon, wann fliegen wir? Morgen? Früher haben Sie das gefährliche Leben genossen.»

«Ich fahre nicht mit Ihnen zum Einkaufen», sagte Flora entschieden. «Auf keinen Fall, völlig ausgeschlossen. Nein.»

«Schön, aber dann geben Sie mir nicht die Schuld, wenn sich alle über Sie und ihren Fummel aus dem Kleidersack scheckig lachen. Aber eins steht fest, wenn irgend jemand sich das leisten kann, dann Sie. Kommen Sie, trinken Sie aus. John gibt uns von drüben ein Zeichen, das heißt, daß unser Tisch fertig ist.»

Das Restaurant war sehr warm und schummrig im Kerzenlicht, im Hintergrund erklang leise Dudelsackmusik. Ihr Tisch wartete am Erkerfenster auf sie und wirkte durch die zugezogenen Vorhänge gemütlich. Es sah sehr intim aus. Sie setzten sich, und kurz darauf kamen zwei weitere Drinks. Flora, die eben die Wirkung des ersten Martinis zu spüren begann, warf auf den zweiten einen verdrossenen Blick.

«Ich möchte wirklich nicht noch einen Drink.»

«Um Himmels willen, Rose, seien Sie doch nicht so langweilig. Sie haben einen freien Abend. Genießen Sie ihn. Sie müssen nicht fahren.»

Sie schaute seinen dunklen Whisky an. «Nein, aber Sie.»

«Keine Bange. Ich kenne die Straße wie meine Westentasche. Und außerdem kenne ich auch die Polizei.» Er schlug eine Speisekarte im Zeitungsformat auf. «Was wollen wir essen?»

Es standen Scampi auf der Speisekarte, aber auch Austern. Flora liebte Scampi, doch Austern mochte sie noch lieber, und sie hatte seit einer Ewigkeit keine mehr gegessen. Brian war entgegenkommend. «Gut, Sie bekommen Austern, aber ich nehme Scampi. Sollen wir uns danach ein Steak teilen? Vielleicht mit einem grünen Salat? Was noch? Pilze? Tomaten?»

Nach vielem Hin und Her wurde das Essen schließlich bestellt. Der Kellner brachte die Weinkarte, aber Brian winkte ab und bat ihn, eine Flasche Château Margaux 1964 zu bringen. Der Kellner machte ein respektvolles Gesicht, sammelte die Speisekarten ein und ging.

«Falls», sagte Brian, «Sie nicht lieber Champagner möchten?»

«Warum sollte ich Champagner wollen?»

«Ist Champagner nicht das passende Getränk für romantische Feiern, für Wiederbegegnungen?»

«Handelt es sich denn um so einen Anlaß?»

«Eine Wiederbegegnung ist es in jedem Fall. Und eine, die ich um nichts in der Welt hätte versäumen mögen. Alles andere liegt bei Ihnen, Rose. Oder ist es zu früh am Abend für eine derart weltbewegende Entscheidung?»

Flora spürte, wie Panik in ihr aufstieg. Das dünne Eis bekam Sprünge, und wenn sie nicht äußerst vorsichtig war, würde ihr das Gespräch entgleiten. Sie schaute ihn an, hinweg über das gestärkte weiße Tischtuch, die roten Kerzen, die Weingläser, die wie Seifenblasen schimmerten. Er wartete auf eine Antwort. Um Zeit zu gewinnen, trank sie einen Schluck von dem zweiten Martini. Er schmeckte, falls das möglich war, sogar noch stärker als der erste, aber urplötzlich wurde alles ganz klar und einfach. Sie mußte nur äußerst vorsichtig sein.

Sie sagte: «Ja. Noch ein bißchen zu früh.»

Er lachte. «Rose.»

«Was ist so komisch?»

«Du. Du bist komisch. Tust, als wärst du eiskalt, zimperlich und schwer zu kriegen. Okay, du bist also verlobt mit diesem rechtschaffenen Antony Armstrong, aber du bist immer noch Rose. Und mir brauchst du nichts vorzumachen.»

«Nein, Brian?»

«Oder doch?»

«Vielleicht habe ich mich geändert.»

«Du hast dich nicht verändert.»

Er sagte das mit solcher Sicherheit, daß es glaubhaft wirkte. Bis zu diesem Abend hatte alles, was sie über Roses Charakter zu wissen glaubte, auf Mutmaßungen und vagen Anhaltspunkten beruht. Jetzt, da sie unerwarteterweise auf einen Mann gestoßen war, der offensichtlich die Wahrheit kannte, merkte Flora, daß sie die Wahrheit gar nicht hören wollte. Vielleicht waren Illusionen kindisch, aber sie konnten auch tröstlich sein, und schließlich war Rose ihre Schwester. Plötzlich spürte sie eine gewisse Familienloyalität, aber nur einen Augenblick lang. Floras edlere Gefühle waren nicht so stark wie ihre Neugier, und angeregt von den Drinks, die sie schon getrunken hatte, wurde sie verwegen.

Sie stützte die Arme auf den Tisch und beugte sich zu Brian hinüber. «Woher weißt du, daß ich mich nicht geändert habe?» fragte sie.

«Oh, Rose...»

«Sag mir, wie ich war.»

Sein Gesicht hellte sich auf. «Genau wie jetzt. Du verhältst dich wieder ganz typisch. Du kannst nicht anders. Du hast nie anders gekonnt. Du hast nie der kleinsten Gelegenheit widerstehen können, über dich zu reden.»

«Sag mir, wie ich war.»

«Na gut.» Seine Hände wanderten zum Whiskyglas, er drehte es auf dem Tisch, während er sprach, aber sein erregter Blick löste sich keine Sekunde von Flora. «Du warst schön. Langbeinig und wunderbar jung. Wie ein Fohlen. Du hast viel geschmollt und konntest selbstsüchtig sein. Egoistisch warst du auf jeden Fall, und du warst sexy. Gott, warst du sexy. Du hast mich ungeheuer fasziniert. So. Ist es das, was du hören wolltest?»

Sie spürte die Hitze der Kerzen auf ihrem Gesicht. Der Pulloverkragen war zu eng, und sie zerrte geistesabwesend mit dem Finger daran. «All das», sagte sie schwach, «mit siebzehn?»

«All das. Es war seltsam, Rose, aber als du fort warst, gingst du mir nicht mehr aus dem Kopf. Das ist mir noch nie passiert. Ich bin sogar ein paarmal zum Strandhaus gegangen, aber die Läden waren zu, es war abgeschlossen, und nirgends fand sich eine Spur von dir. Wie die Flut, die hereinkommt und den Sand abwäscht.»

«Vielleicht war das gut so.»

«Du warst etwas Besonderes. Keine war wie du.»

«Du sprichst aus Erfahrung.»

Er grinste, als erfülle ihn bescheidener Stolz. «Das Beste an dir war, daß ich dir nie etwas vormachen mußte.»

«Du meinst, ich habe immer gewußt, daß ich nur eine in einer langen Reihe bin.»

«Genau.»

«Und Anna?»

Er trank einen Schluck, ehe er darauf antwortete. «Anna», sagte er langsam, «ist wie der Vogel Strauß. Was sie nicht sieht, macht ihr keine Sorgen. Und wenn es um ihren Mann geht, gibt sie sich große Mühe, nichts zu sehen.»

«Du bist ihrer sehr sicher.»

«Weißt du, wie es ist, wenn man bis zum Wahnsinn geliebt wird? Es ist, als wäre man unter einem Federbett begraben.»

«Hast du je eine Frau bis zum Wahnsinn geliebt?»

«Nein. Nicht einmal dich. Was ich für dich empfunden habe, kann ich nur mit einem der altmodischen Wörter aus der Bibel beschreiben: Wollust. Ein wunderbares Wort. Es zergeht auf der Zunge.»

Zum denkbar unpassendsten Zeitpunkt kam der erste

Gang. Während körperlose Hände Teller absetzten und Messer und Gabeln zurechtrückten, starrte Flora in die Kerzenflammen und versuchte, ihre verwirrten fünf Sinne zu sammeln. Jemand nahm ihr Glas weg, und ihr wurde bewußt, daß sie irgendwann den zweiten Drink ausgetrunken hatte. Jetzt stand ein Glas Wein da, schimmernd wie ein herrliches rotes Juwel. Es war ein Fehler gewesen, den Pullover anzuziehen. Er war viel zu dick, der Kragen erstickte sie, ihr war heiß. Sie zog wieder am Kragen und schaute auf einen Teller voller Austern hinunter. Der Kellner war fort. Brian fragte auf der anderen Seite des Tisches: «Willst du sie jetzt doch nicht?»

«Was?»

«Du schaust so unsicher. Sehen sie nicht gut aus?»

Sie riß sich zusammen. «Sie sehen köstlich aus.» Entschlossen griff sie nach einer Zitronenscheibe und drückte sie aus. Der Saft machte ihre Finger klebrig. Ihr gegenüber attackierte Brian die Scampi mit dem Appetit eines Mannes, der ein lupenreines Gewissen hat. Flora griff zur Gabel und legte sie dann wieder weg. Die Frage steckte ihr wie ein Kloß im Hals, aber mit ungeheurer Anstrengung brachte sie es über sich, sie zu stellen.

«Brian, hat jemand herausgefunden... Ich meine, hat irgend jemand über dich und mich Bescheid gewußt?»

«Nein, natürlich nicht. Wofür hältst du mich? Für einen Amateur?» Sie wollte schon einen Seufzer der Erleichterung ausstoßen, als er beiläufig hinzufügte: «Nur Hugh.»

«*Hugh?*»

«Du brauchst nicht so entsetzt zu gucken. Natürlich hat er es gewußt. Nun sitz nicht mit offenem Mund da wie eine Idiotin, Rose. Er hat uns doch auf frischer Tat ertappt.» Er grinste, als erinnere er sich an einen gelungenen Streich. «Was für eine Szene das war! Er hat es mir nie verziehen, aber ich glaube, dahinter steckt pure Eifersucht. Ich hatte immer den Verdacht, daß er dich auch wollte.»

«Das ist nicht wahr!»

Ihre Heftigkeit überraschte ihn. Er starrte sie an. «Warum sagst du so was?»

«Weil es nicht wahr ist.» Sie suchte nach einer Möglichkeit, ihre Behauptung zu erhärten. «Antony hat das gesagt, es ist nicht wahr.»

Brian wirkte amüsiert. «Du hast also mit Antony darüber gesprochen. Das ist ja hochinteressant.»

«Antony hat gesagt, daß er nicht...»

«Klar, daß Antony das sagt», unterbrach Brian rüde. «Sein Leben lang war Hugh eine Art Vaterfigur für Antony. Du weißt schon, der Rugbyheld. Jeder Junge sollte so was haben. Hugh tut immer so edelmütig, aber seine Frau war damals drei Jahre tot, und ich habe den Verdacht, in Wahrheit ist er so geil wie wir alle.»

Flora fühlte sich, als habe ihr jemand den Boden unter den Füßen weggezogen. Zwar hatte sie immer die Möglichkeit erwogen, Hugh könne in Rose verliebt gewesen sein, schon seit der ersten, beunruhigenden Begegnung am Strand. Es hatte ihr ein wenig zu schaffen gemacht, aber es war nicht wirklich wichtig gewesen.

Jetzt war es plötzlich wichtig.

Schwer zu sagen, seit wann. Vielleicht, seit sie und Hugh am Fuß der Treppe in Fernrigg gestanden hatten, als er ihr von Angus McKay erzählte, und die Sonne herauskam und das Haus unvermittelt mit goldenem Licht erfüllte. Vielleicht seit heute nachmittag, als er Jasons Bild auf dem Tisch ausgebreitet und die Falten glattgestrichen hatte. Vielleicht, als sie aufgeschaut hatte, über Jasons Kopf hinweg, und Hughs staunenden Blick aufgefangen hatte.

Ihr war nicht mehr heiß. Auch nicht kalt. Sie fühlte sich wie betäubt. Verzweifelt wünschte sie, sie hätte nicht nach Rose gefragt, hätte nie etwas über sie herausgefunden; doch jetzt war es zu spät. Unbarmherzig rückten die Puzzleteile an die richtige Stelle, und das fertige Bild war abstoßend. Rose mit siebzehn, nackt, auf einem Bett ausgestreckt, wie sie Brian Stoddart verführte oder von ihm verführt wurde.

Aber noch schwerer hinzunehmen war die Vorstellung, Hugh sei je in ein so widerwärtiges Geschöpf wie Rose verliebt gewesen.

Irgendwie ging das alptraumhafte Essen weiter. Brian, vielleicht milde gestimmt von Whisky und Wein, redete nicht mehr über sich, sondern schilderte ausführlich das neue Boot, das er sich bauen lassen wollte. Er war mittendrin, als John, der Kellner, an den Tisch trat und ihm sagte, er werde am Telefon verlangt.

Brian machte ein verständnisloses, ungläubiges Gesicht. «Sind Sie sicher?»

«Ja, Sir, das Mädchen in der Zentrale hat mich gebeten, es Ihnen auszurichten.»

«Wer ist es?»

«Ich weiß es nicht, Sir.»

Brian wandte sich Flora zu. «Tut mir leid. Keine Ahnung, wer das ist.» Er legte die Serviette weg. «Entschuldigst du mich?»

«Ja, natürlich.»

«Ich bin gleich wieder da.»

Er ging, schlängelte sich zwischen den Tischen hindurch und verschwand durch eine Tür hinten im Restaurant. Flora blieb allein am Tisch zurück, was ihr Gelegenheit bot, sich zu sammeln. Sie schob den Teller weg und versuchte nachzudenken, aber das Restaurant war stickig, ihr Kopf schmerzte und sie hatte viel zuviel getrunken. Die brennenden Kerzen verschwammen vor ihren Augen. Hilfesuchend schaute sie sich um, fing den Blick eines Kellners auf und bat um einen Krug Wasser. Als es kam, schenkte sie sich ein großes Glas ein und leerte es in einem langen Zug. Sie stellte das Glas ab und merkte, daß jemand ihr gegenüber am Tisch stand, die Hände auf die Lehne von Brians Stuhl gestützt.

Sie erkannte die Hände. Zum zweitenmal an jenem Tag schaute sie auf und fand sich Hugh Kyle gegenüber.

Ihre erste Reaktion, als sie ihn sah, war reine Freude: instinktiv, so überwältigend, daß alle Worte fortgeschwemmt wurden und sie atemlos war.

«Guten Abend», sagte er.

Sofern es überhaupt möglich war, sah er noch größer und besser aus denn je. Er trug einen weiten Mantel über dem Anzug, was Flora stutzig machte: Er sah nicht so aus, als wolle er hier essen.

«Was machen Sie denn hier?» Die Freude schwang in ihrer Stimme mit, doch das war ihr jetzt vollkommen gleich.

«Ich bin gekommen, um Sie nach Hause zu bringen.»

Flora schaute sich um. «Aber wo ist Brian?»

«Brian ist schon nach Hause gegangen.»

«Er ist nach Hause gegangen?» Sie war begriffsstutzig. Das wußte sie. «Aber da war ein Anruf für ihn.»

«Da war kein Anruf für ihn. Oder wenn Sie so wollen, der Anruf war ich. Das war die einzige Methode, die mir eingefallen ist, um Brian hier rauszuholen.» Seine Augen waren hart wie blaues Glas. «Und wenn Sie vorhaben sollten, ihm nachzulaufen, er sitzt schon im Auto und ist unterwegs nach Ardmore.»

Seine Stimme klang ruhig und kalt. Floras Freude war verflogen, hatte sich in nichts aufgelöst, ein flaues Gefühl im Magen hinterlassen. Sie begriff, daß sich hinter seiner Kälte eine unbändige Wut verbarg, aber sie war zu benommen, um herausfinden zu können, was das alles sollte.

«Er ist ohne mich gefahren?»

«Ja, ohne Sie. Kommen Sie, ich bringe Sie nach Hause.»

Seine Eigenmächtigkeit gab Flora das Gefühl, sie müsse widersprechen. «Ich… ich habe noch nicht zu Ende gegessen.»

«Nach Ihrem Anblick zu urteilen, als ich hereingekommen bin, scheint es nicht besonders appetitlich zu sein.»

223

Seine Stimme war schneidend. Allmählich wurde sie wütend und bekam außerdem Angst. «Ich will nicht mitkommen», beharrte sie.

«Nein? Dann nehme ich an, Sie wollen laufen. Es sind dreißig Kilometer, und die Straße ist kein Spazierweg.»

«Ich kann ein Taxi nehmen.»

«Es gibt keine Taxis. Wo ist Ihr Mantel?»

Sie mußte nachdenken. «Oben, in der Damengarderobe. Aber ich komme nicht mit.»

Er rief einen jungen Kellner herüber und bat ihn, den Mantel von oben zu holen. «Er ist marineblau, mit Tartanfutter.» Der Junge ging, und Hugh wandte sich wieder Flora zu. «Kommen Sie jetzt.»

«Warum ist Brian gegangen?»

«Darüber reden wir im Auto.»

«Haben Sie ihn dazu gezwungen?»

«Rose, die Leute werden schon aufmerksam. Wir wollen keine Szene machen.»

Er hatte recht. Das Summen der Gespräche im Restaurant war verstummt, einige Gäste drehten sich nach ihnen um. Der Gedanke an eine Szene war Flora ein Greuel. Ohne ein weiteres Wort, äußerst vorsichtig, stand sie auf. Ihre Beine fühlten sich an wie Gummi, überaus merkwürdig. Sie konzentrierte sich, schaute starr geradeaus und ging zum Ausgang.

Der Kellner hatte ihren Mantel gefunden. Hugh gab ihm ein Trinkgeld und half Flora hinein. Sie fing mühsam damit an, ihn zuzuknöpfen, aber ihre Finger waren so ungeschickt, daß erst zwei Knöpfe zu waren, als er die Geduld verlor, sie beim Ellbogen nahm und sie vor sich her durch die Halle und zur Tür hinaus schob.

Draußen war es dunkel. Leichter Nieselregen fiel, und ein eisiger Wind wehte von Westen her über das Wasser. Nach der Hitze im Restaurant, dem Wein und dem schweren Essen wirkte die eisige Kälte wie ein Schlag ins Gesicht. Die Dunkelheit drehte sich um sie. Flora schloß die Augen und legte

die Hand an den Kopf, aber Hugh packte ihr anderes Handgelenk und zerrte sie über die Pfützen auf dem Parkplatz zu
seinem Auto. Sie stolperte, wäre hingefallen, wenn er sie nicht
festgehalten hätte, und sie verlor einen Schuh. Er wartete geduldig, bis sie ihn fand und den Fuß wieder hineingezwängt
hatte, doch dann ließ sie ihre Handtasche fallen. Sie hörte ihn
leise fluchen, als er sie aufhob.

Vor ihr erschien drohend der Umriß des Autos. Er öffnete
die Tür, setzte Flora hinein, schlug die Tür zu, ging um das
Auto herum und setzte sich hinter das Steuer. Die zweite Tür
schlug zu. Sie fühlte sich erstickt von der bedrohlichen Nähe
zu ihm. Ihr Mantel hing zerknittert um sie herum, sie hatte
nasse Füße, ihr Haar war zerzaust und fiel ihr ins Gesicht. Sie
sackte im Sitz zusammen, stemmte die Hände in die Taschen
und sagte sich, wenn sie jetzt zu weinen anfange, werde sie
sich das nie verzeihen.

Er wandte sich zu ihr. «Wollen Sie reden, oder sind Sie zu
betrunken?»

«Ich bin nicht betrunken.»

Er machte keine Anstalten, das Licht im Auto anzuma-
chen. Sie starrte in die Finsternis, die Zähne im Kampf gegen
die Tränen zusammengebissen: «Wo ist Brian?»

«Das habe ich Ihnen doch gesagt. Er ist nach Ardmore zu-
rückgefahren.»

«Wie haben Sie ihn dazu gebracht?»

«Das geht Sie nichts an.»

«Woher wußten Sie, wo ich bin?»

«Isobel hat es mir gesagt. Sie haben Ihre Handschuhe in
meinem Haus vergessen, und ich habe in Fernrigg angerufen,
um es Ihnen zu sagen. Isobel hat mir erzählt, daß Brian mit
Ihnen zum Essen gefahren ist.»

«Das ist kein Verbrechen.»

«Für mich schon.»

Hugh tut immer so edelmütig.

«Wegen Antony? Oder wegen Brian?»

«Wegen Anna.»

«Anna weiß darüber Bescheid. Anna war im Zimmer, als mich Brian zum Essen eingeladen hat.»

«Das ist nicht der springende Punkt.»

«Warum nicht?»

«Das wissen Sie verflucht genau», sagte er müde.

Sie drehte sich um und schaute ihn an. Ihre Augen hatten sich inzwischen an die Dunkelheit gewöhnt, und der bleiche Umriß seines Gesichts ragte vor ihr auf.

Seine Frau war damals drei Jahre tot, und ich habe den Verdacht, in Wahrheit ist er so geil wie wir alle.

Hugh war in Rose verliebt gewesen. Sie hatte nicht gewollt, daß das wahr war, aber sein plötzliches Auftauchen, sein Ärger machten es wahr. In Rose verliebt. Und dafür hätte sie, Flora, ihn am liebsten umgebracht.

«Ja, ich weiß», sagte sie kalt. «Sie sind eifersüchtig.» Sie wußte nicht, ob Rose aus ihr sprach, der Wein, den sie getrunken hatte, oder ihre jämmerliche Enttäuschung. Sie wußte nur, daß sie ihm weh tun wollte. «Brian hat, was Sie nicht haben. Eine Frau und ein Zuhause. Das können Sie nicht ertragen.» Es nützte nichts, gegen die Tränen anzukämpfen. Sie kamen einfach, strömten über ihr Gesicht, und auch daran war er schuld. Und etwas anderes war geschehen, weil sie nicht mehr Flora war. Sie war Rose, ganz und gar Rose. Rose, die sich das Grausamste und Verletzendste ausdachte, was sie sagen konnte. Rose, die es aussprach. «Dadurch, wie sie gestorben ist, hat Ihre Frau Sie zerstört.»

Das letzte Wort hing im Schweigen zwischen ihnen.

Eine kurze, berechnete Pause, dann schlug Hugh ihr ins Gesicht.

Es war kein heftiger Schlag. Wenn er es gewesen wäre, hätte Hugh sie bei seiner Größe vermutlich bewußtlos geschlagen. Aber Flora war ihr Leben lang noch nie geschlagen worden. Erstaunlicherweise versiegten daraufhin die Tränen. Vom Schmerz und von der Demütigung zum Schweigen gebracht, saß sie nur da, mit dröhnendem Kopf und offenem Mund, unter Schock.

Er schaltete die Innenbeleuchtung ein, und sie bedeckte das Gesicht mit den Händen.

«Fehlt Ihnen was?» fragte er.

Flora schüttelte stumm den Kopf.

Er packte ihre Handgelenke und zog ihr die Hände vom Gesicht. Die Anstrengung, ihn anzuschauen, war fast zuviel für sie, aber sie schaffte es.

«Warum wollen Sie so viel, Rose?» fragte er. «Warum wollen Sie alles für sich?»

Ich bin nicht Rose, ich bin nicht Rose.

Die Reaktion setzte ein. Sie zitterte. «Ich will nach Hause», sagte sie.

Flora

In der Nacht wachte Flora vor Durst auf – einem wilden Durst, so schlimm wie eine Folterqual. Ihr Mund fühlte sich trocken an, der Kopf tat ihr weh, und sobald sie aufwachte, brach das Grauen des Vorabends über sie herein. Sie blieb eine Weile liegen, so bedrückt und zerschlagen, daß sie nicht einmal aufstehen und sich ein Glas Wasser holen konnte.

Die Daunendecke war vom Bett gerutscht. Flora spürte die Kälte. Als sie sich hinunterbeugte, um die Decke zurückzuholen, fühlte sie einen so stechenden Schmerz, daß ihr die Luft wegblieb. Sie stöhnte und sank zurück in die Kissen. Nach einer Weile ließ der Schmerz nach, ging aber nicht weg. Sie lag vorsichtig da, reglos, musterte den Schmerz aus der Distanz, wartete ab, was er als nächstes tun würde. Sie war immer noch durstig. Schließlich setzte sie sich behutsam auf, doch sofort packte sie die Übelkeit. Sie stürzte aus dem Bett und kam gerade noch rechtzeitig ins Bad, wo ihr furchtbar schlecht wurde.

Als der Anfall vorüber war, brach Flora zusammen – ausgepumpt vom Würgen, der Magen leer bis auf die Schmerzen. Sie fand sich auf dem Badezimmerboden wieder, nur in ihrem dünnen Nachthemd, den hämmernden Kopf gegen den Mahagonirand der Wanne gelehnt. Schwitzend schloß sie die Augen und wartete auf den Tod.

Als er nach einer Weile nicht gekommen war, öffnete sie die Augen wieder. Aus dieser Froschperspektive wirkte das Bad riesig, völlig verzerrt in den Proportionen. Hinter der offenen Tür erstreckte sich die Unendlichkeit. Die Zuflucht ihres Schlafzimmers schien Welten entfernt. Schließlich richtete sie sich mühsam auf und schleppte sich vorsichtig an der Wand entlang zu ihrem Bett zurück. Erschöpft sank sie darauf nieder und blieb einfach liegen. Sie hatte nicht einmal die Kraft, sich unter die Decke zu rollen.

Ich bin schwer krank, dachte sie. Ihr war eiskalt. Das Fenster stand offen, und die Nachtluft strömte herein, als würde sie mit Kübeln eiskalten Wassers übergossen. Sie wußte, wenn sie schon nicht im Bad gestorben war, würde sie hier sterben, an Lungenentzündung. Mit ungeheurer Anstrengung schlüpfte sie unter die Decke. Ihre Wärmflasche war kalt geworden, und ihr klapperten die Zähne.

Flora schlief nicht wieder ein, und die Nacht schien ewig zu dauern. Die Kissen wurden heiß und klumpig, das Bettzeug war verrutscht und schweißnaß. Sie betete, der Tag möge kommen – und Menschen zu ihr bringen, Trost, saubere Bettwäsche und etwas gegen die Kopfschmerzen. Aber es waren noch viele Stunden zu überstehen, ehe die Dämmerung bleich über den Himmel glitt, und schließlich fiel sie in einen Schlaf vollkommener Erschöpfung.

Es war Isobel, die sie rettete. Isobel, die sich Sorgen machte, weil Flora nicht zum Frühstück erschienen war, kam herauf, um nach ihr zu sehen. «Vermutlich wolltest du nur ausschlafen, aber ich habe gedacht, ich sollte...» Sie brach ab, als sie das Chaos in Floras Zimmer sah: Kleidungsstücke von gestern abend am Boden verstreut, liegengelassen, wo Flora sie hingeworfen hatte; das zerwühlte Bett; die schiefe Decke; ein Laken, das auf den Teppich hing.

«Rose!» Sie ging zum Bett und fand Flora weiß wie ein Gespenst, die Stirn verklebt vom feuchten, dunklen Haar.

«Mir fehlt wirklich nichts», sagte Flora leise. «Mir war heute nacht schlecht, das ist alles.»

«Mein armes Kind. Warum hast du mich nicht geweckt?»

«Ich wollte niemanden stören.»

Isobel legte ihr die Hand auf die Stirn. «Du bist ja ganz heiß.»

«Ich hatte solche Schmerzen...»

«...und dein Bett ist so unordentlich und unbequem.» Isobel zog am Bettzeug, im Versuch, es zu glätten, überlegte es sich dann aber anders. «Ich hole Schwester McLeod, und dann hast du es sofort gemütlich.» Sie ging zur Tür. «Rühr dich nicht, Rose. Denk nicht mal ans Aufstehen.»

Als sie kamen, eifrig und geschäftig, war es genauso, wie sie es sich erträumt hatte. Besorgte Gesichter und sanfte Hände, saubere Wäsche, zwei Wärmflaschen in Wollbezügen. Ein frisches Nachthemd, Gesicht und Hände abgewaschen, der Geruch nach Eau de Cologne, ein Bettjäckchen.

«Wem gehört das Bettjäckchen?» fragte Flora, als sie es ihr anzogen. Sie hatte noch nie ein Bettjäckchen besessen.

«Mir», sagte Isobel.

Es war muschelrosa, mit viel Spitze und weiten, lockeren Ärmeln.

«Es ist hübsch.»

«Tuppy hat es mir geschenkt.»

Tuppy. Flora hatte ein so schlechtes Gewissen, daß sie am liebsten geweint hätte. «Ach, Isobel, jetzt liegt Tuppy schon im Bett, und ich auch noch, und dann hast du den Ball am Hals und alles.» Und dann weinte sie wirklich, die Tränen sammelten sich in ihren Augen und liefen ihr die Wangen hinunter. «Ich schäme mich so, daß ich eine solche Last bin.»

«Du bist keine Last. So was Dummes darfst du nicht einmal denken. Die Schwester ist hier, um Tuppy zu pflegen, und sie wird mir dabei helfen, mich um dich zu kümmern, nicht wahr, Schwester?»

Die Schwester bündelte die schmutzige Bettwäsche. «Oh, wir kriegen sie wieder hin, und zwar blitzschnell. Da lasse ich nicht mit mir spaßen.» Sie ging hinaus, mit schweren Schritten, Richtung Waschmaschine.

Isobel wischte mit einem Kosmetiktuch Floras Tränen ab. «Und wenn Hugh zu Tuppy kommt», fuhr sie fort, «werden wir ihm sagen...»

«Nein», sagte Flora so laut und energisch, daß Isobel ganz verblüfft aussah.

«Nein?» fragte sie sanft.

«Ich will Hugh nicht. Ich will überhaupt keinen Arzt.» Sie griff nach Isobels Hand und sah sie flehentlich an. «Mir fehlt nichts. Mir war schlecht, aber jetzt fühle ich mich besser. Wirklich, mir fehlt überhaupt nichts.»

Isobel schaute sie an, als ob sie den Verstand verloren hätte.

«Ich kann Ärzte nicht leiden», stammelte Flora. «Ich war immer so, schon als kleines Kind…»

Isobel, mit einer Miene, als müsse sie einen gefährlichen Irren ruhigstellen, sagte beruhigend: «Schön, warten wir es ab. Wenn du so darüber denkst…»

Flora ließ langsam ihre Hand los. «Versprochen, Isobel?»

Isobel entzog sich ihrem Griff und wurde sofort energischer. «Ich verspreche nie etwas, wenn ich nicht weiß, ob ich es halten kann.»

«Bitte…»

Isobel hatte sich in Sicherheit gebracht und blieb an der Tür stehen. «Jetzt machst du ein Schläfchen, dann fühlst du dich besser.»

Sie schlief und wurde von Träumen gequält. Sie war an einem Strand, der Sand war schwarz und voller Spinnen. Rose war auch da, sie trug einen Bikini und ging am Rand eines öligen Meers entlang, hinter ihr eine lange Schlange von Männern. Doch dann fielen die Blicke der Männer auf Flora, die überhaupt nichts anhatte. Und Rose lachte. Flora wollte weglaufen, aber ihre Füße rührten sich nicht, der schwarze Sand war zu Schlamm geworden. Hinter ihr war ein Mann, er hatte sie eingeholt, schlug ihr ins Gesicht. Er wollte sie umbringen…

Schweißgebadet wachte sie auf, als Schwester McLeod sie sanft schüttelte. Sie schaute in das bebrillte Pferdegesicht der Schwester, sah ihr drahtiges weißes Haar. «Zeit zum Aufwachen», sagte die Schwester. «Dr. Kyle ist hier.»

«Aber ich will ihn nicht sehen!» Flora zitterte immer noch von dem Alptraum.

«Ihr Pech.» Hugh stand am Fußende des Bettes. «*Er* will *Sie* nämlich sehen.»

Der Traum verblaßte. Flora schaute Hugh anklagend an. «Ich habe Isobel gesagt, sie soll Ihnen nichts sagen.»

«Wie wir alle tut Isobel nicht immer das, was ihr gesagt wird.»

«Aber sie hat versprochen…»

«Hören Sie», sagte die Schwester, «Sie wissen genau, daß Miss Armstrong nichts dergleichen getan hat. Wenn Sie mich bitte entschuldigen, Herr Doktor, ich lasse Sie kurz allein und kümmere mich um Mrs. Armstrong.»

«Das ist in Ordnung, Schwester.»

Die Schwester ging, mit einem Rascheln der gestärkten Schürze. Hugh machte behutsam die Tür hinter ihr zu und trat wieder neben Flora. Er setzte sich ganz unprofessionell auf den Bettrand.

«Isobel sagt, Ihnen war schlecht.»

«Ja.»

«Wann hat das angefangen?»

«Mitten in der Nacht. Ich weiß nicht, um wieviel Uhr. Ich habe nicht auf die Uhr geschaut.»

«Schön, lassen Sie sich mal anschauen.» Er schob ihr Haar zurück und befühlte ihre klamme Stirn. Seine Berührung war kühl und professionell. Gestern nacht hat er mir ins Gesicht geschlagen, dachte sie. Es wirkte jetzt so unwahrscheinlich, als hätte sie es geträumt. Aber sie wußte, daß es Wirklichkeit gewesen war.

«Hatten Sie starke Schmerzen?»

«Ja.»

«Wo?»

«Überall. Ich nehme an, es war der Magen.»

«Zeigen Sie es mir genau.» Sie zeigte es ihm. «Was ist mit Ihrem Blinddarm?»

«Ich habe keinen. Er ist vor vier Jahren herausgenommen worden.»

«Gut, damit ist eine Möglichkeit ausgeschlossen. Sind Sie gegen irgend etwas allergisch? Gegen irgendein Lebensmittel?»

«Nein.»

«Was haben Sie gegessen? Was gab es zu Mittag?»

Das Nachdenken strengte sie an. «Kaltes Lamm und gebackene Kartoffeln.»

«Und zum Abendessen?»

Sie schloß die Augen. «Ein Steak. Mit Salat.»

«Und davor?»

«Austern.»

«Austern», wiederholte er, als billige er ihre Wahl. Und dann noch einmal: «Austern?»

«Ich mag Austern.»

«Ich auch, aber sie müssen frisch sein.»

«Sie meinen, ich habe eine verdorbene Auster gegessen?»

«Sieht ganz so aus. Haben Sie es nicht geschmeckt? Im allgemeinen ist das unverkennbar.»

«Ich... ich kann mich nicht daran erinnern.»

«Ich habe mit den Austern vom Fishers' Arms nicht zum erstenmal Ärger. Ich muß unbedingt mit dem Inhaber sprechen, ehe er die gesamte Bevölkerung von Arisaig ausrottet.»

Er stand auf, holte aus einer Tasche ein Silberetui mit einem Thermometer. «Seltsam», murmelte er. «Ich habe noch keinen Anruf aus Ardmore bekommen.» Er griff nach ihrem Handgelenk, um ihren Puls zu fühlen.

«Brian hat Scampi gegessen.»

«Schade», murmelte Hugh und stopfte ihr mit dem Thermometer den Mund.

Sie fühlte sich vollkommen hilflos, wie sie so dalag, seiner bissigen Zunge ausgeliefert. Um ihm zu entkommen, wandte Flora das Gesicht ab und starrte düster aus dem Fenster. Langsame Morgenwolken schoben sich über den Himmel. Eine Möwe schrie. Flora wartete darauf, daß er ihr das Thermometer aus dem Mund nahm, wegging und sie sterben ließ.

Aber die Augenblicke verstrichen, und er tat nichts dergleichen. Eine merkwürdige Stille schien über dem Raum zu lasten, als wäre alles darin erstarrt oder versteinert. Nach einer Weile drehte sich Flora um und schaute ihn an. Er hatte sich nicht vom Fleck gerührt, stand immer noch neben ihrem Bett, hielt ihr Handgelenk, mit gesenktem Blick und nachdenklicher Miene. Der weite Ärmel von Isobels Bettjäckchen war zurückgefallen, und aus den Falten muschelrosafarbener Wolle ragte ihr Arm, dünn wie ein Stock, dachte sie. Sie fragte sich, ob sie an Auszehrung leide und er nach den richtigen Worten suchte, um ihr schonend beizubringen, es gebe keine Hoffnung mehr für sie.

Die Stille wurde von Isobel gestört, die vorsichtig den Kopf hereinsteckte, ehe sie eintrat, als habe sie Angst, Flora könne aus dem Bett springen und sie erwürgen.

«Wie geht es der Patientin?» fragte sie munter.

Hugh ließ Floras Handgelenk los und nahm ihr das Thermometer aus dem Mund.

«Wir glauben, daß sie eine Lebensmittelvergiftung hatte», sagte er zu Isobel. Er setzte die Brille auf, um das Thermometer abzulesen.

«Lebensmittelvergiftung?»

«Es ist schon in Ordnung, du brauchst nicht so erschrokken zu gucken. Ihr kriegt hier keine Epidemie. Sie hat gestern abend im Fishers' Arms eine verdorbene Auster gegessen.»

«Oh, Rose.»

Isobel klang so vorwurfsvoll, daß Flora wieder ein schlechtes Gewissen bekam.

«Ich kann nichts dafür. Und ich mag Austern.»

«Aber was ist mit dem Ball? Du wirst den Ball im Bett verbringen.»

«Nicht unbedingt», sagte Hugh. «Wenn sie tut, was ihr gesagt wird, sollte sie rechtzeitig vor dem Ball aufstehen können. Laßt sie zwei Tage lang hungern und sorgt dafür, daß sie im Bett bleibt.» Er griff nach seiner Tasche und wandte sich zu Flora um. «Wahrscheinlich werden Sie sich in den nächsten Tagen deprimiert und weinerlich fühlen. Das gehört zu den unangenehmen Symptomen einer Lebensmittelvergiftung. Machen Sie sich deswegen keine allzu großen Sorgen.» In dem Augenblick, in dem er das Wort weinerlich aussprach, wußte Flora, daß sie wieder weinen würde. Vielleicht war ihm das bewußt, denn er ging sofort zur Tür und schob Isobel energisch vor sich her. Beim Hinausgehen schaute er über die Schulter zurück, schenkte ihr sein seltenes Lächeln und sagte: «Auf Wiedersehen, Rose.»

Schluchzend griff Flora nach der Schachtel mit den Kosmetiktüchern.

Was die Depression betraf, behielt er recht. Flora verbrachte den größten Teil des ersten Tages schlafend, aber am nächsten überwältigten sie düstere Gedanken. Das Wetter draußen half ihrer Stimmung auch nicht. Es war grau, es regnete, und vom Fenster aus war nichts zu sehen außer jagenden schwarzen Wolken und hin und wieder einer nassen, kreisenden Möwe. Die Flut hatte ihren Höchststand erreicht, die Wellen schwappten freudlos auf den Kiesstrand unterhalb des Hauses, und die Dunkelheit brach so früh herein, daß schon um drei Licht gemacht werden mußte.

Floras Gedanken drehten sich ständig im Kreis, kamen aber wie jemand auf einer Tretmühle nirgends an. Das fremde Bett, das fremde Haus, die fremde Person, die sie verkörperte – das alles machte ihr zu schaffen. Wie hatte sie sich je mit so viel hoffnungsvollem Selbstvertrauen auf eine derart verrückte Scharade einlassen können? Jetzt erschien es ihr wie die größte Dummheit ihres Lebens.

Es heißt, daß eineiige Zwillinge die beiden Hälften desselben Menschen sind. Vielleicht war unsere Trennung so, wie wenn man einen Menschen in zwei Hälften schneidet.

Das hatte Rose in London gesagt; damals hatte Flora es

nicht für wichtig gehalten. Aber jetzt war es wichtig, denn Rose war schlecht, ohne Prinzipien, ohne Moral. Hieß das, daß dieselbe Schlechtigkeit in Flora schlummerte?

Wenn ihre Mutter Flora genommen und ihr Vater sich für Rose entschieden hätte, wäre aus Flora dann eine Frau geworden, die mit siebzehn fröhlich mit einem verheirateten Mann ins Bett stieg? Hätte Flora genau dann, wenn Antony sie am meisten brauchte, ihm den Laufpaß gegeben und wäre mit einem reichen jungen Griechen nach Spetse geflogen? Hätte Flora Rose genauso skrupellos benutzt, wie Rose Flora benutzt hatte? Anfangs war ihr das alles vollkommen absurd erschienen, aber jetzt, nach der schrecklichen Szene in Hughs Auto, war sich Flora ihrer selbst nicht mehr sicher. *Dadurch, wie sie gestorben ist, hat Ihre Frau Sie zerstört.* Das waren Roses Worte. Aber Flora hatte sie ausgesprochen. Der grauenhafte Satz brannte in ihrem Gewissen. Sie schloß die Augen, vergrub das Gesicht im Kissen, doch es nützte nichts: Sie konnte ihren Gedanken nicht entkommen.

Und als hätte das noch nicht gereicht, gab es andere Ängste, andere Ungewißheiten, die wie eine lähmende Last auf ihr zu liegen schienen. Wenn der Zeitpunkt kam, wie sollte sie es dann ertragen, sich von den Armstrongs zu verabschieden? Und wenn sie ging, wohin sollte sie dann gehen? Nach Cornwall konnte sie nicht zurück. Sie war dort ja eben erst ausgezogen, und Marcia und ihr Vater hatten auf jeden Fall etwas Zeit für sich verdient. Also London? Es mußte London sein, aber wo sollte sie wohnen? Wo arbeiten? Was sollte sie tun? Sie sah sich, wie sie auf Busse wartete, im Regen Schlange stand, in der Mittagspause einkaufte, die Miete bezahlte, neue Freunde zu finden hoffte, nach den alten suchte.

Und Hugh... Aber sie konnte nicht zulassen, daß sie an Hugh dachte, denn jedesmal, wenn sie das tat, ertappte sie sich wieder dabei, daß sie sinnlose Tränen vergoß.

Wenn du Rose wärst, wäre es dir egal, was die Armstrongs

von dir halten. Du würdest dich einfach verabschieden, gehen und nie wieder zurückschauen.

Ich bin nicht Rose.

Wenn du Rose wärst, bräuchtest du keine Arbeit zu finden und an Bushaltestellen Schlange zu stehen. Du könntest dein Leben lang Taxis nehmen.

Aber ich bin nicht Rose.

Wenn du Rose wärst, dann wüßtest du, wie du Hugh dazu bringen kannst, daß er dich liebt.

Darauf schien es überhaupt keine Antwort zu geben.

Alle waren ungeheuer lieb. Isobel brachte Nachrichten von Antony, den sie in Edinburgh angerufen hatte, um ihm mitzuteilen, seine Verlobte sei krank. Ein zerrupfter Blumenstrauß wurde gebracht, den Jason gepflückt hatte, und eine dunkelrosa Azalee von Anna Stoddart.

Es tut mir leid, daß Sie so übel dran sind, und ich hoffe, bis Freitag sind Sie wieder auf den Beinen. Liebe Grüße von Brian und mir.

Anna

«Sie ist aus den Treibhäusern von Ardmore», erklärte Isobel. «Sie hat dort drüben wunderschöne Treibhäuser, es macht mich immer ganz neidisch. Rose… Rose, du weinst ja schon wieder.»

«Ich kann nichts dagegen tun.»

Isobel seufzte und griff geduldig nach den Papiertaschentüchern.

Auch Schwester McLeod setzte sich zu ihr, und nachdem sie die professionelle Art erst einmal abgestreift hatte und nicht mehr pausenlos über Wadenwickel redete, war sie wirklich nett. Sie machte es sich bei Flora gemütlich, brachte ihr Nähzeug mit, um ihr zu zeigen, was für Fortschritte das «Ballkleid» machte, wie es jetzt hieß. «Sehen Sie, ich nähe das Futter ein. Dadurch wird es viel dichter, und ich glaube, ich mache einen hübschen Gürtel dazu. Mrs. Watty hat in ihrer Knopfschachtel eine Perlmuttschnalle, die sie entbehren kann.»

Mrs. Watty schickte eine Karte mit Genesungswünschen und Tuppy einen Strauß aus ihren letzten kostbaren Rosen, die Watty für sie hatte schneiden müssen. Tuppy hatte sie selbst arrangiert, wobei sie die Vase auf ihren Nacht-tisch stellte und die nassen Stengel über die Daunendecke schnipste. Isobel trug die Blumen hinüber zu Flora. «Grüße von Wrack zu Wrack, soll ich ausrichten», sagte sie und stellte den Strauß auf Floras Frisiertisch.

«Sieht Hugh jeden Tag nach Tuppy?» fragte Flora.

«Nicht jeden Tag. Jetzt nicht mehr. Er schaut herein, wenn er gerade in der Gegend ist. Warum?» In ihrer Stimme schwang ein Lächeln mit. «Willst du ihn sehen?»

«Nein», sagte Flora.

Der Donnerstag versprach schön zu werden. Flora wachte an einem Morgen auf, der wie eine frisch geprägte Münze fun-kelte. Die Sonne schien, der Himmel war blau, und jetzt erin-nerten sie die Möwenschreie an den Sommer.

«Was für ein Tag!» frohlockte Schwester McLeod, als sie hereinkam, um die Vorhänge aufzuziehen, Floras kalte Wärmflasche abzuholen und das Bett zu machen, was hieß, daß sie die Bettücher feststopfte, bis Flora kaum mehr die Beine bewegen konnte.

«Ich stehe auf», sagte Flora, allmählich gelangweilt von ihrem Zustand.

«Das kommt überhaupt nicht in Frage. Erst wenn Dr. Kyle es erlaubt.»

Sofort sanken Floras Lebensgeister. Wenn die Schwester nur seinen Namen nicht erwähnt hätte. Trotz des heiteren Wetters war ihr schon wieder jämmerlich zumute, was jedoch nichts mehr mit der Krankheit zu tun hatte. Wenn sie nur nicht diesen unverzeihlichen Satz zu Hugh gesagt hätte! Er hing über ihr wie ein riesiges Schwert und würde dort auch hängen bleiben, das wußte sie, bis es ihr irgendwie gelang, sich zu einer Entschuldigung zu zwingen.

Bei dem bloßen Gedanken wurde ihr wieder ganz schlecht. Sie glitt unter die Decke, und die Schwester musterte sie mit professionellem Blick. «Geht es Ihnen noch nicht besser?»

«Doch, mir geht es bestens», sagte Flora matt.

«Möchten Sie etwas essen? Haben Sie Hunger? Ich könnte Mrs. Watty bitten, Ihnen einen Grießbrei zu kochen.»

«Wenn Sie mir Grießbrei bringen», teilte Flora ihr kühl mit, «kippe ich ihn aus dem Fenster.»

Die Schwester schüttelte tadelnd den Kopf und ging mit der Nachricht, wenigstens eine ihrer Patientinnen sei auf dem Weg der Besserung, in die Küche hinunter.

Später kam Isobel mit einem Frühstückstablett – nicht besonders üppig bestückt, aber Toast war darauf, Gelee und eine Kanne mit chinesischem Tee. «Und Post für dich», sagte Isobel. Sie holte eine Postkarte aus der Tasche ihrer Strickjacke und legte sie mit der Bildseite nach oben auf das Tablett. Flora sah einen strahlendblauen Himmel, grüne Kastanien und den Eiffelturm. Paris?

Verblüfft drehte sie die Karte um. Sie war in einer schlampigen und ungeformten Handschrift an Miss Rose Schuster adressiert, Fernrigg House, Tarbole, Arisaig, Argyll, Ecosse. Bestürzt las Flora die Nachricht, die extrem klein geschrieben war, damit sie auf die Karte paßte.

Hab ja gesagt, ich melde mich. War super, Dich zu finden. Hab beschlossen, auf dem Weg nach Spetse paar Tage hier Station zu machen. Schicke Dir dies nach Fernrigg – hab den starken Verdacht, Du bist jetzt dort, am Busen der Familie und, wer weiß, vielleicht schon mit Antony verheiratet. Grüß ihn von mir.

Kein Datum, keine Unterschrift.

«Von einer Freundin?» fragte Isobel.

«Ja. Von einer Freundin.»

Die schlaue Rose. Isobel hätte niemals eine Postkarte gelesen, die nicht an sie gerichtet war, doch dieser hätte sie ohnehin nichts entnehmen können. Die Karte fühlte sich in Floras Fingern schmutzig an. Sie verzog das Gesicht und warf sie in den Papierkorb neben dem Bett.

Isobel beobachtete sie besorgt. «Du fühlst dich doch nicht wieder schlechter, oder?»

«Nein», versicherte Flora. Sie strich Gelee auf den Toast und biß hungrig ab.

Als sie das magere Frühstück zu sich genommen hatte, ging Isobel mit dem Tablett hinaus, und Flora war wieder allein. Wider Willen ärgerte sie sich über die Postkarte von Rose; außerdem war sie wütend auf sich selbst. Sie sehnte sich nach dem Trost einer liebevollen Seele, nach ein wenig Anteilnahme. Es gab nur einen Menschen, der ihr helfen konnte, und Flora brauchte diesen Menschen sofort. Ohne große Umstände stieg Flora aus dem Bett, suchte sich etwas zum Anziehen zusammen und ging hinüber zu Tuppy.

Jessie McKenzie war aus Portree zurück. Ihre alte Mutter, die nach dem, was euphemistisch «eine Wende zum Schlechteren» genannt wurde, bettlägerig geworden war, hatte beschlossen, daß sie noch nicht sterben wollte.

Diese plötzliche Genesung war nicht etwa durch die pünktliche Ankunft ihrer pflichtbewußten Tochter bewirkt worden. Anlaß dazu war vielmehr der Besuch einer Nachbarin, die gesprächsweise mitteilte, Katy Meldrum, bereits Mutter eines schielenden Kindes namens Gary, sei wieder schwanger. Katy war schon immer eine schamlose junge Person gewesen, unbeeindruckt von auf sie gerichteten Zeigefingern und von den sanften Ermahnungen ihres schwergeprüften Priesters. Nun, da ihr Bauch täglich mehr anschwoll und sie mit Todesverachtung durch die Stadt ging, wurde heftig über die Identität des Vaters spekuliert. Die meisten Leute setzten auf Robby McCrae, den Bruder des Constable, aber es war auch die Rede von einem Bootsmann aus Kinlochbervie, einem verheirateten Mann mit Kindern.

Das durfte sie auf keinen Fall verpassen. Es war unvorstellbar, vor der Lösung des Rätsels zu sterben und den ganzen Spaß zu versäumen. Die alte Dame richtete sich in den Kissen auf, schlug mit dem Stock gegen die Wand, und als ihre erschrockene Tochter erschien, verlangte sie, gestützt zu werden. Innerhalb von zwei Tagen war sie wieder auf den Beinen, sammelte Klatsch und äußerte ihre Meinung dazu. Worauf Jessie befand, sie könne ebensogut nach Hause fahren.

Zu Hause war ein altes Fischercottage in einer Gasse von Tarbole, wo sie ihrem Bruder, der als Pförtner in einer Räucherei arbeitete, den Haushalt führte. An jedem Morgen stieg Jessie zeitig den Hügel zum Haus des Arztes hinauf, wo sie ans Telefon ging, Nachrichten entgegennahm, mit Vertretern schwatzte, mit Nachbarinnen klatschte und Tee trank. Zwischen diesen unterhaltsamen Beschäftigungen polterte sie fröhlich im Haus herum, machte mehr Dreck, als sie beseitigte, erledigte die Wäsche des Arztes und bereitete sein Abendessen zu.

Weil er so viel zu tun hatte, war sie meistens schon wieder zu Hause, ehe er kam und die Fischpastete oder die beiden gebratenen Koteletts aß (ihre kulinarische Phantasie reichte nicht weit), die sie für ihn hinterließ und die im Herd zwischen zwei Tellern hart wurden. Wenn sie am nächsten Morgen wiederkam, stand das vertrocknete Essen manchmal noch da, unangerührt. Und Jessie schüttelte den Kopf, kratzte alles in den Mülleimer und suchte nach jemandem, dem sie erzählen konnte, wenn der Doktor nicht besser auf sich aufpasse, sei er auf dem besten Weg zu einem Kollaps oder Schlimmerem.

Daß sie die Haushälterin des Arztes war, verlieh ihr eine gewisse Wichtigkeit, eine gesellschaftliche Stellung in der Stadt. Was würde er ohne dich anfangen? fragten die Leute. Jessie schüttelte dann den Kopf, bescheiden, aber stolz. Und was hätten sie alle ohne sie angefangen, fragte sie sich, die tagein, tagaus ans Telefon ging, Nachrichten entgegennahm und Zettel hinterließ. Sie war unentbehrlich. Ein Gefühl, das sie nicht oft in ihrem Leben genossen hatte.

Deshalb erlitt sie eine Art Schock, als sie an jenem Donnerstag morgen nach ihrer Rückkehr aus Portree die Küchentür aufschloß. Es war ein schöner Tag, und sie war in der kalten Sonne den Berg hinaufgestiegen, erfüllt von grimmigem Genuß beim Gedanken an das Chaos, das sie vorfinden würde. Schließlich war sie vier Tage fort gewesen, und alle Welt wußte, daß Dr. Kyle zwei linke Hände hatte, wenn es darum ging, für sich selbst zu sorgen.

Statt dessen fand sie Sauberkeit und Ordnung vor: einen makellosen Boden, ein poliertes Spülbecken, sauber über dem Herd aufgereihte Töpfe und so gut wie kein schmutziges Geschirr.

Es war ein schwerer Schlag. Allmählich begriff sie, was geschehen sein mußte. Er hatte einen Ersatz für sie gefunden. Er hatte eine andere in ihre, Jessies Küche gelassen. Sie überlegte, wer es gewesen sein mochte, ging im Kopf die Frauen von Tarbole durch. Mrs. Murdoch? Beim bloßen Gedanken wurde ihr eiskalt. Falls es Mrs. Murdoch gewesen war, wußte jetzt die ganze Stadt, daß Jessie abgesetzt worden war. Alle würden über sie reden, vielleicht hinter ihrem Rücken über sie lachen. Bei dem bloßen Gedanken daran war sie einer Ohnmacht nahe.

Vertraute Geräusche aus dem oberen Stockwerk beruhigten sie ein wenig. Der Doktor war aufgestanden und zog sich an. Sie hörte, wie er im Schlafzimmer auf und ab ging. Stumm stand sie da und schaute an die Decke. Er ist dort oben, und ich bin hier, dachte sie. Und hier bleibe ich auch. Wer die Macht hatte, war im Recht. (Oder so ähnlich; Jessie wußte es nicht genau.) Sie wußte nur eins: Wenn sie dieses Haus verlassen sollte, mußte man sie mit Gewalt entfernen. Kein hochnäsiges Frauenzimmer aus Tarbole würde ihr diese Stellung wegschnappen.

Entschlossen zog sie den Mantel aus, hängte ihn hinter die Tür und füllte den Kessel. Als Dr. Kyle nach unten kam, wartete sein Frühstück auf ihn. Sie hatte ein sauberes Tischtuch gefunden. Der Speck war so gebraten, wie er es mochte, und die Eier waren durch, ohne häßliche Schlieren obenauf.

Er war an der Haustür stehengeblieben, um seine Post einzusammeln. Jetzt, als er den Flur entlangkam, rief er: «Jessie!»

Sie erwiderte mit fröhlicher Stimme: «Guten Morgen, Herr Doktor!» und drehte sich zur Begrüßung um, als er hereinkam.

Es war ein bißchen enttäuschend, daß er so munter und zufrieden mit sich aussah, aber wenigstens hatte er nicht die Armesündermiene eines Mannes aufgesetzt, der seine Haushälterin hinauswerfen will.

«Wie geht es Ihnen, Jessie? Wie war es?»

«Oh, halb so schlimm, Herr Doktor.»

«Wie geht es Ihrer Mutter?»

«Sie hat starke Lebensgeister, Herr Doktor. Sie hat sich wie durch ein Wunder erholt.»

«Bestens, das freut mich.» Er setzte sich an den Tisch und griff nach einem Messer, um den ersten Brief aufzuschlitzen. Ein schmaler weißer Umschlag mit maschinegeschriebener Adresse, in Glasgow abgestempelt. Jessie nahm sich die Zeit, das festzustellen, während sie den Speck und die Eier schwungvoll auf den Tisch stellte.

Sie goß ihm den Tee ein und stellte ihn ebenfalls auf den Tisch. Die Tasse dampfte einladend, der Toast war knusprig – es war ein herrliches Frühstück. Sie trat zurück und musterte Dr. Kyle. Er las die Seite zu Ende und drehte sie dann um. Jessie bemerkte eine schwungvolle Unterschrift.

Sie räusperte sich. «Und wie sind Sie zurechtgekommen, Herr Doktor?»

«Hm?» Er schaute auf, aber er hatte sie nicht gehört. Sie kam zu dem Schluß, der Brief müsse wichtig sein.

«Ich habe gesagt: Wie sind Sie zurechtgekommen, als ich fort war?»

Er schenkte ihr ein seltenes Lächeln. Sie hatte ihn seit Jahren nicht so gutgelaunt gesehen.

«Sie haben mir gefehlt, Jessie, wie einem Sohn die Mutter.»

«Machen Sie halblang.»

«Nein, es ist wahr. Die Küche war eine Müllhalde.» Er sah den Speck mit den Eiern. «Na, das sieht aber gut aus.» Er legte den Brief weg und fing zu essen an, wie ein Mann, der seit Wochen keine anständige Mahlzeit mehr bekommen hat; so kam es ihr jedenfalls vor.

«Aber ... jetzt sieht sie nicht mehr wie eine Müllhalde aus.»

«Nein, ich weiß. Eine gute Fee ist gekommen und hat für mich saubergemacht, und danach hat die Sprechstundenhilfe nach dem Rechten gesehen.»

Die Sprechstundenhilfe störte Jessie nicht. Die Sprechstundenhilfe organisierte die Praxis. Sie gehörte sozusagen zur Familie. Keine Außenstehende. Aber die gute Fee? Falls es diese aufdringliche Murdoch gewesen war ... Sie mußte es wissen.

«Und wer mag wohl die gute Fee gewesen sein, wenn ich fragen darf?»

«Natürlich dürfen Sie fragen. Es war Antony Armstrongs Verlobte. Sie ist in Fernrigg zu Besuch. Eines Nachmittags kam sie vorbei, und schon war alles sauber.»

Antony Armstrongs Verlobte. Erleichterung durchströmte Jessie. Es war nicht Mrs. Murdoch gewesen. Jessies Ruf war also in Sicherheit, ihre Stellung unangefochten, ihr Arbeitsplatz sicher.

Ihr Arbeitsplatz. Was machte sie denn, stand hier herum und vergeudete Zeit, wo sie sich doch um das ganze Haus kümmern mußte? Mit einer Begeisterung, die sie seit Jahren nicht an den Tag gelegt hatte, sammelte sie Kehrschaufel, Staublappen, Bürste und Besen ein, und als Hugh zu seiner Morgenrunde aufbrach, war sie schon auf halber Höhe der Treppe, auf den Knien, und attackierte polternd Staub und

Spinnweben. Der Geruch nach frischer Politur hing in der Luft, und Jessie sang.

«Ich weiß, daß wir uns wiedersehn, eines Tages wird's geschehn...»

An der Haustür blieb er stehen. «Jessie, falls jemand anruft, sagen Sie, daß ich um zehn in der Praxis bin. Und falls es dringend ist, bin ich vermutlich in Fernrigg zu erreichen. Ich möchte nach Mrs. Armstrong sehen.» Er machte die Tür auf, dann zögerte er und drehte sich um. «Und, Jessie, es ist ein herrlicher Morgen. Ziehen Sie alle Jalousien hoch, machen Sie die Fenster auf und lassen Sie die Sonne herein.»

Unter normalen Umständen hätte sich Jessie derart ausgefallenen Ideen hitzig widersetzt. Aber an diesem Morgen sagte sie nur: «Wird gemacht.» Sie wandte sich dabei nicht einmal von ihrer Arbeit ab, und das letzte, was er von ihr sah, waren ihr runder, beschürzter Rumpf, ein Paar straff sitzende Nylonstrümpfe und die Beine ihres apfelgrünen knielangen Strickschlüpfers.

Er öffnete die Tür und sagte: «Guten Morgen.»

Tuppy war noch beim Frühstück. Sie schaute über die Brille weg zu ihm auf, weil sie nebenher ihre Post gelesen hatte. «Hugh!»

Er kam herein und schloß die Tür. «Und es ist ein vollkommener Morgen. Man hat einen Blick bis ans Ende der Welt.»

Tuppy sagte nichts dazu. Es verdroß sie, mit dem Frühstückstablett auf dem Schoß im ungemachten Bett ertappt zu werden, auch wenn es Hugh war. Sie nahm die Brille ab und musterte ihn mißtrauisch und meinte, eine gewisse Selbstzufriedenheit an ihm zu entdecken.

«Was machst du denn um diese Tageszeit hier?»

«Ich habe heute morgen einen frühen Praxistermin, deshalb habe ich gedacht, ich mache vorher ein paar Besuche, und dazu gehören Sie.»

«Du bist viel zu früh dran, ich weiß nicht, wo die Schwester steckt, und ich bin nicht auf dich vorbereitet.»

«Die Schwester ist auf dem Weg nach oben. Sie wird gleich kommen.»

«Und du», sagte sie, «siehst aus wie ein Kater, der Sahne genascht hat.»

Er trat an seinen üblichen Platz, lehnte sich auf das Fußteil des Bettes. «Jessie McKenzie ist aus Portree zurückgekommen. Musik liegt in der Luft, und das Haus wird gründlich geputzt. Bis auf die letzte Wollmaus.»

«Das ist sehr befriedigend, aber es erklärt nicht, warum du so selbstgefällig aussiehst.»

«Nein, nicht ganz. Ich muß Ihnen etwas sagen.»

«Etwas, was ich gerne höre?»

«Das hoffe ich.» Wie es seine Art war, kam er ohne Umschweife zur Sache. «Heute morgen habe ich einen Brief von einem jungen Mann namens David Stephenson bekommen. Er hat vor drei Jahren in Edinburgh seinen Abschluß gemacht, und seitdem arbeitet er im Victoria Hospital in Glasgow. Er hat glänzende Zeugnisse und ist mir wärmstens empfohlen worden. Er ist um die Dreißig, hat eine junge Frau, die früher Krankenschwester war, und zwei kleine Kinder. Sie haben das Großstadtleben satt und möchten gern nach Tarbole kommen.»

«Ein Partner?»

«Ein Partner.»

Tuppy stellte fest, daß sie sprachlos war. Sie lehnte sich in die Kissen zurück, schloß die Augen, zählte bis zehn und öffnete sie dann wieder. Er wartete auf ihren Kommentar. «Sie sollten es vor allen anderen erfahren», sagte er. «Was halten Sie davon?»

«Daß du ohne jeden Zweifel der enervierendste Mann bist, den ich je gekannt habe.»

«Ich weiß. Enervierend. Weil ich es Ihnen nicht früher gesagt habe.»

«Da haben wir alle die ganze Zeit versucht, dich dazu zu bewegen, daß du dir einen Partner nimmst. Und du bist dem Thema dauernd nur ausgewichen und hast es wie ein Vollidiot vor dir hergeschoben.»

Er kannte sie gut. «Aber es freut Sie?»

«Natürlich freut es mich», sagte sie wütend. «Nichts, was du tust, hätte mich mehr freuen können. Aber ich hätte gern gewußt, was du im Ärmel hast. Statt dauernd auf dich einzureden, hätte ich mir die Aufregung sparen und ruhig abwarten können.»

«Tuppy, manchmal vergessen Sie, daß ich nicht mehr in Jasons Alter bin.»

«Was heißen soll, du bist bestens in der Lage, dir einen Partner zu suchen, ohne daß sich eine so wichtigtuerische alte Schachtel wie ich einmischt.»

«Das habe ich nicht gesagt.»

«Nein, aber gemeint hast du es.» Aber sie brachte es nicht fertig, weiter entrüstet zu tun. Ihre Freude war viel zu groß. Jetzt erlaubte sie sich ein Lächeln. «Dann kannst du ein bißchen kürzertreten», sagte sie. «Dir Zeit nehmen für die Dinge, an denen du Freude hast.»

«Es ist noch nicht abgemacht. Er besucht mich nächsten Mittwoch, schaut sich hier um, macht sich ein Bild.»

Tuppy ging zum Praktischen über. «Wo werden sie wohnen?»

«Das ist eins der Probleme. Es fehlt an einem Haus.»

Das war das Stichwort für Tuppy. «Wir müssen uns alle umschauen, herumfragen, vielleicht finden wir etwas.»

«Fragen Sie aber erst herum, wenn es abgemacht ist. Bis dahin ist es streng geheim.»

«In Ordnung, ich sage kein Sterbenswörtchen. Dr. Stephenson.» Sie sagte den Namen laut, und er klang gut und verläßlich. «Dr. Kyles Partner. Wer hätte das gedacht.»

Nachdem er die Neuigkeit berichtet hatte, ging Hugh zum praktischen Teil über. «Wie fühlen Sie sich heute morgen?»

«Besser als gestern, aber nicht so gut, wie ich mich morgen fühlen werde. Ich werde unruhig, Hugh. Ich warne dich, ich bleibe nicht mehr lange hier liegen wie ein altes Wrack.»

«Vielleicht können Sie nächste Woche ein paar Stunden aufstehen.»

«Und Rose? Wie geht es der armen kleinen Rose?»

«Ich habe die arme kleine Rose noch nicht gesehen.»

«Du mußt unbedingt zu ihr und dich vergewissern, daß sie wieder gesund ist. Wirklich, diese üblen Austern. Die Leute sollten besser aufpassen. Es würde uns allen den morgigen Abend verderben, wenn sie nicht dabeisein könnte. Wir geben den Ball doch nur, damit alle Rose kennenlernen können.»

Während sie sprach, war er vom Bett zum Fenster gegangen, als könne er der Verlockung eines strahlenden Morgens nicht widerstehen. Tuppy beobachtete ihn, fragte sich, ob er auch nur ein Wort von dem, was sie sagte, mitbekam, und hatte das Gefühl, schon einmal eine ähnliche Situation erlebt zu haben.

«Weißt du», sagte sie, «an dem Tag, an dem ich mich so schlecht fühlte, hast du auch dort gestanden, am Fenster, und da habe ich dir gesagt, daß ich Antony und Rose sehen möchte. Und du hast dafür gesorgt. Du und natürlich die liebe Isobel. Ich bin dir sehr dankbar, Hugh. Es hat sich alles zum Guten gewendet. Ich bin wirklich ein glücklicher Mensch.»

Er wandte sich vom Fenster ab, aber ehe er etwas erwidern konnte, klopfte es an Tuppys Tür. In der Annahme, es sei die Schwester, die das Frühstückstablett holen wolle, rief Tuppy: «Herein.»

Die Tür ging auf, und Rose trat ein. Ihr erster Blick fiel auf Hugh, eingerahmt vom Fenster. Sie zögerte den Bruchteil einer Sekunde lang, dann drehte sie sich wortlos um und ging wieder hinaus. Tuppy blieb sprachlos zurück, erhaschte nur einen flüchtigen Eindruck von Roses langen Beinen in dunklen Strümpfen und einem wehenden kurzen Faltenrock, der wie ein Kinderkilt wirkte.

Hugh erholte sich schneller als Tuppy vom Schock dieses seltsamen Auftritts.

«Kommen Sie zurück!» rief er Rose nach – nicht besonders freundlich, dachte Tuppy.

Sie warteten. Zögernd tauchte Rose wieder auf, hielt sich am Türknopf fest, als wäre sie schon wieder auf dem Sprung. Sie sieht aus wie fünfzehn, dachte Tuppy. Hugh sah Rose streng an. Es war wirklich eine merkwürdige Situation. Normalerweise, das wußte Tuppy, hätte Roses Sinn für Humor die Oberhand gewonnen, und sie wäre in ein Kichern ausgebrochen, in das Tuppy sofort eingestimmt hätte. Aber jetzt sah Rose aus, als wäre ihr mehr zum Weinen als zum Lachen zumute. Tuppy hoffte, sie würde nicht in Tränen ausbrechen.

Das unbehagliche Schweigen zog sich in die Länge. Schließlich sagte Hugh: «Wer hat Ihnen erlaubt, aufzustehen?»

Rose sah noch unglücklicher aus. «Eigentlich niemand.»

«Hat Ihnen die Schwester nicht gesagt, daß Sie im Bett bleiben sollen?»

«Doch. Sie kann nichts dafür.»

«Und warum sind Sie dann aufgestanden?»

«Ich wollte Tuppy besuchen. Mir war nicht klar, daß Sie hier sind.»

«Das haben wir gemerkt.»

Tuppy hielt es nicht länger aus. «Hugh, hör auf damit, auf Rose herumzuhacken. Sie ist kein Baby. Sie kann aufstehen, wenn sie will. Rose, komm her, nimm mir das Tablett ab, und dann laß dich anschauen.»

Rose, dankbar für den Beistand, schloß die Tür, nahm das Tablett und stellte es auf den Boden. Tuppy griff nach ihren Händen und zog sie neben sich aufs Bett.

«Himmel, bist du mager! Du hast Handgelenke wie dürre Zweige. Du mußt ja Schlimmes durchgemacht haben.» Jetzt war ihr nicht mehr wohl dabei, daß Rose aufgestanden war; das Mädchen sah wirklich furchtbar aus. «Vielleicht gehörst du wirklich noch ins Bett. Und du mußt morgen bei der Party doch auf dem Damm sein. Denk bloß an die ganzen vergeudeten Vorbereitungen, wenn du nicht dabei bist.» Sie lächelte. «Wenigstens hast du nicht allzuviel Arbeit mit den Blumen, denn Anna bringt jede Menge Topfpflanzen aus ihrem Treibhaus. Sie packt den ganzen Landrover damit voll, das gute Kind. Und ich habe gedacht, vielleicht ein paar große Zweige mit Buchenlaub, die sehen immer so…»

Ihre Stimme erstarb. Rose reagierte nicht. Sie saß nur da, schaute zu Boden, das Gesicht ziemlich unansehnlich, Haut und Knochen ohne einen Hauch Make-up. Ihr Haar hatte den Glanz verloren, und ihre normalerweise gutgelaunte Miene wirkte traurig, was Tuppy einen Stich der Angst versetzte. Sie dachte an die junge Rose von vor fünf Jahren, wie sie von Zeit zu Zeit geschmollt hatte, anscheinend völlig grundlos. Damals hatte Tuppy das ignoriert, sich gesagt, daß alle Siebzehnjährigen zum Schmollen neigen. Aber sie hatte nicht damit gerechnet, diesen jämmerlichen Ausdruck je wieder auf Roses Gesicht zu entdecken.

Du meine Güte, ich hoffe nur für Antony, sie ist nicht launisch, dachte Tuppy. In Tuppys Kodex waren Launen eine unverzeihliche Sünde, die schlimmste Form, sich gehenzulassen.

Ihre Gedanken überschlugen sich, während sie nach einem Grund für Roses Trauermiene suchte. Natürlich, sie war krank gewesen, aber… hatte sie sich mit Antony gestritten? Aber Antony war nicht hier. Vielleicht mit Isobel? Ausgeschlossen. Isobel hatte sich ihr Leben lang noch nie mit jemandem gestritten.

«Rose.» Sie wurde etwas ungeduldig. «Rose, mein liebes Kind, was ist denn?»

Ehe Rose irgend etwas erwidern konnte, antwortete Hugh für sie. «Dem lieben Kind fehlt gar nichts, außer daß es eine

Lebensmittelvergiftung hatte und zu früh aufgestanden ist.» Beim Klang seiner Stimme schien Rose sich etwas zusammenzureißen. Tuppy war ihm wie immer dankbar, daß er die Regie übernahm.

«Wie fühlen Sie sich jetzt?» fragte er Rose. «Wahrheitsgemäß.»

«Ganz gut. Bloß etwas wacklig in den Knien.»

«Haben Sie gefrühstückt?»

«Ja.»

«Und es ist Ihnen nicht wieder schlecht geworden?»

Rose machte ein verlegenes Gesicht. «Nein.»

«Wenn das so ist, gehen Sie am besten ein bißchen ins Freie, an die frische Luft.» Rose wirkte wenig begeistert. «Jetzt. Solange die Sonne scheint.»

Tuppy tätschelte Rose ermunternd die Hand. «Hörst du? Warum machst du das nicht? Es ist so ein schöner Morgen. Es wird dir guttun.»

«Na gut.» Rose stand widerstrebend vom Bett auf und ging zur Tür, doch bevor sie aus dem Zimmer ging, meldeten sich Tuppys hausfrauliche Instinkte: «Rose, Liebes, wenn du schon hinuntergehst, nimm doch mein Tablett mit, dann ersparst du der Schwester einen Weg. Und falls du die Schwester siehst, sag ihr, sie soll heraufkommen. Und», fügte sie hinzu, als sich Rose, mit dem Tablett beladen, durch die Tür manövrierte, «wenn du hinausgehst, sprich vorher mit Mrs. Watty. Vielleicht möchte sie, daß du Bohnen pflückst.»

Was den Haushalt betraf, schien Tuppy einen sechsten Sinn zu haben. Mrs. Watty war in der Tat der Meinung, sie könne Bohnen brauchen, und holte einen Riesenkorb, den Flora füllen sollte.

«Weiß die Schwester, daß Sie auf den Beinen sind?»

«Ja. Ich bin ihr eben begegnet. Sie macht ein Gesicht wie sieben Tage Regenwetter.»

«Gehen Sie ihr lieber aus dem Weg.»

«Mach ich.»

Flora ging mit dem Korb in die Halle zurück. Sie hatte keine Lust, Bohnen zu pflücken. Eigentlich wollte sie überhaupt nicht an die frische Luft. Sie hatte vorgehabt, es sich auf Tuppys Bett bequem zu machen und sich aufheitern zu lassen, aber diese Pläne hatte Hugh zunichte gemacht. Wie hätte Flora wissen können, daß er um neun Uhr morgens schon mit den Hausbesuchen anfing?

Es war ihr zu lästig, nach oben zu gehen, um ihren Mantel zu holen, deshalb nahm sie sich einen der alten Mäntel, die in der Garderobe hingen. Es war ein weiter Tweedmantel mit Kaninchenfutter, und sie knöpfte ihn eben zu, als Hugh die Treppe herunterkam, eine Hand in der Hosentasche.

«Ich habe mit der Schwester gesprochen», sagte er zu ihr, «und sie hat sich in das Unvermeidliche gefügt. Wollen Sie ins Freie?»

«Ja. Um Bohnen zu pflücken», sagte sie resigniert.

Er grinste, streckte die Hand aus, um ihr die Tür aufzuhalten. Sie ging vor ihm hinaus. Die Sonne blendete. Durch die Bäume schimmerten die Gewässer von Fhada so strahlend wie saphirblaue Seide. Die Luft war wie Wein, der Himmel voll von kreisenden Möwen.

Hugh schaute nach oben. «Sie fliegen landeinwärts. Das bedeutet stürmisches Wetter.»

«Heute?»

«Oder morgen.» Sie gingen Seite an Seite die Treppe hinunter. «Es ist gut, daß morgen abend keine Markise aufgespannt wird, die würde sonst bestimmt in einem Baumwipfel enden.»

Sie kamen auf den Schotter. Flora blieb stehen. «Hugh.»

Er hielt inne, schaute sie an.

Jetzt. Sag es jetzt.

«Was ich neulich gesagt habe, tut mir furchtbar leid. Ich meine, das mit Ihrer Frau. Ich hatte kein Recht, so etwas Grauenhaftes zu sagen. Es war unverzeihlich. Ich... ich erwarte nicht, daß Sie es vergessen, aber Sie sollen wissen, daß es mir leid tut.»

Es war gesagt. Es war geschafft. Vor Erleichterung fühlte sich Flora beinahe wieder den Tränen nahe. Aber Hugh schien von Floras Selbstbezichtigung nicht halb so beeindruckt zu sein wie sie.

«Vielleicht sollte ich mich auch entschuldigen», sagte er. «Aber meine Entschuldigung muß leider warten.»

Sie runzelte verständnislos die Stirn, doch er dachte nicht daran, es ihr zu erklären. «Machen Sie sich darüber keine Gedanken. Passen Sie gut auf sich auf. Und pflücken Sie nicht zuviel Bohnen.» Er ging weg, dann fiel ihm etwas ein. «Wann kommt Antony?»

«Morgen nachmittag.»

«Gut. Bis morgen abend.»

«Sie kommen zum Fest?»

«Wenn ich kann. Wollen Sie, daß ich komme?»

«Ja», sagte sie spontan, fügte dann aber hinzu: «Ich kenne nur drei Leute, und wenn Sie nicht kommen, kenne ich nur zwei.»

Er machte ein amüsiertes Gesicht. «Sie kommen schon zurecht», sagte er. Und mit diesem dürftigen Trost stieg er in sein Auto und fuhr davon, durch das Tor und außer Sichtweite. Flora schaute ihm nach, immer noch elend, kaum getröstet und jetzt auch noch verwirrt. *Meine Entschuldigung muß warten.* Wofür wollte er sich entschuldigen? Und warum mußte das warten? Sie überlegte einen Moment lang angestrengt, doch weil geistige Anstrengung sie immer noch überforderte, gab sie es schließlich auf und ging in den Gemüsegarten.

Es war Freitag.

Isobel wachte auf und lauschte dem Regen. Gestern hatte es den ganzen Nachmittag lang geregnet und den größten Teil der Nacht auch. Von Zeit zu Zeit war sie wach geworden, aus dem Schlaf gerissen von Windböen und Regentropfen, die wie Kiesel gegen ihre Fensterscheibe schlugen. Sie wurde verfolgt von Visionen nasser Fußabdrücke, die sich durch das Haus zogen, während Watty ein und aus ging, der Partyservice die Kisten mit Porzellan und Glas auslud und Gläser, Buchenzweige und große, tropfende torfgefüllte Töpfe mit den Pelargonien aus Ardmore hin und her getragen wurden.

Um sieben Uhr morgens schien der Regen aufgehört zu haben. Isobel stieg aus dem Bett (wenn sie sich wieder hinlegte, würde alles vorbei sein), ging ans Fenster, zog die Vorhänge auf und sah dichtes Perlgrau – Nebel, der über dem Meer lag – und einen Hauch wäßriges Rosa von den ersten dünnen Strahlen der Morgensonne. Die Inseln waren verschwunden, und das stille Wasser schlug kaum gegen die Felsen unterhalb des Gartens.

Es regnete immer noch leicht, aber der Wind hatte sich gelegt. Isobel fühlte einen tiefen Widerwillen gegen diesen Tag, der vermutlich erst in zwanzig Stunden zu Ende sein würde. Nun, nach dem Frühstückskaffee würde sie sich schon stärker fühlen. Und heute nachmittag kam Antony aus Edinburgh. Der Gedanke, daß Antony kam, heiterte sie auf. Sie ließ sich das morgendliche Bad einlaufen.

Jason wollte nicht in die Schule. «Ich will hierbleiben und helfen. Wenn ich auf das Fest kommen muß, sehe ich nicht ein, warum ich nicht hierbleiben und helfen darf.»

«Du mußt nicht auf das Fest kommen», erklärte Tante Isobel ihm ruhig. «Niemand zwingt dich, auf das Fest zu kommen.»

«Du könntest Mr. Fraser einen Brief schreiben, in dem steht, daß ich zu Hause gebraucht werde. Das machen die anderen Mütter alle.»

«Ja, das könnte ich tun, aber ich mache es nicht. Iß jetzt dein Ei auf.»

Jason verfiel in Schweigen. Er war sich unsicher, was den

Ball betraf, weil er den Kilt und das Wams tragen sollte, die sein Großvater in Jasons Alter getragen hatte. Der Kilt war in Ordnung, aber das Wams war aus Samt, und Jason hielt es für weibisch. Er hatte nicht vor, seinem Freund Doogie Miller etwas über das Wams zu erzählen. Doogie Miller war ein Jahr älter als Jason und einen Kopf größer. Sein Vater hatte ein eigenes Boot, und wenn er alt genug war, wollte ihn Doogie als Bootsmann mitnehmen. Doogies gute Meinung war Jason sehr wichtig.

Er aß das Ei auf, trank die Milch aus, schaute Tante Isobel über den Tisch weg an und beschloß, es ein letztes Mal zu versuchen, denn er war nicht der Typ, der sich leicht abfertigen ließ.

«Ich könnte Sachen für dich tragen. Ich könnte Watty helfen.»

Isobel langte über den Tisch und zerzauste sein Haar. «Ja, ich weiß, daß du das könntest, und du würdest es großartig machen, aber du mußt in die Schule. Und Antony kommt heute nachmittag zurück, also kann er Watty helfen.»

Jason riß die Augen auf. «Antony kommt heute nachmittag zurück?» Tante Isobel nickte. Jason sagte nichts mehr, aber er seufzte glücklich. Seine Tante lächelte ihn liebevoll an. Sie konnte nicht ahnen, daß Jason Antonys Ankunft aus einem ganz bestimmten Grund entgegenfieberte: Die Pfeile, die er am letzten Wochenende gemacht hatte, mußten mit Federn versehen werden.

Am Vormittag bog Anna Stoddart mit dem Landrover aus Ardmore ins Tor von Fernrigg ein, holperte über die Schlaglöcher in der Einfahrt (wann würde endlich jemand die Löcher zuschütten?) und hielt auf dem Schotter, neben einem blauen Lieferwagen, den sie als Eigentum von Mr. Anderson vom Bahnhofshotel in Tarbole erkannte. Die Haustür stand offen. Anna stieg aus dem Landrover und ging, die Hände in den Taschen der Schaffelljacke, die Treppe hinauf.

Die Möbel und Teppiche waren schon aus der Halle verschwunden; alle Möbelstücke, die zu schwer zum Transportieren waren, standen an den Wänden. Mrs. Watty schob einen altmodischen Bohner vor sich her, der einen Lärm machte wie ein Düsenmotor, und war damit beschäftigt, das Parkett auf Hochglanz zu bringen. Isobel kam mit einem Stapel sauberer weißer Tischwäsche die Treppe herunter, und Watty ging mit riesigen Körben voller Scheite, die am offenen Kamin gestapelt werden sollten, den Flur zur Küche entlang. Alle begrüßten sie mit einem Lächeln oder Nicken und gingen weiter. Isobel sagte über den Wäschestapel weg: «Anna, wie reizend, daß du da bist», doch es klang geistesabwesend, und als sie den Fuß der Treppe erreicht hatte, blieb sie nicht stehen, sondern ging geradeaus weiter, Richtung Eßzimmer. Anna, die nicht wußte, was sie sonst tun sollte, ging ihr nach.

Der große Tisch war an die Wand gerückt und schon mit roten Filzstücken überzogen worden. Darauf ließ Isobel jetzt ihre Last fallen. «Himmel, sind die schwer. Gott sei Dank benutzen wir sie nicht jeden Tag.»

«Aber, Isobel, du hast schon soviel gemacht. Ihr müßt alle völlig überarbeitet sein.»

«Ja, ich nehme an, das sind wir...» Isobel nahm das oberste Tischtuch und schüttelte es mit einer fachmännischen Bewegung der langen, schmalen Handgelenke aus den Falten. «Hast du die Topfpflanzen dabei?»

«Ja, der ganze Landrover ist vollgepackt, aber ich brauche jemanden, der mir beim Tragen hilft.»

«Watty kann dir helfen.» Isobel strich die Falten des Tischtuchs glatt, dann ließ sie es liegen und machte sich auf die Suche nach Watty. «Watty! Mrs. Watty, wo ist Watty?»

«Er muß irgendwo in der Nähe sein.» Mrs. Watty hob die Stimme über den Lärm des Bohners weg, hatte aber offensichtlich nicht vor, ihn abzuschalten oder sich auf die Suche nach ihrem Mann zu machen.

«Watty! Oh, da sind Sie ja. Können Sie Mrs. Stoddart helfen, den Landrover auszuräumen? Ach, Sie kümmern sich um das Brennholz, das hatte ich ganz vergessen. Gut, wo ist Rose? Mrs. Watty, wo ist Rose?»

«Ich habe keine Ahnung.» Mrs. Watty steuerte den Bohner in einen dunklen Winkel hinter den Vorhängen.

«Oh.» Isobel schob sich das Haar aus dem Gesicht. Sie wurde nervös, und das war auch kein Wunder, dachte Anna. «Ich werde Rose schon finden», sagte sie zu Isobel. «Keine Sorge. Mach du nur mit den Tischtüchern weiter.»

«Vermutlich ist sie im Wohnzimmer. Watty hat Buchenzweige gebracht, und Rose hat gesagt, sie arrangiert sie, aber sie klang nicht besonders zuversichtlich. Vielleicht könntest du ihr helfen.»

Mr. Anderson vom Bahnhofshotel in Tarbole, der sich in seiner neuen Rolle als Caterer wichtig fühlte, kam jetzt aus der Küche und fragte Miss Armstrong, ob sie einen Augenblick Zeit habe. Isobel wandte sich wieder den Tischtüchern zu, überlegte es sich anders und ging hinter Mr. Anderson her, dann fiel ihr Anna wieder ein.

«Tut mir leid, ich muß gehen. Kommst du zurecht?»

«Keine Sorge», sagte Anna. «Ich werde Rose schon finden.»

Es war immer so. Anna erinnerte sich seit ihrer Kindheit an die Feste in Fernrigg, und sie folgten immer demselben Muster. Drinks und Sitzgelegenheiten im Wohnzimmer, Abendessen im Eßzimmer, Tanz in der Halle. Brian sagte, er finde Tuppys Feste langweilig. Er beschwerte sich, es seien immer dieselben Leute in denselben Kleidern mit derselben Konversation. Aber Anna mochte es so. Es gefiel ihr nicht, wenn sich etwas veränderte.

Selbst die Vorbereitungen, das scheinbare Chaos, erfüllten sie mit Befriedigung, denn sie wußte, um acht würde alles wie immer sein, bereit für die Ankunft der Gäste, nichts übersehen, keine Einzelheit vergessen. Nur würde es heute abend nicht ganz dasselbe sein, weil Tuppy nicht dabei war. Aber anwesend war sie trotzdem, sagte sich Anna, auch wenn sie nicht in ihrem altmodischen blauen Samtkleid, mit dem Familienschmuck behangen, am Fuß der Treppe stehen konnte. Sie würde oben sein, der Musik lauschen, vielleicht einen Schluck Champagner trinken, sich erinnern...

Mrs. Watty näherte sich mit ihrem Gerät. «Würde es Ihnen etwas ausmachen, sich woanders hinzustellen, Mrs. Stoddart? Ich möchte diese Stelle bohnern.» Anna entschuldigte sich, machte Platz und suchte nach Rose.

Sie fand sie im Wohnzimmer, wo sie neben dem Flügel auf dem Boden kniete und versuchte, die langen Buchenzweige auseinanderzusortieren, die sie auf ein altes Laken gelegt hatte. Neben ihr stand eine riesige Vase mit einem Rosenmuster, und vor ihr lagen ein paar Stücke Draht. Als Anna eintrat, blickte sie auf. Ihre Miene war verzweifelt.

«Hallo», sagte Anna.

«Anna, Gott sei Dank, daß Sie da sind. Alle scheinen es für selbstverständlich zu halten, daß ich die herrlichsten Arrangements mache, und sie wollen mir nicht glauben, daß ich nicht einmal sechs Narzissen in einen Krug stellen kann, ohne daß sie die Köpfe hängen lassen.»

Anna zog den Mantel aus, legte ihn auf den Stuhl und kam ihr zu Hilfe. «Sie müssen die Zweige verschieden lang abschneiden, sonst stehen sie in die Höhe wie Besen. Wo ist die Schere? Schauen Sie, so. Und dann...»

Rose schaute bewundernd zu, wie das Arrangement Gestalt annahm. «Sie sind klug. Wie kommt es, daß Sie so klug sind? Woher wissen Sie, wie das geht? Hat Ihnen das jemand beigebracht?»

Anna genoß das Lob. «Nein, eigentlich hat es mir niemand beigebracht. Ich mache es einfach gern, vielleicht kann ich es deshalb recht gut. Sind keine Chrysanthemen da, die wir dazustecken können? Die Zweige könnten ein bißchen Farbe vertragen.»

«Isobel hat Watty gebeten, welche zu holen, aber sie hat ihm noch ein Dutzend andere Sachen aufgetragen, und der arme Mann weiß gar nicht mehr, wo ihm der Kopf steht.»

«Das ist immer so», erklärte Anna. «Es wirkt schlecht organisiert, aber am Schluß stimmt dann doch alles. Und wir können später ein paar Zweige mit Beeren oder so holen. Wo soll diese Vase hin?»

«Auf den Flügel, hat Isobel gedacht.»

Rose bückte sich, um die Vase hochzuheben, und stellte sie an ihren Platz. Anna schaute ihr voller Bewunderung zu. Sie sah die langen, schlanken Beine, die schmale Taille, das glänzende dunkle Haar, ungekünstelt und lässig. Anna hatte sich immer danach gesehnt, genauso auszusehen, und trotzdem empfand sie keinen Neid. Gehörte das zu den angenehmeren Symptomen der Schwangerschaft, oder lag es daran, daß sie Rose so gern mochte?

Sie hätte nie geglaubt, sie könnte Rose mögen. Früher, als Rose jünger gewesen war und Brian sie und ihre Mutter auf einen Drink in den Jachtclub mitbrachte, hatte Rose sie so eingeschüchtert, daß sie wie gelähmt gewesen war und sogar ein wenig Angst vor ihrem abschätzigen Blick und ihren gedankenlosen, unhöflichen Bemerkungen gehabt hatte.

Aber Rose hatte sich geändert. Vielleicht, dachte Anna, hat es etwas mit Antony zu tun. Sie wußte das nicht genau; sie wußte nur, daß Rose ein anderer Mensch geworden war. Es hatte Anna nicht einmal etwas ausgemacht, daß Brian sie zum Essen eingeladen hatte. Anna kam sich sogar auf angenehme Weise weltläufig vor, weil sie mit dem Bewußtsein zum Einkaufen fuhr, ihr Mann werde in ihrer Abwesenheit charmant unterhalten. Das war wirklicher Stil – etwas, wonach sich Anna ihr ganzes Eheleben lang gesehnt hatte.

Vielleicht wurde sie endlich doch noch erwachsen. Vielleicht lernte sie allmählich, sich mit Tatsachen abzufinden.

«Was halten Sie davon?» fragte Rose und trat vom Flügel zurück.

Anna, die immer noch am Boden kauerte, sagte: «Das ist genau richtig. Rose, ich möchte Ihnen etwas sagen – Brian hat den Abend mit Ihnen so genossen, und das mit der Auster hat ihm furchtbar leid getan. Er hatte eine richtige Wut, hat im Fishers' Arms angerufen und dem Geschäftsführer kräftig eingeheizt.»

«Er konnte ja nichts dafür.» Rose kniete sich neben sie, beschäftigt mit abgebrochenen Zweigen und feuchten Laubfetzen. Ihr Haar fiel vornüber, und Anna konnte ihr Gesicht nicht sehen. «Und ich habe mich noch gar nicht für die Azalee bedankt. Das wäre doch nicht nötig gewesen.»

«Das war selbstverständlich. Ich habe mich in gewisser Weise verantwortlich gefühlt.»

«Wie geht es Brian?»

«Bestens.» Anna korrigierte sich. «Natürlich bis auf sein Auge.»

«Sein Auge?»

«Ja, der arme Mann, er ist gegen eine Tür gerannt. Ich weiß nicht, wie das passiert ist, aber es muß ein fürchterlicher Schlag gewesen sein, und er hat ein richtiges Veilchen.» Sie lächelte, weil Brian komisch ausgesehen hatte, wie ein Schauspieler in einer Farce. «Aber jetzt ist es nicht mehr schlimm und verheilt schnell.»

«Hoffentlich geht es ihm bald besser», sagte Rose. «Meinen Sie, wir sollten die Beeren jetzt holen oder erst die Topfpflanzen hereinbringen?»

«Dabei muß uns Watty helfen.» Anna war etwas schüchtern zumute. «Es ist nämlich so... es weiß noch niemand, aber ich darf nichts Schweres tragen. Hugh hat mir das verboten. Wissen Sie, ich bekomme ein Kind.»

«Wirklich?»

Anna nickte. Es war herrlich, eine Vertraute zu haben, es einer anderen Frau erzählen zu können.

«Ja. Im Frühling.»

«Das freut mich. Und der Frühling ist die beste Zeit, ein

Kind zu bekommen. Wie Lämmer und Kälbchen...» Rose kam offenbar ein bißchen durcheinander. «Ich meine, dann hat man den ganzen Sommer vor sich.»

«Ich habe mich gefragt...» Anna zögerte. Der Gedanke war ihr schon länger durch den Kopf gegangen, aber jetzt war sie sich sicher. «Ich habe mich gefragt, ob Sie vielleicht Patin werden möchten. Ich habe noch nichts zu Brian gesagt, und natürlich muß ich es mit ihm besprechen, aber ich wollte erst Sie fragen. Jedenfalls hätte ich es gern, daß Sie Patin werden. Wenn Sie möchten.» Rose wirkte verblüfft. «Falls Sie möchten», schloß sie schwach.

«Ja, selbstverständlich», sagte Rose. «Liebend gern. Ich fühle mich sehr geschmeichelt. Es ist nur so, ich werde nicht viel hier sein, und...»

«Es spielt keine Rolle, ob Sie hier sind. Irgendwo sind Sie ja. Und man sollte sich als Paten immer gute Freunde aussuchen.» Die Situation wurde zu emotional für Anna. Sie beschloß, Zuflucht zu einem sichereren Thema zu nehmen. «Wenn wir Dahlien hätten, könnten wir ein Sonnenrad binden und auf den Sekretär stellen. Tuppy hat in ihrer Rabatte jede Menge Dahlien. Gehen wir und schneiden sie. Der arme Watty, es wird ihm das Herz brechen.»

Am Nachmittag kam dann alles zum Erliegen. Weil es nirgends mehr Sitzplätze gab, versammelten sie sich in Mrs. Wattys anheimelnder Küche. Die unermüdliche Mrs. Watty buk einen Haufen Hörnchen. Ihr Mann, kurz vor dem Aufbruch, um Jason aus der Schule abzuholen, saß mit einem Gesicht wie ein Leichenbestatter am Küchentisch und trank Tee. (Das Massaker an den Dahlien hatte ihm den Rest gegeben.) Die Schwester bügelte, und Isobel, sichtlich erschöpft, schob sich das Haar aus dem Gesicht und kündigte an, sie werde sich in ihr Zimmer zurückziehen und die Beine hochlegen. Sie wartete auf Kommentare, aber niemand widersprach ihr. Ihr Blick fiel auf Flora.

«Du auch, Rose. Du bist den ganzen Tag lang bienenfleißig gewesen. Geh und ruh dich aus.»

Aber Flora wollte sich nicht ausruhen. Sie hatte plötzlich ein tiefes Bedürfnis, im Freien zu sein, fort vom Haus, allein.

«Ich habe gedacht, ich könnte mit Plummer spazierengehen.»

Isobel strahlte. «Oh, würdest du das tun? Er ist den ganzen Tag lang mit einem so vorwurfsvollen Blick hinter mir hergelaufen, und ich hatte nicht die Energie zu gehen.» Flora schaute auf die Uhr. «Was meinst du, wann wird Antony hiersein?»

«Er kann jetzt jeden Augenblick kommen. Er hat gesagt, er fährt gegen Mittag in Edinburgh ab.» Isobel streckte ihren schlaksigen Körper. «Ich gehe ins Bett, ehe ich umfalle.»

Sie ging. Watty schlürfte lautstark seinen Tee. Flora holte sich einen Mantel.

Sie fand Plummer in der Halle, ganz geknickt, weil sie so ungewohnt aussah. Er haßte Veränderungen, wie er Koffer an der Haustür haßte. Ignoriert und vergessen hatte er in seinem Korb Zuflucht gesucht, der unter die Treppe geräumt worden war.

Als Flora ihn rief, schaute er sie an, verletzt und niedergeschlagen. Als er schließlich begriff, daß sie mit ihm spazierengehen wollte, kannte seine Freude keine Grenzen. Er sprang aus dem Korb, schlitterte über den gebohnerten Boden und schwenkte den alten Schwanz wie einen Pumpenschwengel. Entzückte Laute kamen aus seiner Kehle. Draußen stürzte er los, um etwas zum Tragen zu finden, und kam zu Flora zurückgesprungen, einen Stock im Maul, der so lang war, daß er hinter ihm über den Boden schleifte. Mit dieser Last brachen die beiden auf.

Es war kühl, grau, windstill. Die Sonne war den ganzen Tag lang nicht durchgebrochen, und die Straße war noch feucht vom Regen der letzten Nacht. Sie gingen durch das Tor und schlugen den Weg nach Tarbole hinunter ein. Nach etwa anderthalb Kilometern führte die Straße an die hundert Meter am Wasser entlang. Ein kleiner Strand lag dahinter, den Plummer sofort erkundete. Flora setzte sich auf die niedrige Mauer, um auf Antony zu warten.

Es waren nur wenige Autos unterwegs. Bei jedem, das den Hügel heraufkam, schaute sie hoch, um zu sehen, ob es Antony war. Sie saß eine halbe Stunde dort, und ihr wurde kalt, ehe er endlich auftauchte. Sie erkannte sein Auto sofort, stieg von der Mauer, stellte sich mitten auf die Straße und schwenkte heftig die Arme, damit er anhielt. Er sah sie, bremste und fuhr das Auto an den Straßenrand.

«Flora.» Er stieg aus, und sie umarmten sich. Sie konnte sich nicht daran erinnern, wann sie je so froh und so erleichtert über den Anblick eines Menschen gewesen war.

«Ich habe auf dich gewartet. Ich wollte dich vor allen anderen sehen.»

«Wie lange bist du schon hier?»

«Es kommt mir vor wie eine Ewigkeit, aber es kann nicht besonders lange gewesen sein.»

«Du siehst aus, als ob du frierst. Komm, steig ein.»

Das wollte sie eben tun, als ihr Plummer einfiel, der gerade am äußersten Ende des kleinen Strandes einer offenbar faszinierenden Duftmarke auf der Spur war. Flora rief, aber er nahm keine Notiz von ihr. Antony pfiff, und Plummer spitzte die Ohren. Er drehte sich um, schaute erwartungsvoll in ihre Richtung. Antony pfiff noch einmal, und das gab den Ausschlag. Plummer galoppierte zurück, kletterte geschickt die Felsen hinauf, sprang über die Mauer wie ein Welpe und stürzte sich auf Antony. Es dauerte eine Weile, bis er sich dazu überreden ließ, sich auf den Rücksitz zu setzen, neben einen Koffer, einen Kasten Bier und einen Stapel Schallplatten.

«Wozu die Schallplatten?» fragte Flora, als sie sich neben Antony setzte.

«Für heute abend, wenn die Kapelle eine Pause macht, um

Brötchen zu essen und Whisky zu trinken. Das Fest bricht zusammen, wenn die Musik aufhört, und Tuppys Platten sind alle vorsintflutlich, deshalb habe ich ein paar von meinen mitgebracht. Aber das Wichtigste zuerst...» Er wandte sich ihr zu. «Bist du wieder gesund?»

«Ja.»

«Du bist vielleicht ein Herzchen. Kaum drehe ich dir den Rücken zu, ißt du verdorbene Austern. Isobel hat mich voller Panik angerufen. Ich glaube, sie hat gedacht, du stirbst ihr unter den Händen weg. Hast du mit Brian zu Abend gegessen?»

«Ja.»

«Mir war doch so, als ob sie das gesagt hätte.» Das schien ihn zu amüsieren und in keiner Weise zu beunruhigen. «Das soll dir eine Lehre sein, dich nie wieder mit dem Casanova von Arisaig herumzutreiben. Und was ist mit der Party heute abend? Ist Isobel schon zusammengebrochen?»

«Kurz davor. Als ich ging, wollte sie ins Bett und ein Nikkerchen machen. Und Anna Stoddart und ich haben Tuppys ganze Dahlien abgeschnitten; Watty spricht nicht mehr mit uns.»

«Das passiert jedesmal. Und wie geht es Tuppy?»

«Sie freut sich auf dich. Sie sagt, es geht ihr jeden Tag besser. Und vielleicht darf sie nächste Woche aufstehen, ein paar Stunden am Tag.»

«Ist das nicht großartig?» Ohne Vorwarnung beugte er sich vor und küßte sie. «Du fühlst dich mager an. Dein Gesicht besteht nur noch aus Knochen.»

«Mir geht es gut.»

«Es war dir zuwider, nicht wahr, Flora? Die ganz üble Geschichte.»

«Nein.» Sie mußte bei der Wahrheit bleiben. «Nein, es war mir nicht zuwider. Ich war mir zuwider. Ich komme mir gemein und mies vor, und jeden Tag wird es schlimmer, weil ich sie alle immer lieber mag. Im einen Augenblick bin ich Rose, ich werde dich heiraten, ich lüge nicht. Und im nächsten Augenblick bin ich wieder Flora, und ich lüge. Ich weiß nicht, was schlimmer ist. Antony, dieses Versprechen, das ich dir gegeben habe – ich habe es gehalten. Und du hältst deins, nicht wahr? Du sagst Tuppy die Wahrheit?»

Er lehnte sich zurück, wandte ihr das Profil zu und starrte niedergeschlagen vor sich hin, die Hände auf dem Lenkrad. Schließlich sagte er: «Ja.» Flora fühlte Mitleid mit ihm.

«Es ist furchtbar, ich weiß. Mir wäre es am liebsten, wenn du es ihr gleich sagen und es hinter dich bringen könntest, aber mit dem Fest und allem...»

«Ich sage es ihr morgen.» Das war sein letztes Wort. Er wollte nicht mehr darüber reden. «Und jetzt laß uns um Himmels willen nach Hause fahren. Ich bin hungrig und möchte Tee.»

«Mrs. Watty hat Hörnchen gebacken.»

«Und laß uns nicht an morgen denken. Laß uns nicht mehr darüber reden.»

Mit dieser Vogel-Strauß-Bemerkung griff er nach dem Zündschlüssel, aber Flora hielt ihn auf.

«Da ist noch was.» Sie fuhr mit der Hand in ihre Tasche. «Das hier.»

«Was ist denn das?»

«Eine Postkarte.»

«Eine ziemlich zerknitterte Postkarte.»

«Ich weiß. Ich habe sie in den Papierkorb geworfen, aber dann habe ich gedacht, es ist vielleicht besser, wenn du sie siehst, also habe ich sie wieder herausgeholt. Deshalb ist sie so zerknüllt.»

Er nahm sie vorsichtig aus der Hand. «Paris?» Er drehte sie um, erkannte sofort die Schrift und las sie schweigend. Als er fertig war, entstand eine lange Gesprächspause. Dann sagte er: «Was für ein Miststück.»

«Deshalb habe ich sie in den Papierkorb geworfen.»

Er las sie noch einmal, und sein Sinn für Humor gewann die

Oberhand. «Weißt du, in gewisser Hinsicht ist Rose ein ganz schön intelligentes Kind. Sie hat sich das Ganze ausgedacht, und du und ich sind wie zwei Deppen darauf hereingefallen. Jedenfalls bin ich darauf hereingefallen. Der Witz geht eindeutig auf meine Kosten. Und wenn man auf Distanz bleiben kann, ist es wohl ein ganz guter Witz. ‹Hab beschlossen, paar Tage hier Station zu machen.› Glaubst du, daß sie je bis nach Spetse gekommen ist?»

«Vielleicht hat sie im Flugzeug einen anderen Mann kennengelernt. Vielleicht ist sie in Gstaad oder Monaco oder...» Flora suchte nach dem unwahrscheinlichsten Ort, den sie sich ausdenken konnte. «Acapulco?»

«Woher soll ich das wissen?» Er gab Flora die Postkarte zurück. «Wirf sie ins Feuer, wenn wir nach Fernrigg kommen.» Er ließ den Motor an. «Und das ist das Ende von Rose. Wo sie auch ist, sie ist fort.»

Flora antwortete nicht. Sie wußte, daß Rose nicht fort war. Sie würde erst fort sein, wenn Antony Tuppy die Wahrheit gesagt hatte.

Hugh

Die Kapelle traf ein, als Antony zum Umziehen nach oben ging. Sie kam in einem kleinen, ramponierten Auto, das Mr. Cooper, dem Mann der Posthalterin, gehörte und von ihm gefahren wurde. Kapelle und Instrumente waren so eng hineingepackt, daß es Zeit und Überlegung erforderte, sie herauszuholen.

Als das geschafft war, führte Antony sie ins Haus und zeigte ihnen ihren Platz in einer Ecke der Halle. Dort richteten sie sich ein – Mr. Cooper mit seinem Akkordeon, der Geiger (ein pensionierter Straßenbauarbeiter, verwandt mit Mrs. Cooper) und der Schlagzeuger, ein langhaariger Bursche mit hohen Stiefeln, in dem Antony einen Jungen aus Tarbole erkannte, Bootsmann auf dem Fischerboot seines Onkels. Sie hatten sich mit einer Art Uniform ausstaffiert – blaue Hemden und Tartanfliegen – und strahlten durchaus eine gewisse Haltung aus.

Antony gab allen einen Schluck Whisky, und sie stürzten sich sofort in die Arbeit und spielten sich ein – der alte Mann stimmte seine Geige, und Mr. Cooper spielte lange, trillernde Arpeggios auf der Tastatur des Akkordeons.

Die Zeit wurde knapp. Antony überließ die Instrumentalisten sich selbst und lief die Treppe hinauf. Zu seiner großen Erleichterung war die Abendgarderobe bereits auf seinem Bett ausgelegt: Schuhe, Strümpfe, Strumpfbänder, das Messer, das in den Strumpf gesteckt wurde; Hemd, Krawatte, Weste und Wams, Kilt und Felltasche. Schuhschnallen, Silberknöpfe und Messer waren allesamt poliert, und seine goldenen Hemd- und Manschettenknöpfe lagen auf der Kommode parat. Irgend jemand, vermutlich Mrs. Watty, hatte sich viel Mühe gegeben, und er segnete insgeheim ihr gutes Herz. Wie üblich hatte er alles bis auf den letzten Augenblick verschoben und schon resigniert damit gerechnet, er müsse verzweifelt nach den verlegten Stücken der Ausstattung suchen.

Zehn Minuten später war er wieder unten, das Inbild eines gutgekleideten Gentleman aus den Highlands. Inzwischen war der Partyservice eingetroffen. Mr. Anderson, in gestärkter weißer Jacke, stellte Räucherlachs auf den Büfettisch, assistiert von Mrs. Watty. Mrs. Anderson, eine stattliche Dame mit dem einschüchternden Ruf hervorragender Manieren, hatte hinter der Bar Stellung bezogen und war damit beschäftigt, die Gläser auf Hochglanz zu polieren, hielt jedes einzelne hoch ins Licht, um mögliche Flecken zu entdecken.

Für Antony schien es nichts mehr zu tun zu geben. Er schaute auf die Uhr und stellte fest, daß noch Zeit für einen Whisky mit Soda blieb, den er nach oben mitnehmen konnte, um Tuppy gute Nacht zu sagen. Er wollte sich eben einschenken, als ihn das Geräusch eines Autos ablenkte, das die Einfahrt heraufkam und knirschend auf dem Schotter vor dem Haus hielt.

«Wer in aller Welt kann das sein?»

«Wer auch immer es ist», sagte Mrs. Anderson, die gelassen mit dem Geschirrtuch arbeitete, «er ist eine Viertelstunde zu früh dran.»

Antony runzelte die Stirn. Sie waren hier im Westen von Schottland, und niemand kam eine Vierstelstunde zu früh. Eher schon eine Dreiviertelstunde zu spät. Er wartete mißtrauisch, stellte sich schon vor, wie er die nächste halbe Stunde damit verbrachte, höfliche Konversation mit dem Hörgerät von Mrs. Clanwilliam zu machen. Eine Autotür schlug zu, Schritte knirschten auf dem Schotter, und im nächsten Augenblick ging die Tür auf und Hugh Kyle trat ein. Er trug einen Abendanzug und sah, wie Antony fand, ungeheuer distinguiert aus.

«Hallo, Antony.»

Antony stieß einen Seufzer der Erleichterung aus. «Gott sei Dank, daß du es bist. Du bist früh dran.»

«Ja, ich weiß.» Hugh schloß die Tür hinter sich und trat näher, die Hände in den Taschen, während sein Blick die festliche Szene aufnahm. «Prächtig. Ganz wie früher.»

«Ich weiß. Alle haben wie die Wahnsinnigen gearbeitet. Du kommst gerade rechtzeitig für einen Schluck. Ich wollte mir eben einen eingießen und dann zu Tuppy nach oben gehen, aber wo du schon mal da bist...» Er schenkte zwei Whiskys ein, goß Wasser darauf und gab einen Hugh. «Slaintheva, alter Freund.»

Er hob das Glas. Aber Hugh wirkte nicht so, als wolle er ihm zuprosten. Er stand da, den Drink in der Hand, musterte Antony, und seine blauen Augen schauten düster drein. Antony ahnte aus unerfindlichen Gründen sofort Schlimmes. Er senkte das Glas, ohne den Whisky auch nur gekostet zu haben. «Stimmt was nicht?»

«Ja», sagte Hugh unverblümt. «Und ich glaube, wir sollten darüber sprechen. Können wir irgendwohin gehen, wo wir nicht gestört werden?»

Flora saß am Frisiertisch, in dem schäbigen blauen Bademantel, den sie seit ihrer Schulzeit besaß, und trug Tusche auf die langen Wimpern auf. Die Frau im Spiegel, die sich zu ihr beugte, schien nichts mit Flora Waring gemein zu haben. Das kunstvolle Make-up, das sorgfältig in Form gebrachte glänzende Haar wirkten so förmlich und unvertraut wie ein Foto in einer Zeitschrift. Selbst das Schlafzimmer hinter ihr war fremd. Sie sah die Glut des Elektroofens, die zugezogenen Vorhänge, den gespenstischen Umriß ihres Kleides, das an der Schranktür hing, wo Schwester McLeod es feierlich und voller Stolz drapiert hatte.

Ihr Stolz war gerechtfertigt, denn es hatte jetzt keinerlei Ähnlichkeit mehr mit dem vergilbten Kleidungsstück, das Mrs. Watty aus dem Schrankkoffer auf dem Dachboden geholt hatte. Gebleicht, gestärkt, gesäumt wartete es auf Flora, kühl und leicht, wie frisch gefallener Schnee. Das blaue Futter tauchte zwischen den Einsätzen aus Batist und Spitze auf, und eine Reihe winziger Perlmuttknöpfe zog sich von der Taille bis zum Hals.

Das Kleid hatte etwas Verstörendes an sich. Es schien Flora zu beobachten, schweigend und vorwurfsvoll, wie ein mißbilligender Zuschauer. Sie wußte, daß sie es nicht anziehen wollte. Die ganze Zeit hatte sie den Augenblick, in dem sie sich mit dem Kleid anfreunden mußte, hinausgeschoben, doch jetzt schien es keine Ausrede mehr zu geben. Sie legte die Wimperntusche weg und sprühte sich verwegen mit dem Rest des Parfums ein, das Marcia ihr geschenkt hatte. Seufzend stand sie auf und glitt widerstrebend aus dem vertrauten, tröstlichen alten Bademantel. Einen Augenblick lang stand ihr Spiegelbild vor ihr: schlank, der Körper immer noch gebräunt von der Sommersonne, die Bräune noch betont von der weißen Spitze des BH und des Höschens. Es war warm im Zimmer, aber sie fröstelte. Sie wandte sich vom Spiegel ab und nahm das Kleid vom Bügel, stieg vorsichtig hinein, fuhr mit den Armen in die langen, engen Ärmel und schob es schließlich über die Schultern. Es fühlte sich widerspenstig und kalt an, wie ein Kleid aus Papier.

Sie knöpfte die winzigen Knöpfe zu. Das dauerte, weil die Knopflöcher von Stärke verklebt waren und mühsam geöffnet werden mußten; jedes Knöpfchen brauchte Überredung, bis es hielt. Der hohe Kragen war eine Qual – er war steif wie Pappe und schnitt ihr unter dem Kinn in den Hals.

Schließlich war der kleine Gürtel zugeschnallt, waren die Knöpfe an den Ärmeln geschlossen. Sie inspizierte sich vorsichtig und sah eine junge Frau, so steif wie eine Braut aus Zucker auf einer Hochzeitstorte. *Ich habe Angst*, sagt sie zu sich, doch die Frau im Spiegel hatte keinen Trost zu bieten. Sie schaute Flora nur gleichgültig an, als könne sie sie nicht besonders gut leiden. Flora seufzte, bückte sich vorsichtig, um den Heizofen abzuschalten, machte das Licht aus und verließ ihr Zimmer. Sie ging den Flur entlang, um sich zu zeigen und Tuppy gute Nacht zu sagen, wie sie es versprochen hatte.

Von weit her hörte sie den Rhythmus von Volkstanzmusik. Das Haus kam ihr sehr warm vor (Watty war gebeten worden, für Wärme zu sorgen) und roch nach Holzfeuer und Chrysanthemen. Fröhliche Stimmen drangen aus der Küche herauf, schufen eine Atmosphäre unterdrückter Erregung, wie man sie spürte, während man ein rauschgoldverpacktes Päckchen öffnete.

Tuppys Tür war angelehnt. Drinnen hörte man geselliges Gemurmel. Flora klopfte und ging hinein. Tuppy saß gegen frisch bezogene Kissen gelehnt; sie trug ein weißes Bettjäckchen, mit einer Satinschleife zugebunden; und neben ihr weilte, wie ein Kind aus einem alten Porträt, ihr Urenkel Jason.

«Rose!» Tuppy breitete die Arme aus, eine für Tuppy typische Geste, fröhlich, liebevoll, ein wenig überschwenglich. «Mein liebes Kind. Komm her, laß dich anschauen. Nein, geh auf und ab, damit wir dich wirklich sehen können.» Flora gehorchte, steif von der Stärke. «Was ist doch die Schwester für ein schlaues Geschöpf! Da hat dieses Kleid die vielen Jahre auf dem Dachboden gelegen, und jetzt sieht es aus, als wäre es gerade eben kreiert worden. Komm her, gib mir einen Kuß. Wie gut du riechst. Setz dich, hier, auf den Bettrand. Aber vorsichtig, du darfst den Rock nicht zerdrücken.»

Flora arrangierte sich voller Vorsicht. «Mit diesem Kragen komme ich mir vor wie eine Giraffenhals-Frau», murmelte sie.

«Was ist eine Giraffenhals-Frau?» fragte Jason.

«Die sind aus Burma», erklärte ihm Tuppy, «sie haben endlos lange Hälse und legen sich Goldreifen darum.»

«War das wirklich dein Tenniskleid, Tuppy?» Er schaute

Flora an, erkannte in ihr kaum die Person wieder, die ihm in Jeans und Pullover vertraut war. Diese Rose schüchterte ihn ziemlich ein.

«Ja, wirklich. Als ich ein junges Mädchen war.»

«Ich kann mir nicht vorstellen, wie du darin Tennis gespielt hast», sagte Flora.

Tuppy dachte darüber nach. «Na ja, besonders gutes Tennis war es nicht.» Sie lachten alle. Tuppy nahm Floras Hand und tätschelte sie besitzergreifend. Ihre Augen strahlten, ihr Gesicht war gerötet. Ob das an der Aufregung lag oder an dem Glas Champagner auf ihrem Nachttisch, ließ sich unmöglich sagen. «Ich habe hier gesessen, habe der Musik gelauscht, und meine Füße haben unter der Decke getanzt, haben ein ganz eigenes Fest gefeiert. Und dann ist Jason zu mir gekommen, hat wie ein Bild seines Großvaters ausgesehen, und ich habe ihm alles über die Party erzählt, die wir gegeben haben, als sein Großvater einundzwanzig wurde, als wir das Freudenfeuer auf dem Hügel hinter dem Haus angezündet haben und alle Nachbarn kamen; es gab einen Ochsen am Spieß und fässerweise Bier. Was war das für ein Fest!»

«Erzähl Rose von meinem Großvater und seinem Boot.»

«Das will Rose bestimmt nicht hören.»

«Doch. Erzähl's mir», drängte Flora.

Mehr Ermutigung brauchte Tuppy nicht. «Jasons Großvater hieß Bruce, und das war vielleicht ein wilder Junge! Er verbrachte die ganze Zeit mit den Bauernkindern, und wenn die Ferien um waren, kriegte ich seine Füße kaum mehr in ein Paar Schuhe. Aber schon als Kind war die See seine große Leidenschaft. Er hatte nie Angst vor ihr, und als er fünf war, konnte er schon kräftig schwimmen. Und als er etwas älter als Jason war, bekam er sein erstes Dingi. Tammy Todd – er arbeitet in Ardmore –, sein alter Vater war es, der es für Bruce gebaut hat. Und jedes Jahr gab es im Sommer im Jachtklub von Ardmore eine Regatta mit einem Rennen auch für die Kinder und... wie hieß es, Jason?»

«Es hieß Zigeunerrennen, weil alle Segel geflickt waren!» Flora runzelte die Stirn. «Geflickt?»

«Er meint, alle Segel waren handgenäht», erklärte Tuppy, «alle in wunderbaren Farben, zusammengenäht wie Patchwork. Alle Mütter haben monatelang gearbeitet, und das Kind mit den hübschesten Segeln bekam den Preis. Bruce hat ihn in jenem ersten Jahr bekommen, und ich glaube nicht, daß ihm ein Preis je wieder soviel bedeutet hat.»

«Aber er hat noch mehr Rennen gewonnen, nicht wahr, Tuppy?»

«O ja. Viele, viele Rennen. Und nicht nur in Ardmore. Er ist zum Clyde hinuntergefahren und hat beim Royal Northern mitgemacht, und als er mit der Schule fertig war, hat er sich einem Team für eine Ozeanregatta angeschlossen und ist nach Amerika gesegelt. Er hatte immer ein Boot. Es war seine größte Freude im Leben.»

«Und dann kam der Krieg, und er ist zur Navy gegangen», soufflierte Jason, der das Ende der Geschichte gern hinauszögern wollte.

«Ja, er ist zur See gefahren. Und er war auf einem Zerstörer im Atlantik, und manchmal kamen sie in den Gairloch oder in die Kyles von Lochalsh, dann kam er auf Wochenendurlaub nach Hause. Meistens hat er die ganze Zeit damit verbracht, an seinem Boot zu arbeiten oder ein Dingi zu segeln.»

«Und meine Großmutter war auch in der Navy, nicht wahr?»

Tuppy lächelte nachsichtig über Jasons Begeisterung. «Ja, sie war im Frauenkorps. Sie haben kurz nach Kriegsausbruch geheiratet. Und was für eine merkwürdige Hochzeit das war. Sie wurde immer wieder verschoben, weil Bruce dauernd auf See war, aber schließlich haben sie während eines Wochenendurlaubs in London geheiratet. Für Isobel und mich war es gar nicht so einfach, hinzukommen – alle Züge voller Soldaten, jeder hat seine Sandwiches mit den anderen geteilt, und man saß sich gegenseitig auf dem Schoß. Es war lustig.»

«Erzähl uns noch mehr Geschichten», sagte Jason. Aber Tuppy hob abwehrend die Hände.

«Du bist nicht hergekommen, um Geschichten zu hören. Du bist gekommen, um gute Nacht zu sagen, und jetzt gehst du zum Fest hinunter. Stell dir bloß vor, es ist dein allererster Ball. Und du wirst dich immer daran erinnern, daß du den Kilt und das Samtwams deines Großvaters getragen hast.»

Widerstrebend stieg Jason vom Bett und wandte sich Flora zu. «Tanzt du mit mir? Ich kann nur ‹Strip the Willow› und ‹Eightsome Reel›, wenn die anderen sie auch können.»

«Ich kann beides nicht, aber wenn du es mir beibringst, tanze ich gern mit dir.»

«‹Strip the Willow› kann ich dir wohl beibringen.» Er öffnete die Tür. «Gute Nacht, Tuppy.»

«Gute Nacht, mein Schatz.»

Die Tür schloß sich hinter ihm. Tuppy lehnte sich auf die Kissen zurück, sie sah müde, aber friedlich aus.

«Es ist sonderbar», sagte sie. Auch ihre Stimme wirkte müde, als sei der Tag zu lang für sie gewesen. «Heute abend habe ich den Eindruck, ich hätte jeden Überblick über die Jahre verloren. Ich habe die Musik gehört, und ich weiß genau, wie unten alles aussieht, was für ein Trubel und Wirbel das ist; und dann ist Jason hereingekommen. Und einen Augenblick lang habe ich wirklich gedacht, es ist Bruce. So ein sonderbares Gefühl. Aber auch ein schönes. Ich glaube, es hat etwas mit diesem Haus zu tun. Dieses Haus und ich kennen uns gut. Weißt du, Rose, ich habe mein ganzes Leben hier verbracht. Ich bin hier geboren. Hast du das gewußt?»

«Nein.»

«Ja, ich bin hier geboren und aufgewachsen. Und meine kleinen Brüder auch.»

«Ich wußte gar nicht, daß du Brüder hattest.»

«Du meine Güte, ja. James und Robbie. Sie waren viel jünger als ich, und meine Mutter starb, als ich zwölf war, deshalb waren sie in gewisser Weise meine Kinder. Zwei wundervolle

Wildfänge! Ich kann dir gar nicht sagen, wie ungezogen sie waren und was für fürchterliche Sachen sie sich ausgedacht haben. Einmal haben sie ein Floß gebaut und wollten es am Strand zu Wasser lassen, aber die Ebbe hat sie aufs Meer hinausgetrieben, das Rettungsboot mußte sie auffischen. Ein anderes Mal haben sie im Gartenhaus ein Lagerfeuer gemacht, das Haus ging in Flammen auf, und sie hatten Glück, daß sie nicht lebendig verbrannten. Das ist das einzige Mal, soweit ich mich erinnern kann, daß mein Vater wirklich wütend wurde. Dann sind sie ins Internat gekommen, und sie haben mir so gefehlt. Sie wuchsen zu jungen Männern heran, groß und gutaussehend, aber so wild wie eh und je. Ich war inzwischen verheiratet und lebte in Edinburgh, aber was für Geschichten habe ich zu hören bekommen! Die Eskapaden, die Partys! Sie waren so gutaussehend, daß sie jedem Mädchen in Schottland das Herz gebrochen haben müssen, aber so charmant, daß keine Frau ihnen lange böse sein konnte.»

«Was ist aus ihnen geworden?»

Tuppys muntere, tapfere Stimme klang etwas angeschlagen. «Sie sind gefallen. Beide. Im Ersten Weltkrieg. Erst Robbie, dann James. Es war so ein schrecklicher Krieg. All die prächtigen jungen Männer. Das Gemetzel, die Verlustlisten. Weißt du, selbst jemand aus Isobels Generation kann sich das Grauen dieser Verlustlisten nicht annähernd vorstellen. Dann, kurz vor Kriegsende, fiel auch mein Mann. Und als das geschah, hatte ich das Gefühl, mein Leben hat keinen Sinn mehr.» Plötzlich glänzten die blauen Augen vor Tränen.

«Oh, Tuppy.»

Aber Tuppy schüttelte den Kopf. Gefühlsduseligkeit und Selbstmitleid ließ sie nicht zu. «Weißt du, es hatte einen Sinn. Ich hatte meine Kinder, Isobel und Bruce. Leider war ich nicht besonders mütterlich. Ich glaube, meine ganze Mütterlichkeit hatte ich für meine kleinen Brüder verbraucht, und als Bruce und Isobel kamen, war ich nicht annähernd so glücklich, wie ich es hätte sein sollen. Wir lebten im Süden, und sie waren so blaß und still, die armen Kleinen. Ich konnte mich nicht recht für sie begeistern, deshalb bekam ich ein schlechtes Gewissen und versank in Selbstmitleid. Es war eine Art Teufelskreis.»

«Und dann?»

«Dann hat mein Vater mir geschrieben. Der Krieg war endlich aus, und er bat mich, über Weihnachten mit den Kindern nach Hause nach Fernrigg zu kommen. Also setzten wir uns in den Zug und fuhren hierher. Er holte uns an einem dunklen Wintermorgen in Tarbole ab; es war eiskalt und regnete. Was für ein klägliches Grüppchen wir waren, alle tintenschwarz angezogen, grau im Gesicht und verrußt vom Zug. Er war mit einer kleinen Pferdekutsche gekommen, wir stiegen ein und fuhren nach Fernrigg, als die Dämmerung heraufzog. Unterwegs trafen wir einen alten Farmer, den mein Vater kannte, worauf er die Pferde anhielt und dem alten Mann die Kinder vorstellte. Ich kann mich gut daran erinnern, wie feierlich sie ihm die Hand schüttelten.

Ich dachte, ich sei nur über Weihnachten nach Hause gekommen. Aber wir blieben über Neujahr, aus den Wochen wurden Monate, schließlich wurde es wieder Frühling. Inzwischen hatte ich begriffen, daß die Kinder zu Hause waren, daß sie zu Fernrigg gehörten. Sie sahen rosig und gesund aus, tobten meistens draußen herum, wie es sich für Kinder gehört. Und ich interessierte mich für den Garten. Ich legte ein Rosenbeet an, pflanzte Büsche und eine Fuchsienhecke und begann zu glauben, daß es eine Zukunft geben mußte, so tragisch die Vergangenheit auch gewesen war. Weißt du, dieses Haus hat etwas sehr Tröstliches. Es scheint sich kaum zu verändern, und wenn die Dinge sich nicht verändern, können sie sehr tröstlich sein.»

Sie schwieg. Von unten kamen jetzt die Geräusche der vorfahrenden Autos, das Anschwellen von Stimmen über die Musik hinweg. Das Fest hatte begonnen. Tuppy griff nach ihrem Glas Champagner, trank einen Schluck und nahm dann wieder Floras Hand.

«Torquil und Antony sind hier geboren. Ihre Mutter hatte eine schwere Geburt, als Torquil kam, und die Ärzte sagten ihr, sie dürfe kein zweites Kind bekommen, aber sie war entschlossen, das Risiko einzugehen. Bruce hatte natürlich große Angst um sie, deshalb kam sie während der Schwangerschaft und zur Geburt nach Fernrigg. Ich glaube, alles wäre gutgegangen, aber Bruces Schiff wurde einen Monat vor Antonys Geburt torpediert, und danach hat sie allen Lebenswillen verloren, glaube ich. Sie hatte keinen Kampfgeist mehr. Das Schlimmste daran war, daß ich es verstanden habe. Ich wußte, wie ihr zumute war.» Sie lächelte bitter. «Da waren wir jetzt, Isobel und ich, wieder da, wo wir angefangen hatten, mit zwei kleinen Jungen zum Großziehen. Immer kleine Jungen in Fernrigg. Das Haus wimmelt von ihnen. Manchmal höre ich, wie sie vom Garten hereingerannt kommen, die Treppe hinaufrufen, einen Höllenlärm veranstalten. Ich glaube, weil sie starben, sind sie nie alt geworden. Und solange ich hier bin und mich an sie erinnere, so lange sind sie nicht fort.»

Sie schwieg wieder.

«Wenn du mir das früher erzählt hättest. Wenn ich es nur gewußt hätte», sagte Flora.

«Es ist manchmal besser, nicht über die Vergangenheit zu reden. Das ist ein Luxus, der alten Leuten vorbehalten bleiben sollte.»

«Aber Fernrigg ist so ein glückliches Haus. Man spürt es sofort, wenn man hier hereinkommt.»

«Es freut mich, daß du das gespürt hast. Manchmal denke ich, es ist wie ein Baum, knorrig und alt, der Stamm krumm und vom Wind verbogen. Etliche Zweige fehlen, abgerissen von den Stürmen, und manchmal denkt man, der Baum stirbt – er kann den Elementen nicht länger trotzen. Und dann kommt wieder der Frühling, der Baum schlägt aus, hat Tausende von jungen, grünen Blättern. Wie ein Wunder. Du bist so ein Blatt, Rose. Und Antony. Und Jason. Alles lohnt sich, wenn man weiß, daß wieder junge Menschen da sind. Daß du hier bist.»

Flora schwieg. Mit einem ihrer typischen Stimmungsumschwünge wurde Tuppy plötzlich lebhaft. «Was mache ich da, halte dich auf, rede lauter Unsinn, während unten alle auf dich warten! Bist du nervös?»

«Ein bißchen.»

«Du brauchst nicht nervös zu sein. Du siehst wunderschön aus, alle – nicht nur Antony – werden in dich verliebt sein. Jetzt gib mir einen Kuß, und dann geh. Morgen kannst du kommen und mir alles erzählen. Jede winzige Einzelheit, ich brenne darauf, es zu hören.»

Flora stand vom Bett auf. Sie beugte sich hinunter, küßte Tuppy und ging zur Tür, als Tuppy sie noch einmal zurückrief: «Rose!»

Flora schaute sich um. «Viel Spaß», sagte Tuppy.

Das war alles. Sie ging hinaus und schloß leise die Tür hinter sich.

Es war nicht der richtige Zeitpunkt für einen Gefühlsausbruch. Es war einfach kindisch, sentimental zu werden, sich aufzuregen, weil eine alte Frau ein Glas Champagner getrunken und sich erinnert hatte. Flora hatte vor langer Zeit gelernt, ihre Gefühle in den Griff zu bekommen. Sie brauchte nur reglos dazustehen, die Hände gegen das Gesicht zu pressen und die Augen zu schließen, dann würde der Kloß in ihrem Hals nicht weiter anwachsen, die törichten Tränen würden nie vergossen werden.

Sie war lange bei Tuppy gewesen. Aus der Halle drangen die Geräusche des Festes, das schon in vollem Gang war, zu ihr herauf und quälten sie. Sie mußte hinunter. Sie durfte jetzt nicht weinen, denn sie mußte hinunter und alle kennenlernen. Antony wartete, und sie hatte ihm versprochen…

Was hatte sie ihm versprochen? Welcher Wahnsinn hatte

sie zu einem solchen Versprechen verleitet? Und wie hatten sie sich je einbilden können, mit diesem Täuschungsmanöver durchzukommen, ohne sich und alle anderen Beteiligten ins Unglück zu stürzen?

Auf die verzweifelten Fragen gab es keine Antwort. Das Kleid, das sie trug, gestärkt, unnachgiebig und unbequem, war zum Sinnbild ihrer Scham und ihres Abscheus vor sich selbst geworden. Es zu tragen, war eine Folter. Ihre Arme waren in zu enge Ärmel gezwängt worden; der hohe, enge Kragen schnürte ihr den Hals zu, bis sie das Gefühl hatte, sie bekomme keine Luft mehr.

Rose! Viel Spaß.

Aber ich bin nicht Rose. Und ich kann nicht mehr tun, als ob ich Rose wäre.

Sie preßte die Faust gegen den Mund, doch es nützte nichts. Jetzt weinte sie doch – um Tuppy, um die kleinen Jungen, um sich selbst. Blendende, salzige Tränen füllten ihre Augen und strömten ihr über die Wangen. Sie stellte sich vor, wie sie aussah, fleckig und mit laufender Wimperntusche, aber das war unwichtig, die Scharade war zu Ende. Sie konnte nicht zum Fest gehen, den Gästen gegenübertreten. Instinktiv floh sie den langen Gang entlang, bis sie ihr Zimmer erreichte und die Tür hinter sich schließen konnte. Sie war in Sicherheit.

Musik und Gelächter waren nur noch ein schwaches Murmeln; sie hörte ausschließlich das häßliche Geräusch ihrer eigenen Schluchzer. Das Zimmer kam ihr eisig vor. Mit ungeschickten Fingern öffnete sie die vielen winzigen Knöpfe des Kleides. Jetzt war der Kragen lose, und sie konnte wieder atmen. Dann das Leibchen und die engen Ärmel. Sie zerrte sich das Kleid von den Schultern, es glitt mit einem Rascheln zu Boden, und sie stieg hinaus und ließ es liegen wie Einwickelpapier. Vor Kälte zitternd griff sie nach ihrem alten, vertrauten Bademantel. Ohne sich die Mühe zu machen, ihn zuzuknöpfen oder den Gürtel zuzubinden, warf sie sich aufs Bett und überließ sich dem unausweichlichen Ansturm der Tränen.

Flora verlor jedes Zeitgefühl. Sie hatte keine Ahnung, wie lange sie dort gelegen hatte, als sie hörte, wie ihre Tür sich öffnete und leise wieder schloß. Sie war sich nicht einmal sicher, ob tatsächlich jemand hereingekommen war, bis sie den Druck auf dem Bettrand spürte, als sich jemand neben sie setzte, und eine warme Nähe, stark und tröstlich. Sie wandte den Kopf auf dem Kissen, eine Hand streckte sich aus und strich ihr das Haar aus dem Gesicht. Durch ihre Tränen hindurch löste der dunkle Fleck mit der weißen Hemdbrust sich allmählich in Hugh Kyle auf.

Flora war auf Isobel oder Antony gefaßt gewesen. Auf keinen Fall auf Hugh. Sie gab sich ungeheure Mühe, mit dem Weinen aufzuhören, und als die Tränen etwas spärlicher flossen, wischte sie sie mit dem Handrücken weg und schaute Hugh wieder an. Sein Bild wurde schärfer, und sie sah einen Mann, den sie noch nie gesehen hatte – nicht nur, weil er anders angezogen war, sondern vor allem, weil es ganz und gar untypisch für ihn war, so geduldig dazusitzen, als habe er alle Zeit der Welt, ohne etwas zu sagen, offenbar entschlossen, Flora weinen zu lassen, so lange sie wollte.

Sie mußte sprechen. Irgend etwas sagen, auch wenn es nur zu «Lassen Sie mich allein» reichte. Aber Hugh – ausgerechnet Hugh – breitete die Arme aus, und dem konnte sie nicht widerstehen. Ohne nachzudenken raffte sich Flora aus den Kissen auf und warf sich in den Trost seiner Umarmung.

Der Schaden, den sie auf seiner gestärkten Hemdbrust anrichten würde, schien ihn nicht zu kümmern. Seine Arme lagen warm und kräftig um ihre bebenden Schultern. Er roch nach sauberer Wäsche und Rasierwasser. Sie spürte sein Kinn an ihrem Scheitel, und als er nach einer Weile sanft sagte: «Was ist denn?», kamen die Worte, zusammenhanglos und abgehackt, aber sie kamen – ein Strom von Worten, eine Flut.

«Ich war bei Tuppy... und sie hat mir erzählt... die kleinen Jungen... und ich habe nichts davon gewußt. Ich konnte es nicht ertragen. Und sie hat gesagt... ein Blatt an einem Baum... und ich konnte es nicht ertragen...» Daß sie mit dem Gesicht gegen seine Hemdbrust gepreßt lag, war keine große Hilfe für ausführlichere Erklärungen. «Ich... konnte alle hören und die Musik, und ich habe gewußt... Ich konnte nicht nach unten...»

Er ließ sie weinen. Als sie sich etwas beruhigt hatte, hörte sie ihn sagen: «Isobel hat sich gefragt, wo Sie bleiben. Sie hat mich geschickt, um nachzuschauen und Sie hinunterzubringen.»

Flora schüttelte so heftig den Kopf, wie es ihr unter den beengten Umständen möglich war. «Ich komme nicht mit.»

«Natürlich kommen Sie mit. Alle warten darauf, Sie kennenzulernen. Sie können ihnen doch den Abend nicht verderben.»

«Ich kann nicht. Ich gehe nicht hinunter. Sie müssen sagen, ich bin wieder krank, sonst etwas... irgend etwas...»

Seine Arme faßten sie fester. «Kommen Sie, Flora, reißen Sie sich zusammen.»

Im Zimmer wurde es ganz still. Aus dem Schweigen drangen gelegentlich Laute in Floras Bewußtsein: schwache Musikklänge aus der anderen Seite des Hauses, der aufkommende Wind, der am Fenster rüttelte, das ferne Murmeln des Meeres; und so nahe, daß sie es eher spürte als hörte, das regelmäßige Klopfen von Hughs Herzschlag.

Vorsichtig löste sie sich von ihm. «Wie haben Sie mich genannt?»

«Flora. Ein schöner Name. Viel besser als Rose.»

Das Gesicht tat ihr vom Weinen weh. Ungetrocknete Tränen lagen noch auf ihren Wangen, und sie versuchte, sie mit den Fingern wegzuwischen. Ihre Nase lief, sie konnte kein Taschentuch finden und mußte gewaltig niesen. Er griff in die Tasche und holte sein Taschentuch heraus. Nicht das schöne seidene, das aus seiner Brusttasche herausschaute, sondern ein alltägliches, die Baumwolle weich vom Waschen.

Sie nahm es dankbar. «Offenbar kann ich nicht aufhören zu weinen. Normalerweise weine ich nie.» Sie putzte sich die Nase. «Das werden Sie mir nicht glauben, aber es ist wahr. In den letzten Tagen scheine ich pausenlos zu heulen.»

«Sie standen ja auch unter starkem Druck.»

«Ja.» Sie schaute auf das Taschentuch hinunter und sah, daß es dunkle Flecken hatte. «Meine Wimperntusche ist ausgelaufen.»

«Sie sehen wie ein Panda aus.»

«Kann ich mir vorstellen.» Sie holte tief Luft. «Woher wissen Sie es? Daß ich Flora bin?»

«Antony hat es mir gesagt. Ich meine, er hat mir gesagt, daß Sie Flora heißen, aber ich weiß schon länger, daß Sie nicht Rose sind.»

«Seit wann wissen Sie es?»

«An dem Tag, an dem Sie krank waren, wußte ich es genau.» Er fügte hinzu: «Aber den Verdacht hatte ich schon davor.»

«Aber wie haben Sie es herausbekommen?»

«Als Rose hier war, in jenem Sommer vor fünf Jahren, hatte sie einen Unfall am Strand. Sie sonnte sich oder trieb sonst etwas relativ Harmloses und schnitt sich den Arm an einer kaputten Flasche, die irgendein Witzbold im Sand vergraben hatte. Hier.» Er streckte die Hand nach der von Flora aus, schob den Ärmel des Bademantels nach oben und zog mit dem Finger eine etwa fünf Zentimeter lange Linie auf der Außenseite ihres Oberarms. «Es war nicht besonders schlimm, aber es mußte genäht werden. Ich bilde mir ein, daß ich ziemlich geschickt bin, wenn es um das Nähen geht, aber nicht einmal ich könnte es schaffen, nicht die Spur einer Narbe zu hinterlassen.»

«Aber warum haben Sie nichts gesagt?»

«Ich wollte erst mit Antony sprechen.»

«Und haben Sie mit ihm gesprochen?»

«Ja.»

«Hat er Ihnen alles gesagt? Über mich und Rose und unsere Eltern?»

«Ja, alles. Es ist eine unglaubliche Geschichte.»

«Er... er will es Tuppy morgen sagen.»

«Er sagt es Tuppy jetzt», korrigierte Hugh.

«Sie meinen, jetzt, in diesem Augenblick?»

«Jetzt, in diesem Augenblick.»

«Also...» Sie hatte fast Angst davor, es auszusprechen. «Also weiß Tuppy, daß ich nicht Rose bin?»

«Inzwischen weiß sie es.» Er beobachtete ihr Gesicht. «Haben Sie deshalb geweint?»

«Ja, ich glaube schon. Ich habe wegen so vielem geweint.»

«Aber auch, weil Sie ein schlechtes Gewissen hatten.»

Flora nickte – ein klägliches Geständnis.

«Es hat Ihnen nicht gefallen, Tuppy anzulügen?»

«Ich bin mir vorgekommen wie ein Mörderin.»

«Schön, jetzt müssen Sie sich nicht mehr wie eine Mörderin vorkommen.» Urplötzlich klang er wieder ein wenig ironisch, wie sonst auch. «Dann könnten Sie sich jetzt also aufraffen, Ihr Kleid anziehen und nach unten kommen.»

«Aber mein Gesicht ist ganz schmutzig und verquollen.»

«Sie können es waschen.»

«Und mein Kleid ist zerknittert.»

Er schaute sich nach dem Kleid um, sah, wo sie es am Boden hatte liegenlassen. «Kein Wunder, daß es zerknittert ist.» Er stand auf, um es aufzuheben, schüttelte es zurecht und legte es über das Fußende des Bettes. Flora schlang die Arme um die Knie und beobachtete ihn.

«Ist Ihnen kalt?» fragte er.

«Ein bißchen.» Ohne Kommentar drehte er sich zum Elektroofen um, drückte mit der Schuhspitze auf den Schalter und ging dann zum Frisiertisch. Flora sah den grünen Schimmer einer Champagnerflasche und zwei Gläser.

«Haben Sie das mit heraufgebracht?»

«Ja. Ich hatte so eine Ahnung, daß ein Stimulans ganz nützlich sein könne.» Er beschäftigte sich geschickt mit dem Draht und der Folie. «Sieht aus, als hätte ich recht gehabt.»

Der Korken knallte, eine Explosion goldener Bläschen, die er fachmännisch auffing, erst mit dem einen Glas, dann mit dem zweiten. Er stellte die Flasche ab, brachte Flora ein randvolles Glas, sagte: «Slaintheva», und sie tranken. Der Wein war trocken, kitzelte in der Nase und schmeckte nach Hochzeiten und feierlichen Augenblicken.

Die Heizstäbe verfärbten sich rot. Im Zimmer wurde es hell und warm. Flora trank einen zweiten Schluck, um sich Mut zu machen, dann sagte sie unvermittelt: «Ich weiß Bescheid über Rose.»

Hugh antwortete nicht sofort. Statt dessen holte er die Champagnerflasche und setzte sich ans Fußende des Bettes, die breiten Schultern gegen das Messinggestänge gestützt. Er stellte die Flasche griffbereit neben sich auf den Boden. «Was wissen Sie über sie?» fragte er.

«Ich weiß, daß sie ein Verhältnis mit Brian Stoddart hatte. Aber das habe ich nicht gewußt, als er mich zum Essen eingeladen hat. Sonst, das verspreche ich Ihnen, wäre ich bestimmt nicht mitgegangen.»

«Ich kann mir vorstellen, daß er in Erinnerungen geschwelgt hat.»

«Daran konnte ich ihn nicht hindern.»

«Waren Sie schockiert oder überrascht?»

Sie versuchte, sich zu erinnern. «Ich weiß nicht recht. Sehen Sie, ich hatte keine Zeit, Rose kennenzulernen. Wir haben uns einen Abend lang in London getroffen, und am nächsten Tag ist sie nach Griechenland geflogen. Aber sie sah aus wie ich, deshalb habe ich mir eingebildet, sie sei wie ich. Abgesehen davon, daß sie reich ist und alles mögliche hat, was ich niemals haben werde. Aber das kam mir nicht so wichtig vor. Ich habe einfach gedacht, wir sind zwei Hälften eines Ganzen. Wir waren unser Leben lang getrennt, aber im Grunde waren wir immer noch Hälften desselben Menschen. Und dann war Rose fort, und Antony kam, erzählte mir, was geschehen war. Da habe ich angefangen, mir Gedanken über Rose zu machen. Sie wußte, daß Antony sie brauchte, aber sie ist trotzdem nach Griechenland geflogen. Das war einer der Gründe, warum ich nach Fernrigg gekommen bin. Ich nehme an, ich wollte versuchen, gutzumachen, was Rose angerichtet hatte.» Es war alles zu schwierig, und Flora gab auf. «Es ergibt überhaupt keinen Sinn, nicht wahr?»

«Ich glaube, es ergibt eine Menge Sinn.»

«Wissen Sie...»

Aber er unterbrach sie. «Flora, an jenem ersten Tag, als ich in den Dünen am Strandhaus mit Ihnen gesprochen habe, müssen Sie mich für einen Irren gehalten haben.»

«Nein.»

«Aus reiner Neugier, was haben Sie gedacht?»

«Ich... ich habe gedacht, vielleicht sind Sie ein Mann, dem Rose weh getan hat.»

«Sie meinen, ich sei in sie verliebt gewesen?»

«Ja, wahrscheinlich.»

«Ich habe Rose kaum gekannt. Und sie hat sich bestimmt nie etwas aus mir gemacht. Ich bezweifle sogar, daß sie Antony auch nur einen zweiten Blick zugeworfen hat. Brian war allerdings ein anderer Fall.»

«Dann waren Sie nicht in sie verliebt?»

«Gütiger Gott, nein.»

Gegen ihren Willen mußte Flora lächeln.

«Und was soll dieses rätselhafte Grinsen?» fragte er.

«Ich habe gedacht, Sie müßten in sie verliebt gewesen sein. Und ich konnte es nicht ertragen.»

«Warum?»

«Weil sie so mies war. Und», fügte sie mit der Miene eines Menschen hinzu, der entschlossen ist, reinen Tisch zu machen, «weil ich Sie so gern mochte.»

285

«Sie mochten *mich*?»

«Deshalb war ich an jenem Abend, an dem Sie mich aus Lochgarry nach Hause gefahren haben, so häßlich zu Ihnen.»

«Sind Sie immer häßlich zu Menschen, die Sie mögen?»

«Nur, wenn ich glaube, daß sie eifersüchtig sind.»

«Wenn ich das nur gewußt hätte. Ich habe geglaubt, Sie hassen mich. Außerdem habe ich geglaubt, Sie seien betrunken.»

«Vielleicht war ich das auch, ein bißchen. Aber wenigstens habe ich Ihnen keine Ohrfeige verpaßt.»

«Arme Flora.» Doch er sah nicht besonders reumütig aus.

«Aber wenn Sie nicht aus Eifersucht so wütend waren…» Es war nicht so einfach dahinterzukommen. «Hugh… Warum waren Sie wütend?»

«Wegen Anna.»

Anna. Wegen Anna. Flora seufzte. «Das müssen Sie mir erklären. Sonst verstehe ich es nie.»

«Ja», sagte Hugh gedehnt. Inzwischen hatte er sein Glas ausgetrunken, griff jetzt nach der Flasche und schenkte beiden nach. Richtig gemütlich, dachte Flora, wie bei einem Gelage um Mitternacht.

Er sah sie an. «Ich weiß nicht, wieviel Sie über die Stoddarts wissen.»

«Ich weiß ziemlich viel über sie, weil Tuppy es mir erzählt hat.»

«Gut. Das spart uns eine Menge Zeit. Wo sollen wir anfangen? Vor fünf Jahren haben Rose und ihre Mutter das Strandhaus gemietet, das wissen Sie. Eigentlich habe ich nie begriffen, warum sie überhaupt nach Fernrigg gekommen sind. Für zwei solche Jetsetter wie die Schusters war das ein völlig entlegener Ort, aber vielleicht hatten sie Tuppys Anzeige in der *Times* gesehen, oder sie haben geglaubt, es wäre mal was Neues, zum einfachen Leben zurückzukehren. Jedenfalls kamen sie, und Tuppy ist immer äußerst pflichtbewußt, was ihre Mieter anlangt. Sie fühlt sich für sie verantwortlich, als ob sie Hausgäste wären. Sie lädt sie ins Haus ein, macht sie mit ihren Freunden bekannt, und ich glaube, so haben Rose und ihre Mutter die Stoddarts kennengelernt.

In jenem Sommer erwartete Anna ein Kind. Ihr erstes. Und Brian, vielleicht weil er sich als werdender Vater schwertat, amüsierte sich mit der Bardame im Jachtklub. Sie war aus Glasgow, war nur für diesen Job während des Sommers nach Ardmore gekommen, und ich glaube, sie und Brian haben sich bestens ergänzt.»

«Wußte jemand davon?»

«Tarbole ist eine kleine Gemeinde. Jeder weiß über die Angelegenheiten des anderen Bescheid, aber in diesem Fall spricht nie jemand darüber, aus Loyalität Anna gegenüber.»

«Und sie ignoriert, was Brian tut?»

«So scheint es. Aber hinter ihrem zurückhaltenden Äußeren ist Anna eine leidenschaftliche, äußerst nervöse Frau. Sehr verliebt, besitzergreifend ihrem Mann gegenüber.»

«Brian hat sie einen Vogel Strauß genannt, hat gesagt, sie sieht nur, was sie sehen will.»

«Wie reizend von ihm. Und natürlich stimmt das meistens auch, aber bei manchen Frauen löst die Schwangerschaft eine Reihe von heftigen Gefühlen aus.»

«Zum Beispiel Eifersucht.»

«Genau. Dieses Mal steckte Anna nicht den Kopf in den Sand. Sie hatte den Verdacht, er habe ein Verhältnis mit dieser Frau, und sie steigerte sich in einen hypernervösen Zustand hinein. Ihr war nicht klar, und Gott sei Dank ist es ihr auch nie klargeworden, daß inzwischen Rose ins Spiel gekommen war. Ich habe das nur durch Tammy Todd herausgefunden, der im Jachtklub vor Ardmore arbeitet. Tammy und ich waren vor langer Zeit Schulkameraden, und ich glaube, er hatte das Gefühl, ich müsse wissen, was sich tat.» Er seufzte.

«Eines Morgens bekam ich einen Anruf von Anna, ganz

zeitig. Sie war vor Sorge außer sich, weil Brian die ganze Nacht fortgewesen war. Er war nicht nach Hause gekommen. Ich versuchte, sie zu beruhigen, dann machte ich mich auf die Suche und fand ihn im Jachtklub. Er sagte, er sei dort auf einer Party gewesen, habe Anna nicht stören wollen und deshalb dort geschlafen. Ich sagte ihm, er solle nach Hause fahren, und er versprach es mir.

Nun, später am Tag bekam ich eine Nachricht, ich solle Anna anrufen. Inzwischen war ich draußen auf dem Land, zwei Autostunden von Tarbole entfernt, und besuchte den kleinen Sohn eines Schafzüchters. Die Mutter hatte den Verdacht auf Blinddarmentzündung, aber zum Glück stellte sich heraus, daß sie sich geirrt hatte. Jedenfalls erklärte mir Anna, sie habe Blutungen. Ich sagte ihr, ich käme so schnell wie möglich zurück, inzwischen solle Brian im Krankenhaus anrufen und einen Notarztwagen bestellen. Doch sie war immer noch allein, Brian war nicht zurückgekommen. Also rief ich selbst den Notarztwagen, benachrichtigte das Krankenhaus in Lochgarry und fuhr wie der Henker nach Tarbole zurück. Als ich in die Praxis kam, rief ich wieder im Krankenhaus an, aber es war zu spät. Die Schwester berichtete, Anna sei angekommen, doch sie habe das Kind verloren. Sie sagte, Anna frage nach ihrem Mann, aber niemand wisse, wo er sei. Ich legte den Hörer auf, stieg ins Auto, fuhr zum Strandhaus und fand dort Rose und Brian miteinander im Bett.»

«Aber hat ihre Mutter denn nicht gewußt, was sich abspielte?»

«Das weiß ich wirklich nicht. Jedenfalls war sie nicht zu Haus. Soweit ich mich erinnern kann, war sie auf eine Runde Golf nach Lochgarry gefahren.»

«Hugh, was haben Sie dann gemacht?»

Er fuhr sich mit der Hand über die Stirn. «Ach, das übliche. Bin aus der Haut gefahren, habe auf den Putz gehauen. Natürlich war es zu spät für einen Entrüstungssturm, denn Annas Kind war schon tot.»

«Und jetzt bekommt sie wieder eins.» Hugh nickte. «Und Sie wollten nicht dabei zuschauen, wie das noch einmal passiert.»

«Nein.»

«Gab es ... irgendein Nachspiel?»

«Nein. Als Anna aus dem Krankenhaus kam, waren Rose und ihre Mutter fort.»

«Tuppy hat es nie erfahren? Oder Isobel?»

«Nein.»

«Und Antony?»

«Antony arbeitete in Edinburgh. Er hat Rose nur flüchtig kennengelernt, als er über ein Wochenende nach Hause kam.»

«Was haben Sie gedacht, als Sie gehört haben, daß Antony Rose heiraten will?»

«Ich war entsetzt. Aber ich habe mir gesagt, daß das alles vor fünf Jahren war, daß Rose inzwischen erwachsen geworden ist. Ich habe gebetet, sie möge sich geändert haben.»

«Und Anna? Anna hat es nie herausgefunden?»

«Brian und ich haben einen Handel gemacht. Aller Wahrscheinlichkeit nach der einzige, den es je zwischen uns geben wird. Die Wahrheit hätte Anna am Boden zerstört. Der Gedanke, daß Brian sich mit einem kleinen Flittchen aus Glasgow herumtrieb, war eine Sache. Die Gewißheit, daß er mit Rose schlief, war eine andere. Es wäre eine Katastrophe geworden, und die Armstrongs wären unweigerlich mit betroffen gewesen.»

«Und was hatte Brian von dem Handel?»

«Brian hatte trotz seiner Schürzenjägerallüren einen kühlen Kopf behalten. Materiell, finanziell hatte Brian mehr als jeder andere zu verlieren. Das ist übrigens noch immer so.»

«Sie hassen ihn wirklich, nicht wahr?»

«Es beruht auf Gegenseitigkeit. Aber wir leben in einem kleinen Ort. Wenn wir es müssen, ertragen wir also die Gesellschaft des anderen.»

«Es kann ihn nicht besonders gefreut haben, daß er Sie an jenem Abend in Lochgarry sah.»

«Nein, ich glaube, es hat ihn nicht besonders gefreut.»

«Anna sagt, er hat ein blaues Auge.»

Hugh machte ein verblüfftes Gesicht. «Was? Wirklich?»

«Sie haben ihn doch nicht geschlagen, oder?»

Hugh grinste. «Nur ein bißchen.»

«Was soll nur aus dieser Ehe werden?»

«Da wird sich gar nichts ändern. Brian wird sich vermutlich weiter die Hörner abstoßen, falls das eine passende Formulierung für einen Mann in seinem Alter ist, und Anna wird seine Seitensprünge weiter ignorieren. Und die Ehe wird halten.»

«Wird das Kind dabei helfen?»

«Es wird Anna helfen.»

«Es scheint alles so ungerecht.»

«Das Leben ist ungerecht, Flora. Bestimmt haben Sie das inzwischen herausgefunden.»

«Ja.» Sie seufzte tief. «Wenn Rose nur netter gewesen wäre. Wenn sie nur nicht so geworden wäre. Amoralisch und rücksichtslos. Allen tut sie weh. Sie und ich sind eineiige Zwillinge. Wir sind im Zeichen der Zwillinge geboren. Warum ist sie so?»

«Umgebung?»

«Sie meinen, wenn ich von meiner Mutter statt von meinem Vater erzogen worden wäre, dann wäre ich wie Rose geworden?»

«Nein. Das kann ich mir nicht vorstellen.»

«Übrigens habe ich Rose um ihre Umgebung beneidet. Ich war neidisch auf ihre Nerzjacke und ihre Wohnung in London, darauf, daß sie soviel Geld hatte, überallhin fliegen und tun konnte, was sie wollte. Und jetzt tut sie mir nur noch leid. Es ist ein scheußliches Gefühl.» Sie stützte das Kinn auf die Knie und schaute Hugh nachdenklich an. «Jetzt möchte ich nicht mehr Rose sein.»

«Ich möchte auch nicht, daß Sie Rose sind. Aber eine Zeit-lang haben Sie mich völlig verwirrt. Seit Jahren bekomme ich zu hören, daß ich zuviel arbeite, daß ich einen Partner brau-che, daß ich zusammenbrechen werde. Ich habe die Leute ein-fach ausgelacht. Aber plötzlich habe ich mich gefragt, ob ich im Begriff bin, den Verstand zu verlieren. Erst habe ich Sie dabei überrascht, wie Sie meine Küche putzten, was so unty-pisch für Rose war, daß es mich schockiert hat. Dann habe ich mich dabei ertappt, daß ich Ihnen von Angus McKay er-zählte, und als nächstes brach die Geschichte meiner Ehe aus mir heraus. Und das, ob Sie es glauben oder nicht, war noch untypischer für mich als das Bodenscheuern für Rose. Ich hatte seit Jahren nicht mehr über Diana gesprochen. Ich habe nie einem Menschen erzählt, was ich Ihnen erzählt habe.»

«Ich bin froh, daß Sie es mir erzählt haben.»

«Und als ich eben glaubte, vielleicht sei Rose doch gar nicht so schlecht, war sie schon wieder mit Brian Stoddart zugange. Und Dr. Kyle, der begriffsstutzige alte Narr, stand wie ein Vollidiot da.»

«Kein Wunder, daß Sie so wütend waren.»

Von weit her kamen Walzerklänge. Eins zwei drei. Eins zwei drei.

...bringt den Knaben, zum König geboren,
über das Meer nach Skye.

«Wenn wir jetzt nicht gehen, ist das Fest vorbei, bis wir hinunterkommen», sagte er.

«Muß ich immer noch Rose sein?»

«Ich glaube schon.» Er stand vom Bett auf, nahm die leere Champagnerflasche und stellte sie wie ein Dekorationsstück vor Floras Spiegel. «Diesen einen Abend noch. Antony und Isobel zuliebe, und um sechzig Menschen eine peinliche Si-tuation zu ersparen.» Er ging zum Waschbecken, drehte den Warmwasserhahn auf und wrang Floras Waschlappen unter dem heißen Wasser aus. «Stehen Sie jetzt auf», sagte er, «und waschen Sie sich das Gesicht.»

Schließlich war sie fertig, eingecremt, gekämmt, mit einem Hauch Make-up im Gesicht. Sie war wieder in das Kleid gestiegen und hatte die meisten Knöpfe zugemacht, während sich Hugh um die schwierigen am Kragen gekümmert hatte. Es war immer noch genauso unbequem, aber jetzt, ermutigt durch den Champagner, meinte Flora, es lasse sich aushalten. Wer schön sein will, muß leiden. Sie machte den Gürtel zu und zeigte sich Hugh. «Ich sehe nicht fleckig aus, oder?»

«Nein.» Mehr hatte sie nicht erwartet, aber er fügte hinzu: «Sie sehen bezaubernd aus.»

«Sie auch. Erfolgreich und distinguiert. Bis auf die Tatsache, daß irgendeine rücksichtslose Person Ihre Hemdbrust mit Wimperntusche verschmiert und dabei Ihre Fliege verrückt hat.»

Er schaute in den Spiegel, um das zu überprüfen, und wirkte verblüfft. «Wie lange ist meine Fliege schon so?»

«Seit zehn Minuten.»

«Warum haben Sie sie nicht geradegerückt?»

«Ich weiß nicht. Es ist so abgedroschen.»

«Was ist daran abgedroschen, einem Mann die Fliege zurechtzurücken?»

«Ach, wissen Sie, diese alten Filme im Fernsehen... Das Paar ist in voller Abendgarderobe, die Frau liebt den Mann, aber er weiß es nicht. Dann sagt sie ihm, seine Fliege sitzt schief, sie rückt sie ihm gerade, die Geste ist überladen mit Bedeutung und Zärtlichkeit, und sie schauen sich tief in die Augen.»

«Und was passiert dann?» fragte Hugh und klang, als wolle er das wirklich wissen.

«Meistens küßt er sie dann, und ein himmlischer Chor singt ‹Dein ist mein ganzes Herz› oder so was, sie legen die Arme umeinander und schreiten hinaus, und auf ihren Rükken steht: ‹Ende›». Sie seufzte. «Ich habe Ihnen doch gesagt, daß es abgedroschen ist.»

Er schien die Vor- und Nachteile der Situation abzuwägen.

Schließlich sagte er: «Eins ist sicher. Ich kann nicht mit einer Fliege, die auf dem Kopf steht, hinuntergehen.»

Flora lachte und rückte sie ihm vorsichtig, sorgfältig gerade. Ohne Umstände beugte er sich hinunter und küßte sie. Es war ein ungeheuer befriedigendes Gefühl. So befriedigend, daß sie, als es vorbei war, die Arme um seinen Hals legte, seinen Kopf heranzog und den Kuß erwiderte.

Doch seine Reaktion war seltsam. Sie löste sich von ihm und schaute stirnrunzelnd zu ihm auf.

«Wirst du nicht gern geküßt?»

«Doch, ausgesprochen gern. Aber vielleicht bin ich ein bißchen aus der Übung. Das ist mir schon lange nicht mehr passiert.»

«Ach, Hugh. Du kannst nicht ohne Liebe leben. Du kannst nicht weiterleben, ohne jemanden zu lieben.»

«Ich habe geglaubt, ich könnte es.»

«Du bist kein solcher Mensch. Du bist nicht dazu geschaffen, einsam und eigenbrötlerisch zu sein. Du solltest eine Frau haben und Kinder, die in deinem Haus herumrennen.»

«Du vergißt, daß ich es einmal versucht und ein fürchterliches Fiasko daraus gemacht habe.»

«Das war nicht deine Schuld. Und außerdem hat man immer eine zweite Chance.»

«Flora, weißt du, wie alt ich bin? Sechsunddreißig. In zwei Monaten werde ich siebenunddreißig. Ich werde nie ein Vermögen verdienen. Ich bin ein Landarzt in mittleren Jahren, ohne jeden Ehrgeiz, etwas anderes zu sein. Vermutlich werde ich den Rest meiner Tage in Tarbole verbringen und mit so eingefahrenen Gewohnheiten enden wie mein alter Vater. Ich habe offenbar nie Zeit für mich, und wenn doch, dann gehe ich zum Fischen. Das ist eine langweilige Zukunft, und man kann von keiner Frau verlangen, daß sie so ein Leben teilt.»

«Es müßte ja nicht langweilig sein», sagte Flora hartnäckig. «Es kann nie langweilig sein, wenn man gebraucht wird und für jemanden wichtig ist.»

«Bei mir ist das anders. Das ist mein Leben.»

«Wenn eine Frau dich liebt, ist es auch ihres.»

«Wie du das sagst, klingt es einfach. Fast kinderleicht.»

«So meine ich das nicht.»

«Was machst du, wenn das hier vorbei ist?» fragte er unvermittelt. «Ich meine, die Zeit bei den Armstrongs.»

«Ich fahre weg.» Es war schwer, seinen plötzlichen Themawechsel nicht als verletzend zu empfinden.

«Wohin?»

Flora zuckte die Achseln. «Nach London. Um das zu tun, was ich an dem Tag tun wollte, an dem ich Rose getroffen habe. Arbeit suchen. Eine Wohnung suchen. Warum?»

«Ich glaube, mir wird erst jetzt bewußt, welche Leere du im Leben von uns allen hinterlassen wirst. Dunkelheit. Wie ein Licht, das ausgeht.» Er lächelte, vielleicht über sich. Weil er vor Gefühlen zurückschreckte, wurde er praktisch. «Wir müssen gehen.» Er machte die Tür auf. «Wir müssen *jetzt* gehen.»

Sie sah den langen Gang, der sich vor ihr erstreckte; sie hörte wieder die Stimmen und die Musik. Ihr Mut sank.

«Du läßt mich nicht im Stich?»

«Antony ist da.»

«Tanzt du mit mir?»

«Alle werden mit dir tanzen wollen.»

«Aber...» Sie ertrug es nicht, das Band, das endlich zwischen ihnen geknüpft war, loszulassen.

«Ich sag dir was. Wir essen zusammen zu Abend. Wie wäre das?»

«Versprochen?»

«Versprochen. Jetzt laß uns gehen.»

Danach, als alles vorbei war und der Vergangenheit angehörte, beschränkten sich Floras Erinnerungen an Tuppys Fest auf kurze, zusammenhanglose Einzelheiten – verschwommene Eindrücke ohne jede Ordnung.

Sie kam mit Hugh die Treppe zur Halle herunter, wie zwei Tiefseetaucher, die plötzlich in eine Welt aus Licht und Lärm geraten, mit vielen erwartungsvollen Gesichtern, die sie begrüßten. Wohin sie sich auch wandte, überall wartete jemand, um sich ihr vorzustellen, sie zu küssen, ihr zu gratulieren oder ihr die Hand zu geben. Aber keinen Namen, an den sie sich erinnerte, konnte sie einem Gesicht zuordnen.

Sie sah eine Reihe große junge Männer in Kilts und kleine alte Männer, ebenso gekleidet.

Sie wurde förmlich ins Wohnzimmer geleitet, um Mrs. Clanwilliam vorgestellt zu werden. Mrs. Clanwilliams Haar war entweder eine Perücke oder ein Vogelnest, gekrönt mit einer Tiara aus alten Diamanten, und sie saß am Kamin, den Stock neben sich und einen kräftigen Whisky in der Hand. Sie war nicht besonders gut gelaunt und war sich unschlüssig gewesen, ob sie zu Tuppys Fest kommen solle. Es habe nicht viel Sinn, sagte sie zu Flora, auf einen Ball zu gehen, wenn man nicht tanzen könne und wie ein altes Wrack am Kamin sitzen müsse. Der Grund dafür, daß sie nicht tanzen könne, fügte sie mit der dröhnenden Stimme eines stark schwerhörigen Menschen hinzu, sei, daß sie sich die Hüfte gebrochen habe, als sie beim Versuch, die Badezimmerdecke zu streichen, von der Trittleiter gefallen sei. Sie werde, fügte sie beiläufig hinzu, an ihrem nächsten Geburtstag siebenundachtzig.

Da waren die Crowthers, die in der Mitte eines «Eightsome Reel» miteinander tanzten. Mr. Crowther stieß Rufe aus, die klangen, als gebe er die Wettquoten bekannt, und Mrs. Crowther ließ den Rock ihres Tartanseidenkleids wirbeln und warf die Beine in Highlandtanzschuhen, mit Schnürsenkeln, die über die Knöchel reichten.

Es gab Unmengen von Champagner. Sie sah einen uralten Mann mit einer Gesichtsfarbe wie Loganbeeren, der jemandem erzählte, Tuppy sei eine prächtige kleine Frau, und wenn er bei Verstand gewesen wäre, hätte er sie vor Jahren geheiratet.

Sie tanzte «Strip the Willow» mit Jason, der sie an einer

langen Reihe von Partnern entlangschwenkte. Der Raum drehte sich wie ein Kreisel um sie. Körperlose Arme tauchten aus dem Nichts auf und fingen sie auf. Silberne Manschettenknöpfe gruben sich in ihre Arme. Sie wurde festgehalten, wieder herumgewirbelt und wieder an Jason weitergereicht.

Sie sah Anna Stoddart, in einem Kleid, das ihr überraschend gut stand, die neben Isobel auf einem Sofa saß und hübscher aussah, als Flora sie je gesehen hatte.

Sie wandte sich von der Bar ab und fand sich Brian Stoddart gegenüber. Sie suchte sofort nach einer Spur des blauen Auges.

Er runzelte die Stirn. «Was soll denn dieser durchdringende Blick?»

«Anna hat mir erzählt, daß du gegen eine Tür gerannt bist.»

«Dr. Kyle sollte lernen, seine Nase nicht in anderer Leute Angelegenheiten zu stecken und die Hände in den Taschen zu lassen.»

«Dann war es also tatsächlich Hugh.»

«Mach kein so unschuldiges Gesicht, Rose, du weißt verflucht genau, daß er es war. Mit so was gibt er gerne an. Was hat der Scheißkerl sich einzumischen.» Er schaute sich verdrossen um. «Ich würde dich um einen Tanz bitten, aber diese Hopserei ist nicht das, was ich mir unter Tanzen vorstelle, und die Kapelle scheint nichts anderes spielen zu können.»

«Ich weiß», sagte Flora mitfühlend. «Es ist sterbenslangweilig, nicht wahr? Dieselben Gesichter, dieselben Kleider, dieselben Gespräche.»

Er warf ihr einen mißtrauischen Blick zu. «Rose, entdecke ich eine Spur Sarkasmus in deiner Stimme?»

«Vielleicht. Eine klitzekleine.»

«Früher hast du das viel besser gekonnt. Du wirst doch nicht etwa alt?»

«Das ist nicht das Schlechteste.»

«Du klingst wie ein Mädchen, das eine Gehirnwäsche hinter sich hat.»

«Ich bin nicht das Mädchen, das du gekannt hast, Brian. Das war ich nie.»

«Leider ist mir dieser Verdacht auch schon gekommen.» Er drückte die Zigarette aus. «Es bricht mir das Herz, Rose, aber ich fürchte, du hast dich gebessert.»

«Du könntest es auch versuchen.»

Er schaute sie an. Die hellen Augen waren hart und glänzend wie die eines Vogels. «Rose, verschon mich damit.»

«Denkst du denn nie an Anna?»

«So gut wie immer.»

«Warum nimmst du dann kein Glas Champagner, setzt dich neben sie und sagst ihr, daß sie wunderschön aussieht?»

«Weil es nicht wahr wäre.»

«Du könntest dafür sorgen, daß es wahr wird. Und», fügte sie zuckersüß hinzu, «es würde dich keinen Penny kosten.»

Antony war den ganzen Abend in der Nähe gewesen, und sie hatte mit ihm getanzt, aber sie hatte keine Gelegenheit gehabt, mit ihm zu reden. Sie wußte, wie ungeheuer wichtig es war, daß sie ihn für sich hatte, ehe der Abend weiter fortschritt. Sie fand ihn schließlich im Eßzimmer, wo er am Büfett stand und Räucherlachs und Kartoffelsalat auf einen Teller lud.

«Für wen ist das?»

«Für Anna Stoddart. Sie bleibt nicht bis zum Ende der Party, und Isobel besteht darauf, daß sie etwas ißt.»

«Ich möchte mit dir reden.»

«Ich möchte auch mit dir reden, aber bis jetzt hatte ich noch keine Chance.»

«Wie wär's jetzt?»

Er schaute sich um. Im Augenblick schien niemand etwas von ihm zu wollen. «In Ordnung.»

«Wo können wir hin?»

«Kennst du die alte Speisekammer, wo Mrs. Watty und Isobel das Silber putzen?»

«Ja.»

«Gut, nimm Champagner und zwei Gläser mit und mach ein Gesicht, als müßtest du dringend in die Küche. Ich komme nach.»

«Wird man uns nicht vermissen?»

«Zehn Minuten fallen nicht auf. Und wenn doch – alle werden glauben, wir gönnen uns eine kleine Schmuserei, und es höflich ignorieren. Bis gleich.»

Er ging, mit Annas Abendessen in der Hand. Flora nahm zwei Gläser und eine offene Champagnerflasche. Mit beiläufiger Miene ging sie den Flur zur Küche entlang. Die Speisekammer lag vor der Küche, und niemand sah, daß Flora hineinging.

Es war ein schmaler Raum mit einem Fenster am Ende und langen Schränken entlang der beiden Wände. In der Mitte war gerade genug Platz für einen kleinen Tisch mit Wachstuchdecke, alles roch nach Politur, gescheuertem Holz und dem Mittel, mit dem Isobel Tuppys beste Gabeln putzte, wenn sie angelaufen waren.

Sie setzte sich auf den Tisch und wartete auf Antony. Als er eintrat, hatte er eine Verschwörermiene aufgesetzt. Leise schloß er die Tür hinter sich und lehnte sich dagegen, als wäre Flora eine bedrängte Heldin in einem schlechten Film.

Er grinste sie an. «Endlich allein.» Dann seufzte er. «Ich bin mir nicht sicher, ob ich je so etwas durchgemacht habe wie heute abend. Ich kann nur beten, daß ich so etwas nicht noch einmal erleben muß.»

«Vielleicht ist dir das eine Lehre. Dich nicht mit Mädchen wie Rose zu verloben.»

«Tu bloß nicht so fromm. Du steckst bis zum Hals drin, genau wie ich.»

«Antony, ich will wissen, was Tuppy gesagt hat.»

Sein Lächeln verschwand. Er griff nach der Champagner-flasche, füllte die beiden Gläser und reichte ihr eins.

«Sie war ungeheuer wütend.»

«Richtig wütend?»

«Richtig wütend. Tuppy kann einen ganz schön in die Mangel nehmen.» Er schwang sich neben sie auf den Tisch. «Niemals habe ich eine solche Strafpredigt bekommen. Du kannst es dir vorstellen. Dein Leben lang hast du mich nie angelogen, und jetzt, bloß weil du glaubst, ich bin senil im letzten Stadium, und so weiter, und so fort.»

«Ist sie immer noch wütend?»

«Nein, natürlich nicht. Laß niemals die Sonne über einem Streit untergehen. Gebt euch einen Kuß und seid wieder gut. Sie hat mir verziehen, aber ich fühle mich immer noch so klein mit Hut.»

«Ist sie auf mich auch böse?»

«Nein, du tust ihr leid. Ich habe ihr gesagt, es ist ganz allein meine Schuld, was ja auch stimmt, und daß du einfach in eine Situation geraten bist, die dir über den Kopf wuchs. Du hast gewußt, daß ich es Tuppy gesagt habe?»

«Ja. Hugh hat es mir erzählt.»

«Er weiß seit geraumer Zeit, daß du nicht Rose bist.»

«Ich habe keine Narbe am Arm.»

«Das ist wie aus Tausendundeiner Nacht. Der Junge mit dem sternbesetzten Krummschwert auf der linken Hinter-backe ist der rechtmäßige Prinz. Woher sollte ich wissen, daß Rose, das blöde Miststück, eine Narbe am Arm hat.» Er trank einen Schluck Champagner und schaute trübsinnig ins Glas. «Hugh kam heute abend zeitig an. Ich konnte mir nicht vor-stellen, was zum Teufel das sollte, bis er mich mit kaltem Blick fixierte und sagte, er wolle mit mir sprechen. Es war, als ob man zum Rektor bestellt wird. Wir kamen hierher, weil es sonst keinen Ort gab, und ich habe ihm die ganze lange, kom-plizierte Geschichte erzählt. Über dich und Rose, die Tren-nung eurer Eltern, Roses Reise nach Griechenland, und wie du in der Wohnung warst, als ich nach London kam. Er hat gesagt, ich muß es Tuppy beichten. Jetzt. Heute abend. Kein Aufschub mehr. Er meinte, wenn ich es nicht täte, würde er es ihr sagen.»

«Wenn du es ihr nicht gesagt hättest, hätte ich heute abend nicht durchgehalten.»

Antony runzelte die Stirn. «Was meinst du damit?»

«Ich weiß nicht. Ich nehme an, man kann nur eine Zeitlang lügen. Jedenfalls Menschen gegenüber, die einem vertrauen. Menschen gegenüber, die man liebt. Und obwohl ich jetzt schon eine Woche lang nur gelogen habe, kann ich es eigentlich nicht besonders gut.»

«Ich hätte dich nie bitten dürfen, mitzukommen.»

«Ich hätte nie einwilligen dürfen.»

«Schön, nachdem wir uns darüber einig sind, laß uns noch einen Schluck Champagner trinken.»

Aber Flora rutschte vom Tisch. «Ich habe genug getrunken.» Sie strich sich das Kleid glatt, und Antony stellte das Glas weg, griff nach ihren Schultern und zog sie zu sich heran.

«Wissen Sie, Miss Flora Waring, Sie sehen heute abend ganz besonders hübsch aus.»

«Das liegt an Tuppys Tenniskleid.»

«Es hat nichts mit Tuppys Tenniskleid zu tun, so schön es ist. Es liegt an dir, deinen leuchtenden Augen und deinem Strahlen. Phantastisch.»

«Vielleicht der Champagner.»

«Nein. Nicht der Champagner. Wenn ich es nicht besser wüßte, würde ich sagen, du bist verliebt. Oder wirst geliebt.»

«Ein hübscher Gedanke.»

«Ich habe immer noch nicht herausbekommen, warum zum Teufel ich es nicht bin.»

«Das haben wir doch schon vor einer Ewigkeit geklärt. Es hat irgendwas mit Chemie zu tun.»

Er nahm sie in die Arme und gab ihr einen Kuß. «Ich werde Abendkurse nehmen müssen. Alles darüber lernen.»

«Ja, mach das.»

Er lächelte. «Ich hab es dir vermutlich schon mal gesagt, aber du bist ein ganz tolles Mädchen.»

Verliebt. Oder geliebt.

Antony war nicht dumm. Flora hatte Hugh den ganzen Abend nicht aus den Augen verloren. Er überragte alle anderen Gäste um Haupteslänge, seine Präsenz war weder zu übersehen noch zu ignorieren. Aber seit sie gemeinsam die Treppe heruntergekommen waren, hatten sie sich weder angeschaut noch miteinander gesprochen, obwohl auch seine starken Arme sie bei dem Tanz mit Jason herumgewirbelt hatten.

Es war, als hätten sie einen stillschweigenden Pakt. Als hätte auch er begriffen, daß ihre Beziehung plötzlich etwas so Kostbares, etwas so Verletzliches geworden war, daß ein ungeschicktes Wort, ein besitzergreifender Blick ausgereicht hätten, sie zu gefährden. Das stumme Einverständnis reichte aus, Floras Herz mit Hoffnung zu erfüllen. Diese Gedanken, die einer tagträumenden Fünfzehnjährigen angestanden hätten, überraschten sie. Schließlich war sie zweiundzwanzig, und durch ihre Vergangenheit zogen sich eine ganze Reihe Freundschaften, Liebeleien und halbherzige Liebesgeschichten. Sie dachte an London: wie sie aus einem Restaurant auf satinfeuchte Straßen kam, die Hand in der eines Mannes, tief in seiner Manteltasche. Und jener Sommer in Griechenland. Sie dachte an eine von wilden Anemonen überwucherte Klippe und ihren Begleiter mit seinem sonnengebräunten Körper und dem von der Sonne ausgebleichten Haarschopf. Es war, als hätte sie in den letzten Jahren ein paar kleine Stücke von sich verschenkt – vielleicht ein paar Herzen gebrochen und zum Ausgleich den einen oder anderen Knacks bekommen.

Doch es war nie Liebe gewesen, nur Suche nach Liebe. Daß sie nur von einem Elternteil aufgezogen worden war, hatte

Floras Suche noch verwirrender gemacht, denn sie hatte kein Beispiel, dem sie folgte, keine Ahnung, wonach sie suchte. Aber jetzt, im Verlauf dieser unglaublichen Woche, war sie darauf gestoßen. Oder besser, es war ihr zugestoßen wie eine plötzliche Lichtexplosion, die sie so unvorbereitet getroffen hatte, daß sie unfähig gewesen war, vernünftig darauf zu reagieren.

Und es war anders. Hugh war älter. Er war schon einmal verheiratet gewesen. Er war ein schwer arbeitender Arzt, der sich um eine abgelegene, ländliche Gemeinde kümmerte. Er würde nie reich werden, seine Zukunft hatte keine Überraschungen zu bieten. Dennoch war Flora sich vollkommen sicher, daß er der einzige Mann war, der geben konnte, wonach sie sich sehnte: Liebe, Lachen, Sicherheit, Trost. Das alles hatte sie in seinen Armen gefunden. Und sie wollte in diese Arme zurückkehren, wann immer sie das Bedürfnis danach empfand. Sie wollte, daß er bei ihr war. Sie wollte mit ihm leben – ja, in diesem gräßlichen Haus – und für den Rest ihrer Tage in Tarbole bleiben.

Dieses Gefühl hatte sie noch nie vorher gespürt.

Um Mitternacht legten die Mitglieder der Kapelle, die nach zwei Dakapos von «The Duke of Perth» vor Erschöpfung schwitzten, die Instrumente weg, wischten sich mit riesigen Taschentüchern die Stirn und gingen im Gänsemarsch in Richtung Küche, wo Mrs. Watty wartete, um ihnen Abendessen und Bier in riesigen Krügen zu servieren. Das war das Zeichen für Antony und Jason: Routiniert stellten sie den Plattenspieler von Fernrigg auf und holten die Schallplatten, die Antony auf dem Autorücksitz aus Edinburgh mitgebracht hatte.

Die meisten Gäste, nach dem anstrengenden Tanz noch erschöpfter als die Kapelle, strebten auf der Suche nach Stärkung und kühlen Getränken ins Eßzimmer. Flora saß mit einem jungen Mann auf der Treppe, der am äußersten Zipfel von Ardnamurchan eine kleine Lachsfischerei betrieb. Er war gerade dabei, ihr sein Unternehmen zu schildern, als er merkte, daß fast alle anderen zum Essen gegangen waren.

«Oh, wie unaufmerksam von mir», sagte er. «Möchten Sie etwas essen? Ich hole Ihnen etwas, wenn Sie möchten.»

«Das ist sehr nett von Ihnen, aber ich habe versprochen, mit Hugh Kyle zu essen.»

«Hugh?» Der junge Mann schaute sich um. «Wo ist er?»

«Ich habe keine Ahnung, aber er wird schon auftauchen.»

«Ich werde ihn suchen.» Der junge Mann stand auf und strich sich die Kiltfalten glatt. «Vermutlich steckt er in einer dunklen Ecke und tauscht mit einem alten Kumpel vom Fischen unglaubliches Seemannsgarn aus.»

«Machen Sie sich um mich keine Sorgen. Gehen Sie und holen sich etwas zu essen…»

«Das mache ich gleichzeitig. Ich werde mich besser beeilen, sonst ist der ganze kalte Truthahn weg.»

Er ging. Der Plattenspieler lief. Nach dem Dröhnen des Akkordeons und dem Kratzen der Geige klang die Musik merkwürdig, fremd und mondän. Die Klänge erinnern Flora an ein Leben, das anscheinend vor langer Zeit zu Ende gegangen war.

Tanz, wie es früher war,
bleib doch in meinen Armen.

Antony tanzte mit einer jungen Frau in einem blauen Kleid, Brian Stoddart mit der elegantesten Dame im Raum, ganz in schwarzem Crêpe de chine und mit baumelnden Ohrringen.

Schmilz einfach hin an meiner Haut
und laß mich deinen Herzschlag spüren.

Sie wußte, daß Hugh zu ihr kommen würde, weil er es ihr versprochen hatte. Aber nach einer Weile kam sie sich lächerlich vor, wie sie da auf der Treppe saß, beklommen wie ein junges Mädchen, das sich davor fürchtete, bei der ersten Verabredung versetzt zu werden. Der junge Mann aus Ardnamurchan kam nicht wieder, und Flora fragte sich, ob er sich an dem Gespräch über das Fischen beteiligt haben mochte. Schließlich konnte sie ihre Ungeduld nicht mehr zügeln, stand auf und machte sich auf die Suche nach Hugh. Sie ging von einem Zimmer ins andere, erst beiläufig, dann weniger beiläufig und schließlich völlig schamlos, fragte jeden, der zufällig neben ihr stand.

«Haben Sie Hugh Kyle gesehen? Sie haben Hugh Kyle auch nirgends gesehen, oder?»

Aber niemand hatte ihn gesehen. Sie fand ihn nicht. Und erst später erfuhr sie, daß ein Anruf gekommen war: eine Frühgeburt sei unterwegs. Hugh war längst gegangen.

Im Verlauf des Abends kam Sturm auf, der in den frühen Morgenstunden immer heftiger wurde. Für Tuppys Gäste, die vor dem Gehen Umhänge und Mäntel anlegten, kam der Wetterumschwung unerwartet. Sie waren an einem ruhigen Abend aufgebrochen, und jetzt mußten sie in dieses Unwetter hinaus. Jedesmal wenn die Haustür sich öffnete und schloß, drang ein Schwall kalter Luft herein. Aus dem Kaminfeuer in der Halle wehte Rauch auf, die langen Vorhänge bauschten sich in der Zugluft. Draußen glänzte der Garten im schwarzen Regen, auf dem Schotter bildeten sich Pfützen, und die Luft war voll von fliegendem Laub, kleinen Ästen und Zweigen, die eben erst abgerissen worden waren.

Endlich ging das letzte Paar, in Mäntel und Schals verpackt, die Köpfe gegen den Wind gesenkt. Antony verschloß und verriegelte die schwere Eingangstür. Der Haushalt schleppte sich erschöpft ins Bett.

Aber es war zu laut zum Schlafen. Die dem Meer zugewandte Hausseite bekam die ganze Wut des Sturms zu spüren. Die Böen kamen in riesigen Schüben, erschütterten die soliden alten Mauern, und das Geheul des Windes schwoll an, bis es einem Schrei glich. Jenseits davon, fern, doch bedrohlich, hörte man das dumpfe Grollen langer Wellen, die der stürmische Ozean an Land trieb, damit sie sich am Rand der Dünen von Fhada in Wolken aus weißem Gischt brachen.

Flora rollte sich zusammen, lag mit offenen Augen da und lauschte. Sie hatte den Abend mit einem Becher schwarzen Kaffees abgeschlossen, und das Pochen ihres Herzens war so beunruhigend wie eine Uhr, die in den dunklen Nachtstunden schlägt. Ihr Kopf war voll von dröhnender Musik, von zufälligen Bildern, von Stimmen. Sie hatte sich noch nie so hellwach gefühlt.

Die ersten grauen Strahlen der Dämmerung sickerten in den Himmel, als sie endlich in einen unruhigen, von Träumen heimgesuchten Schlaf fiel, in dem lauter Fremde auftauchten. Als sie aufwachte, war es wieder Tag, immer noch düster und grau, aber die endlose Nacht lag hinter ihr. Sie machte die Augen auf, dankbar für das kalte Licht, und sah Antony, der neben ihrem Bett stand.

Er sah müde aus, unrasiert und leicht triefäugig, und sein Kupferhaar war zersaust, als hätte er sich nicht die Zeit genommen, es zu kämmen. Er trug einen tweedähnlichen Rollkragenpullover, ein altes Paar Cordhosen, hielt zwei dampfende Kinderbecher in den Händen und sagte: «Guten Morgen.»

Flora riß sich aus dem Schlaf. Mechanisch griff sie nach ihrer Uhr. «Es ist halb elf», sagte er. «Ich habe dir Kaffee gebracht. Ich dachte, du kannst ihn brauchen.»

«Oh, wie nett.» Sie streckte sich, versuchte, den Schlaf aus den Augen zu zwinkern, setzte sich in den Kissen auf. Er reichte ihr den Henkelbecher, und sie legte die Hände darum und gähnte herzzerreißend.

Er nahm ihren Bademantel und legte ihn um ihre Schultern, machte den Heizofen an und setzte sich neben sie auf den Bettrand.

«Wie fühlst du dich?»

«Grauenhaft.»

«Trink einen Schluck Kaffee, dann fühlst du dich besser.»

Sie trank; der Kaffee war siedendheiß und stark. Nach einer Weile fragte sie: «Ist schon jemand auf?»

«Allmählich kommen sie zu sich. Jason schläft noch, ich glaube nicht, daß er vor dem Mittagessen auftaucht. Isobel ist seit einer Stunde auf, und ich bezweifle, daß Mrs. Watty und Watty überhaupt im Bett waren. Jedenfalls schuften sie seit acht Uhr morgens, und wenn du dich sehen läßt, merkst du wahrscheinlich gar nicht mehr, daß ein Fest stattgefunden hat.»

«Ich hätte aufstehen und helfen müssen.»

«Ich hätte dich schlafen lassen, aber das hier ist mit der Morgenpost gekommen.» Er holte einen Umschlag aus der Hosentasche. «Ich dachte mir, du möchtest es vielleicht gleich lesen.»

Sie nahm ihm den Umschlag ab und erkannte die Handschrift ihres Vaters, den Poststempel von Cornwall. Der Brief war an Miss Rose Schuster adressiert.

Flora stellte den Henkelbecher mit Kaffee ab. «Er ist von meinem Vater.»

«Das habe ich mir gedacht. Hast du ihm geschrieben?»

«Ja. Am Sonntag. Als du nach Edinburgh gefahren warst.» Sie sah ihn schuldbewußt an. «Ich mußte es jemandem sagen, Antony, und ich hatte dir versprochen, daß ich es niemandem hier sage. Aber ich habe mir gedacht, mein Vater zählt nicht. Deshalb hab ich ihm geschrieben.»

«Mir war nicht klar, wie stark dein Bedürfnis zu beichten war. Hast du ihm alles geschrieben?»

«Ja.»

«Ich kann mir nicht vorstellen, daß er besonders begeistert ist.»

«Nein», pflichtete Flora kläglich bei. Sie schlitzte den Umschlag auf.

«Soll ich gehen und dich in Ruhe lesen lassen?»

«Nein, es ist mir viel lieber, wenn du bleibst.» Vorsichtig faltete sie den Brief auseinander. *Liebste Flora.*

«Ich bin immer noch seine liebste Flora, also hat er sich vielleicht doch nicht so furchtbar aufgeregt.»

«Hast du gedacht, er regt sich furchtbar auf?»

«Ich weiß nicht. Ich glaube, ich habe gar nicht darüber nachgedacht.»

In Antonys tröstlicher Gegenwart las sie den Brief:

Seal Cottage
Lanyon
Lands End
Cornwall

Liebste Flora,

ich habe den Umschlag für diesen Brief schon so adressiert, wie Du es mir aufgetragen hast. Er liegt jetzt neben mir auf dem Schreibtisch, ein Beweis dafür, daß eine Lüge, wie gutgemeint sie auch sein mag, sich nie zügeln oder beherrschen läßt, sondern sich wie eine Krankheit ausbreitet und unausweichlich immer mehr Menschen in Mitleidenschaft zieht.

Ich war froh, daß Du mir so ausführlich geschrieben hast. Ich habe Deinen Brief mehrmals gelesen, und weil Du ungeduldig auf Antwort zu warten scheinst, will ich versuchen, in aller Kürze auf Deine Schwierigkeiten einzugehen. Zunächst Rose. Ich habe gehofft, daß es nie zu einer derart zufälligen Begegnung kommt. Aber es ist geschehen, und ich schulde Dir eine Erklärung.

Deine Mutter und ich haben ein Jahr nach unserer Hochzeit beschlossen, uns zu trennen. Wir wären sofort getrennte Wege gegangen, aber sie war im achten Monat schwanger, und alle Vorkehrungen für die Geburt waren schon getroffen, deshalb sind wir in jenem letzten Monat zusammengeblieben. Während jener Zeit haben wir uns darauf geeinigt, daß sie das Sorgerecht für das Kind bekommt und es allein aufzieht. Sie wollte zu ihren Eltern ziehen und war recht zufrieden mit dieser Lösung.

Aber es war nicht nur ein Kind, es waren Zwillinge. Als Pamela das erfuhr, wurde sie ziemlich hysterisch, und als ich zu ihr durfte, hatte sie sich überlegt, daß zwei Babys zuviel für sie seien. Sie wollte eins behalten. Das andere sollte ich nehmen.

Ich gebe zu, daß mich diese Aussicht entsetzte. Aber als Pamela sich erst einmal alles von der Seele geredet hatte, trocknete sie sich die Augen, und die Körbchen mit den beiden Babys wurden ins Zimmer gerollt.

Wir bekamen Euch zum erstenmal zu sehen. Rose lag wie ein Blümchen da, schlafend, mit seidigem dunklem Haar und Fäustchen wie Muscheln unter dem Kinn. Du dagegen hast dir die Seele aus dem Leib geschrien und sahst ganz fleckig aus. Deine Mutter war nicht dumm. Sie streckte die Arme nach Rose aus, die Schwester gab ihr das schlafende Baby, und die Wahl war getroffen.

Aber meine Wahl war auch getroffen. Ich konnte es nicht ertragen, wie Du geweint hast. Es klang, als wäre Dir das Herz gebrochen. Ich nahm Dich aus dem Körbchen, hob Dich hoch, und Du hast einen gewaltigen Rülpser ausgestoßen und aufgehört zu weinen. Du hast die Augen aufgemacht, und wir haben uns angeschaut. Ich hatte noch nie ein so winziges, so kleines Kind in den Armen gehalten, und ich war überhaupt nicht auf die Wirkung vorbereitet, die das auf mich hatte. Ich merkte, daß ich mit Stolz erfüllt war, ganz und gar besitzergreifend. Du warst mein Kind. Nichts und niemand würde Dich mir wegnehmen.

So ist das alles gekommen. Hätte ich es Dir sagen müssen? Die Antwort habe ich nie gewußt. Vermutlich hätte ich es tun sollen. Aber Du warst so ein glückliches Kind, so in Dir selbst ruhend, es kam mir wie ein Wahnsinn vor, Dein junges Leben mit überflüssigen Fragen und möglichen Unsicherheiten zu belasten. Pamela war fort und hatte Rose mitgenommen. Die Scheidung wurde ausgesprochen, und ich habe beide nie wiedergesehen.

Erbe und Umgebung sind rätselhafte Faktoren. Was Du von Rose schreibst, klingt, als wäre sie eine Kopie ihrer Mutter geworden. Und doch kann ich nicht glauben, daß Du unter anderen Umständen selbstsüchtig, gedankenlos oder unehrlich geworden wärst.

Deshalb macht mir Deine gegenwärtige Situation solche Sorgen. Nicht nur Deinetwegen und wegen des jungen Mannes, sondern auch wegen der Armstrongs. Sie scheinen Menschen zu sein, die mehr verdient haben als ein Täuschungsmanöver. Ich rate Euch beiden, ihnen so bald wie möglich die Wahrheit zu sagen. Die Folgen mögen unglücklich sein, aber daran trägt niemand die Schuld außer Euch beiden.

Wenn das getan ist, möchte ich, daß Du nach Hause kommst. Das ist – wie ich immer gesagt habe, als Du noch klein warst – keine Bitte, sondern ein Aufruf. Es gibt vieles, worüber wir reden müssen, und Du kannst Dir Zeit nehmen, um Deine Wunden zu lecken und Dich von dieser offensichtlich traumatischen Episode zu erholen.

Liebe Grüße auch von Marcia.

Du bist mein Kind, und ich bin Dein liebender

Vater

Als Flora den Schluß gelesen hatte, fragte sie sich, ob sie weinen müsse. Antony wartete. Sie schaute auf, sah seine mitfühlende Miene.

«Ich muß nach Hause», sagte sie.

«Nach Cornwall?»

«Ja.»

«Wann?»

«Sofort.»

Sie reichte ihm den Brief. Während er las, trank sie den Kaffee aus, stieg aus dem Bett, zog den Bademantel über und trat ans Fenster. Draußen jagten tiefhängende, schwarze Wolken über den Himmel. Jetzt war Flut, kaltes graues Wasser brach sich an den Felsen unter dem Garten und strömte über sie hinweg. Ein paar zerraufte Möwen trotzten dem Wetter, trieben im Wind. Der Rasen unter dem Fenster war übersät mit Laub und Schieferresten, die von einem Dach heruntergeweht waren.

Antony sah auf. «Das ist ein liebevoller Brief.»

«Er ist ein liebevoller Mann.»

«Ich habe das Gefühl, ich sollte mitkommen. Damit ich das meiste abkriege.»

Flora war gerührt. Sie drehte sich vom Fenster weg. «Das ist nicht nötig. Außerdem hast du selber genug Probleme am Hals, die du lösen mußt. Und zwar hier.»

«Willst du heute fahren?»

«Ja. Vielleicht kann ich einen Zug von Tarbole aus nehmen.»

«Der Zug nach London geht um eins.»

«Fährst du mich nach Tarbole?»

«Ich würde dich ans Ende der Welt fahren, wenn ich dir damit helfen könnte.»

«Tarbole reicht mir. Und jetzt muß ich mich anziehen. Ich muß zu Tuppy.»

«Ich gehe.» Er legte den Brief hin, griff nach den zwei leeren Henkelbechern und ging zur Tür.

«Antony.» Er blieb stehen und drehte sich um. Sie nahm den Verlobungsring ab. Er saß etwas eng, und es erforderte Mühe, ihn über den Knöchel zu streifen, aber schließlich ging er ab. Sie ging zu Antony, legte ihn in seine Hand, dann streckte sie sich und küßte ihn auf die Wange.

«Heb ihn an einem sicheren Ort auf. Eines Tages wirst du ihn brauchen.»

«Ich weiß nicht. Ich werde das Gefühl nicht los, daß er nicht viel Glück bringt.»

Flora lächelte. «Du bist eben ein abergläubischer Highlander. Wo bleibt denn deine Knickrigkeit? Denk bloß daran, wieviel er gekostet hat.»

Er grinste und steckte den Ring in die Tasche. «Ich bin unten, wenn du mich brauchst.»

Flora zog sich an und räumte ihr Zimmer auf, als komme es nur darauf an, es ordentlich zu hinterlassen. Sie griff nach dem Brief ihres Vaters, ging hinaus und den Flur entlang, dorthin, wo, wie sie wußte, Tuppy auf sie wartete.

Sie klopfte. «Ja?» rief Tuppy. Sie las die Morgenzeitung, doch als Flora eintrat, legte sie das Blatt beiseite und nahm die Brille ab. Durch das Zimmer trafen sich ihre Blicke. Tuppy machte so ein ernstes Gesicht, daß Flora der Mut verließ. Vielleicht sah man ihr das an, denn Tuppy lächelte, sagte liebevoll: «Flora!», und die Erleichterung darüber, daß sie nicht mehr «Rose» genannt wurde, war so groß, daß Flora einfach quer durch das Zimmer stürzte, wie eine Taube auf dem Heimweg direkt in Tuppys Arme flog.

«Ich weiß nicht, was ich sagen soll. Ich weiß nicht, wie ich sagen soll, daß es mir leid tut. Ich weiß nicht, wie ich dich darum bitten soll, daß du mir verzeihst.»

«Ich will nicht, daß du mit Entschuldigungen anfängst. Was ihr beide, du und Antony, da ausgebrütet habt, war sehr übel, aber ich hatte die ganze Nacht Zeit, darüber nachzudenken, und jetzt ist mir klar, daß ihr es mit den allerbesten Absichten getan habt. Andererseits ist der Weg zur Hölle mit guten Vorsätzen gepflastert, und gestern abend war ich so wütend auf Antony, daß ich ihn am liebsten geschlagen hätte.»

«Ja, er hat es mir erzählt.»

«Ich nehme an, er hat geglaubt, ich liege in den letzten Zügen und nehme alles hin, sogar eine Lüge. Und was Rose anlangt, dem Himmel sei Dank, daß er sie nicht heiratet. Wie kann ein Mädchen Antony nur so etwas antun – mit einem anderen Mann weglaufen, ohne auch nur den Anstand zu haben, es ihm zu erklären. Ich halte das für äußerst gedankenlos und grausam.»

«Das war einer der Gründe, warum ich nach Fernrigg gekommen bin. Weil ich Antony helfen wollte.»

«Ich weiß. Ich verstehe es. Und ich meine, es war sehr lieb von dir. Wie du es die ganze Woche lang durchgehalten hast, Rose zu sein, geht über mein Begriffsvermögen. Und dann bist du auch noch krank geworden. Du hast wirklich eine jämmerliche Zeit hinter dir.»

«Aber du verzeihst mir?»

Tuppy gab ihr einen kräftigen Kuß. «Meine Liebe, ich kann gar nicht anders. Flora oder Rose, du bist einfach du. Du hast uns allen soviel Freude gebracht, soviel Glück. Mich macht nur traurig, daß ihr zwei offenbar nicht vorhabt, euch ineinander zu verlieben und zu heiraten. Das ist viel enttäuschender als diese ganzen grauenhaften Lügen. Aber ich weiß schon, daß sich das Verlieben nicht manipulieren läßt. Dem Himmel sei Dank. Wie langweilig das Leben doch wäre, wenn das ginge. Und jetzt laß uns nicht mehr darüber reden. Ich will alles über gestern abend hören, und...»

«Tuppy.»

«Ja?» Tuppys blaue Augen wurden plötzlich wachsam.

«Heute morgen habe ich einen Brief von meinem Vater bekommen. Antony hat es dir vielleicht erzählt, er ist Lehrer, er lebt in Cornwall. Ich habe ihm Anfang der Woche geschrieben, weil ich das Gefühl hatte, ich muß jemandem beichten, was sich abspielt, und natürlich konnte ich es niemandem von euch erzählen.»

«Und was sagt dein Vater dazu?»

«Ich habe gedacht, das solltest du selbst lesen.»

Schweigend setzte Tuppy die Brille auf und nahm den Brief. Sie las ihn, von Anfang bis Ende. Als sie fertig war, murmelte sie: «Was für eine unglaubliche Geschichte. Aber was für ein netter Mann er sein muß.»

«Ja, das ist er.»

«Fährst du nach Hause?»

«Ja, ich muß. Um eins geht der Zug. Antony fährt mich nach Tarbole.»

Sofort verfiel Tuppys Gesicht, es wurde alt, ihr Mund warf Falten, ihre Augen verfinsterten sich. «Ich kann es nicht ertragen, daß du uns verläßt.»

«Ich will nicht fort.»

«Aber du kommst wieder. Versprich mir, daß du wiederkommst. Komm zurück und besuch uns alle, wann immer du willst. Fernrigg wartet auf dich. Du brauchst nur ein Wort zu sagen.»

«Du willst mich noch hierhaben?»

«Wir wollen dich hierhaben, weil wir dich lieben. So einfach ist das.» Nachdem sie das klargestellt hatte, wurde sie wieder praktisch. «Und dein Vater hat recht. Ich glaube, du solltest ein bißchen Zeit zu Hause verbringen.»

«Ich hasse Abschiede. Und ich habe so ein schlechtes Gefühl wegen Jason, Isobel, den Wattys und der Schwester. Sie waren so lieb zu mir, und ich kann mir nicht vorstellen, wie ich ihnen sagen soll, daß...»

«Ich sehe nicht ein, warum du ihnen irgend etwas sagen solltest. Sag nur, du hast einen Brief bekommen und mußt fort. Und wenn Antony vom Bahnhof zurückkommt, kann er es allen erklären. Er hat dich in diese Situation gebracht, und das ist das mindeste, was er tun kann.»

«Aber die vielen Leute, die gestern abend auf der Party waren?»

«Die Neuigkeit, daß die Verlobung gelöst ist, wird durchsickern. Eine Eintagsfliege, weiter nichts.»

«Aber sie müssen doch früher oder später erfahren, daß ich nicht Rose war. Sie müssen es eines Tages erfahren.»

«Das wird zweifellos auch durchsickern, und sie werden sich eine Zeitlang wundern und es dann vergessen. Schließlich ist es wirklich nicht so wichtig. Niemand hat Schaden genommen. Niemandem ist das Herz gebrochen worden.»

«Wie du das sagst, klingt es so einfach.»

«Die Wahrheit vereinfacht immer alles. Und dafür müssen wir Hugh danken. Wenn Hugh nicht gewesen wäre, der das Kommando übernommen hat, weiß der Himmel, wie lange diese dumme Farce noch weitergegangen wäre.» Sie seufzte. «Offenbar stehen wir immer irgendwie in Hughs Schuld. Wenn nicht in einer Hinsicht, dann in einer anderen. Er hat dich sehr gern, Flora. Ich frage mich, ob du das gemerkt hast. Vermutlich nicht, weil er seine Gefühle ungern zeigt, aber...»

Die Worte verebbten. Flora saß reglos da und schaute auf ihre gefalteten Hände hinunter. Die Knöchel waren ganz weiß, und die dunklen Wimpern wirkten wie Farbkleckse in ihrem plötzlich bleichen Gesicht.

Mit dem Instinkt eines Menschen, der ein Leben lang immer junge Leute um sich gehabt hat, witterte Tuppy ihren Kummer. Er durchzog den Raum wie ein eisiger Hauch, entsprang einer viel tieferen Quelle als dem Unglück über einen bevorstehenden Abschied. Besorgt legte Tuppy ihre Hand auf Floras und merkte, daß sie eiskalt war.

Flora schaute nicht auf. «Es ist schon in Ordnung», sagte sie.

«Mein liebes Kind, du muß es mir sagen. Hast du dich über jemanden aufgeregt? Ist es Antony?»

«Nein, natürlich nicht...»

Tuppy verfolgte das Gespräch im Geist zurück, suchte nach Anhaltspunkten. Sie hatten über Hugh gesprochen, und... Hugh. Hugh? Tuppy wußte es, als hätte Flora den Namen laut gesagt.

«Es ist Hugh.»

«O Tuppy, bitte sprich nicht darüber.»

«Aber natürlich müssen wir darüber sprechen. Ich kann es nicht ertragen, daß du so unglücklich bist. Hast... hast du dich in ihn verliebt?»

Flora schaute auf, die Augen dunkel wie Wunden. «Es muß wohl so sein», sagte sie leise.

Tuppy war verblüfft. Nicht weil Flora sich in Hugh verliebt hatte, sondern weil sie selbst nichts davon gemerkt hatte.

«Aber ich kann mir gar nicht vorstellen, wann…»

«Nein», sagte Flora plötzlich unverblümt. «Ich kann es mir auch nicht vorstellen. Ich kann mir nicht vorstellen, wann es passiert ist, wie oder warum. Ich weiß nur, daß es keine Zukunft hat.»

«Warum kann es keine Zukunft haben?»

«Weil Hugh so ist, wie er ist. Ihm ist einmal weh getan worden, und er wird nicht zulassen, daß ihm wieder weh getan wird. Er hat sich sein Leben eingerichtet, er will es nicht teilen, und er braucht keine Frau. Er gibt nicht zu, daß er eine Frau braucht. Und selbst wenn er es zugäbe, er scheint zu glauben, er hätte ihr nicht genug zu bieten… Ich meine, materielle Dinge.»

«Ihr scheint ja recht ausführlich darüber gesprochen zu haben.»

«Eigentlich nicht. Es war erst gestern abend, vor der Party. Ich hatte Champagner getrunken, was das Reden irgendwie erleichterte.»

«Weiß er, was du für ihn empfindest?»

«Tuppy, ein bißchen Stolz habe ich auch. Ich werde mich ihm nicht an den Hals werfen, allerdings habe ich ansonsten schon alle Möglichkeiten ausgeschöpft.»

«Hat er über Diana gesprochen?»

«Gestern abend nicht, aber er hat mir von ihr erzählt.»

«Das hätte er niemals getan, wenn er nicht das Gefühl gehabt hätte, daß du ihm sehr nahestehst.»

«Man kann einem Menschen nahestehen; das heißt noch nicht, daß man ihn liebt.»

«Hugh ist dickköpfig und sehr stolz», warnte Tuppy.

«Das brauchst du mir nicht zu sagen.» Flora lächelte traurig. «Gestern abend wollten wir gemeinsam essen. Er hat gesagt, er tanzt nicht mit mir, weil bestimmt alle Welt mit mir tanzen will, aber wir könnten zusammen essen. Wie blöd, daß ich so etwas Wichtiges daraus gemacht habe... aber es war wichtig, Tuppy. Und ich habe gedacht, vielleicht bin ich ihm auch wichtig. Doch dann war er plötzlich fort. Irgendein Anruf war gekommen, wegen einer Geburt. Ich weiß es nicht genau. Aber er ist einfach verschwunden.»

«Meine Liebe, er ist Arzt.»

«Hätte er es mir nicht sagen können? Hätte er sich nicht wenigstens verabschieden können?»

«Vielleicht konnte er dich nicht finden. Vielleicht hatte er keine Zeit, nach dir zu suchen.»

«Es sollte mir nichts ausmachen, nicht wahr? Aber es war so schrecklich wichtig.»

«Kannst du wegfahren und ihn vergessen?»

«Das weiß ich nicht. Anscheinend weiß ich auf nichts mehr eine Antwort. Ich muß den Verstand verloren haben.»

«Im Gegenteil, ich halte dich für ganz besonders klug. Hugh ist ein außergewöhnlicher Mensch, aber er verbirgt seine Qualitäten gut. Es gehört eine ungewöhnliche Wahrnehmung dazu, sie dennoch zu entdecken.»

«Was soll ich tun?» Flora sprach leise, aber für Tuppy klang es wie ein Aufschrei aus dem Herzen.

«Was du sowieso tun wolltest. Fahr nach Hause zu deinem Vater. Pack deine Sachen, verabschiede dich und laß dich von Antony zum Bahnhof fahren. So einfach ist das.»

«Einfach?»

«Das Leben ist so kompliziert, daß einem manchmal nur übrigbleibt, das Einfache zu tun. Jetzt gib mir einen Kuß. Vergiß alles, was geschehen ist. Und wenn du wieder nach Fernrigg kommst, beginnen wir ganz von vorn, machen einen neuen Anfang.»

«Ich kann dir gar nicht richtig danken.» Flora gab Tuppy einen Kuß. «Ich finde nicht die richtigen Worte.»

«Am besten kannst du mir danken, indem du wiederkommst. Das ist alles, was ich mir wünsche.»

Ein Geräusch vom Fußende des Bettes unterbrach sie. Sukey hatte beschlossen aufzuwachen. Ihre Krallen kratzten auf der Seide der Daunendecke, als sie vorsichtig über das Bett stolzierte, offenbar in der Absicht, auf Floras Knie zu klettern und ihr das Gesicht zu lecken.

«Sukey! Das ist das erste Mal, daß du nett zu mir bist.» Flora nahm den kleinen Hund in die Arme und drückte einen Kuß auf Sukeys Kopf. «Warum ist sie plötzlich so nett?»

«Sukey merkt alles«, sagte Tuppy, als wäre das eine vollständige Erklärung. «Vielleicht hat sie begriffen, daß du nicht Rose bist. Vielleicht wollte sie sich auch nur von dir verabschieden. Wolltest du das, mein Liebling?»

So angesprochen, vergaß Sukey Flora und rollte sich in Tuppys Armbeuge zusammen.

«Ich muß gehen», sagte Flora.

«Ja. Du darfst Antony nicht warten lassen.»

«Leb wohl, Tuppy.»

«Nicht leb wohl. Auf Wiedersehen.»

Flora stand zum letztenmal von Tuppys Bett auf und ging zur Tür.

«Flora», sagte Tuppy.

Flora blieb stehen. «Ja?»

«Ich habe Stolz nie für eine Sünde gehalten. Mir ist er immer eher als eine bewundernswerte Eigenschaft erschienen. Aber wenn zwei stolze Menschen sich mißverstehen, kann das zu einer Tragödie führen.»

«Ja», sagte Flora. Mehr gab es kaum zu sagen. Sie ging hinaus und schloß die Tür hinter sich.

Sie brauchte wenig Zeit zum Packen, so wenig Zeit, alle Spuren ihrer Anwesenheit aus dem Zimmer zu entfernen. Als sie fertig war, wirkte es unpersönlich, kahl – bereit für den nächsten Gast in Fernrigg. Sie ließ das weiße Kleid, das sie am Vorabend getragen hatte, außen an der Schranktür hängen. Es war jetzt zerknittert, hatte sich Floras Figur angepaßt, war am Saum schmuddelig und hatte vorn auf dem Rock einen

Champagnerfleck. Flora öffnete den Schrank und holte ihren Mantel heraus. Den Mantel über dem Arm, den Koffer in der Hand ging sie hinunter.

Alles war wieder beim alten. Die Halle sah aus wie immer, die Möbel standen an ihrem gewohnten Platz, das Feuer schwelte, Plummer saß in der Wärme und wartete darauf, daß jemand mit ihm spazierenging. Aus dem Wohnzimmer drangen Stimmen. Flora stellte Koffer und Mantel ab, ging hinein und fand Isobel und Antony, die in ein Gespräch vertieft am Kamin standen. Als Flora hereinkam, brachen sie ab und wandten sich ihr zu.

«Ich habe es Tante Isobel gestanden», sagte Antony.

«Ich bin froh, daß du es weißt.» Flora meinte es ehrlich.

Isobel wirkte wie vor den Kopf geschlagen. Es hatte einige Zeit gebraucht, bis sie begriff, was Antony ihr in der letzten Viertelstunde zu erklären versucht hatte. Müde, wie sie war, fühlte sie sich nicht in der Verfassung, die lange, verwickelte Geschichte anzuhören und auch noch zu verstehen.

Doch eine Tatsache war auf traurige Weise klar. Rose – nein, Flora – reiste ab. Jetzt. Einfach so. Antony fuhr sie nach Tarbole, damit sie den Zug nach London bekam. Es kam alles so plötzlich und unerwartet, daß Isobel sich ganz schwach fühlte. Nun, da Flora vor ihr stand, so bleich und gefaßt, wußte sie, daß es Wirklichkeit war.

«Es ist nicht nötig, daß du gehst», sagte Isobel. Sie hatte nicht viel Hoffnung, versuchte aber trotzdem, Flora zum Bleiben zu überreden. «Es spielt keine Rolle, wer du bist. Wir wollen nicht, daß du gehst.»

«Das ist sehr lieb von dir. Aber ich muß fort.»

«Wegen des Briefs von deinem Vater. Antony hat es mir gesagt.»

Flora wandte sich an Antony: «Was ist mit den anderen?»

«Ich habe ihnen gesagt, daß du abfährst, aber nicht, daß du nicht Rose bist. Ich dachte, das kann warten. Vielleicht macht es alles ein bißchen leichter für dich.»

Flora lächelte dankbar.

«Und Mrs. Watty packt dir ein Lunchpaket ein. Sie hat kein Vertrauen zu Speisewagen.»

«Ich bin soweit, wenn du es auch bist.»

Antony nickte. «Ich sag's den anderen. Sie wollen sich von dir verabschieden.» Er ging hinaus.

«Du kommst wieder, nicht wahr?» sagte Isobel.

«Tuppy hat mich eingeladen.»

«Es wäre so schön, wenn du Antony heiraten würdest.»

«Es wäre auch schön, weil ich dann zu einer so wunderbaren Familie gehören würde. Aber leider wird nichts daraus.»

Isobel seufzte. «Es scheint nie so zu gehen, wie man es sich wünscht. Man glaubt, das Leben sei in bester Ordnung, und dann fällt plötzlich alles in sich zusammen.»

Wie meine Blumenarrangements, dachte Flora. Sie hörte die Stimmen der anderen, die über den Küchenflur kamen. «Leb wohl, Isobel.» Sie küßten sich mit großer Zuneigung. Isobel war immer noch nicht ganz klar, was diese unbefriedigende Sitation verursacht hatte.

«Du kommst doch wieder?»

«Selbstverständlich.»

Irgendwie brachte sie die Abschiede hinter sich. Alle standen mit traurigen Gesichtern in der Halle und sagten, was für ein Jammer es sei, daß sie abreisen müsse, aber natürlich würde sie wiederkommen. Niemandem schien aufzufallen, daß sie Antonys Verlobungsring nicht mehr trug, und falls doch, machte niemand eine Bemerkung darüber. Flora ertappte sich dabei, daß sie der Schwester einen Kuß gab, dann Mrs. Watty, die eine Tüte mit Pflaumenkuchen und Äpfeln in Floras Manteltasche stopfte. Schließlich war Jason an der Reihe, Flora ging in die Knie, sie umarmten sich, und er legte die Arme so fest um ihren Hals, daß sie glaubte, er werde sie gar nicht mehr loslassen.

«Ich will mit zum Bahnhof.»

«Nein», sagte Antony.

«Aber ich will…»

«Ich will nicht, daß du mitkommst», sagte Flora schnell. «Ich hasse Abschiede auf Bahnhöfen, ich muß immer weinen, und das wäre scheußlich für uns beide. Und danke, daß du mir ‹Strip the Willow› beigebracht hast. Es war der schönste Tanz des ganzen Abends.»

«Wirst du ihn auch nicht verlernen?»

«Ich werde mich mein Leben lang daran erinnern.»

Hinter ihr machte Antony die Haustür auf, und der kalte Wind trieb herein wie eisiges Wasser durch eine Schleuse. Er ging mit ihrem Koffer die Treppe zum Auto hinunter. Sie rannte hinter ihm her, den Kopf gegen den Regen gesenkt. Antony legte den Koffer auf den Rücksitz, half ihr ins Auto und warf die Tür hinter ihr zu.

Trotz des Wetters waren alle herausgekommen, um sie stilgerecht zu verabschieden. Plummer stand vor der kleinen Gruppe und sah aus, als warte er darauf, fotografiert zu werden. Der Wind riß an der Schürze der Schwester, zerzauste Isobels Haar, aber sie blieben stehen, winkten, als das Auto wendete und die Einfahrt mit den klaftertiefen Schlaglöchern entlangfuhr. Flora drehte sich um und winkte durch das Rückfenster, bis das Auto auf die Straße abbog und das Haus und seine Bewohner nicht mehr zu sehen waren.

Es war vorbei. Flora drehte sich um und sackte im Sitz zusammen, die Hände in den Taschen vergraben. Ihre Finger schlossen sich um Mrs. Wattys Lunchpaket. Sie ertastete das Stück Kuchen, die runde Festigkeit eines Apfels. Dann schaute sie geradeaus, durch die überspülte Windschutzscheibe.

Aber nichts war zu sehen. Der Regen umschloß sie. Antony fuhr mit eingeschalteten Scheinwerfern, und hin und wieder tauchte ein großes, nasses Schaf aus der Düsternis auf, oder sie passierten die Scheinwerfer eines anderen Autos, das in die entgegengesetzte Richtung fuhr. Der Wind heulte noch heftiger als zuvor.

«Was für ein scheußlicher Tag zum Wegfahren», sagte Antony.

Sie dachte an den Tag, an dem sie den Hügel hinaufgestiegen waren, an die Inseln, die magisch ausgesehen hatten, wie sie im sommerlichen Meer trieben, an die kristallklare Luft und die schneebedeckten Gipfel der Cuillins. «Eigentlich ist es mir lieber so», sagte sie. «Es macht mir den Abschied leichter.»

Sie kamen nach Tarbole und sahen, daß der Hafen voller Schiffe war, vom Wetter hier festgehalten.

«Wie spät ist es, Antony?»

«Viertel nach zwölf. Wir sind viel zu früh dran, aber das macht nichts. Wir können bei Sandy Kaffee trinken, genau wie am ersten Morgen, als wir aus Edinburgh kamen.»

«Es scheint schon so lange her zu sein. Ein ganzes Leben.»

«Tuppy hat es ehrlich gemeint, als sie dich gebeten hat, wiederzukommen.»

«Du kümmerst dich um sie, nicht wahr, Antony? Du läßt nicht zu, daß ihr etwas zustößt?»

«Ich packe sie für dich in Watte», versprach er. «Sie kann mir nicht verzeihen, die arme Tuppy, daß ich nicht das Beste aus der Situation mache, dich heirate und als meine Frau nach Fernrigg zurückbringe.»

«Sie weiß, daß das ausgeschlossen ist.»

«Ja.» Er seufzte. «Sie weiß es.»

Sie waren jetzt in der Stadt, fuhren am Hafen entlang. Wellen schlugen über die niedrige Steinmauer, die Straße war überspült vom Salzwasser, schmutziger Schaum verstopfte die Abflüsse. Da war der vertraute Geruch nach Fisch und Diesel, und das Kreischen von Bremsen zerriß die Luft, als ein riesiger Laster den Berg von Fort William herunterkam.

Sie kamen zur Kreuzung und dann zur Bank, wo Flora ein paar Tage vorher den Lieferwagen im Parkverbot abgestellt hatte. Der kleine Bahnhof aus grauem Stein, verfleckt vom Ruß, wartete auf sie. Die Eisenbahnschienen machten am

Ende des Bahnsteigs eine Kurve und verschwanden außer Sicht. Antony schaltete den Motor ab. Sie stiegen aus und gingen zum Fahrkartenschalter, Antony mit Floras Koffer. Trotz ihrer Proteste bezahlte er die Fahrkarte nach Cornwall.

«Aber es ist so teuer, ich kann sie selbst bezahlen.»

«Ach, red keinen Blödsinn», sagte er rüde, entschlossen, keine Gefühle zu zeigen, obwohl sie ihn jetzt übermannten.

Während die Fahrkarte ausgestellt wurde, standen sie da und warteten. Im Fahrkartenbüro brannte ein kleines Feuer, aber es roch muffig. Abblätternde Plakate animierten dazu, in Schottland Urlaub zu machen, Schiffahrten auf dem Clyde zu unternehmen, Wochen im herrlichen Rothsay zu verbringen. Sie schwiegen beide, aus einem einfachen Grund: Es gab offenbar nichts mehr zu sagen.

Endlich war die Fahrkarte fertig. Antony nahm sie und gab sie Flora. «Eigentlich hätte ich eine Rückfahrkarte kaufen sollen, dann können wir sicher sein, daß du wiederkommst.»

«Ich komme wieder.» Sie steckte die Fahrkarte ein. «Antony, ich möchte nicht, daß du wartest.»

«Aber ich muß dich doch in den Zug setzen.»

«Ich will nicht, daß du wartest. Ich hasse Abschiede, und ich hasse Bahnhöfe. Wie ich zu Jason gesagt habe, ich mache mich immer zum Narren und weine. Ich hasse das.»

«Aber du hast noch vierzig Minuten Zeit.»

«Das macht nichts. Bitte, geh jetzt.»

«Na gut.» Aber er klang nicht überzeugt. «Wenn du willst.»

Sie ließen ihren Koffer im Fahrkartenbüro und gingen auf den Bahnhofsvorplatz hinaus. An seinem Auto blieben sie stehen, und Antony wandte sich ihr zu. «Das war's also?»

«Tuppy hat auf Wiedersehen gesagt.»

«Du schreibst? Wir bleiben in Verbindung?»

«Natürlich.»

Sie küßten sich. «Weißt du was?» sagte Antony.

Sie lächelte. «Ja, ich weiß. Ich bin eine tolle Frau.»

Er stieg ein und fuhr los, sehr schnell, und war fast sofort in der Kurve bei der Bank verschwunden. Flora blieb allein zurück. Der Regen fiel dünn, aber stetig, und durchnäßte die Kleider. Über Flora rüttelte der Wind an Kaminen und Fernsehantennen.

Einen kurzen Moment zögerte Flora.

Wenn zwei stolze Menschen sich mißverstehen, kann das zu einer Tragödie führen.

Sie machte sich auf den Weg.

Der Hügel, schwarz vom Regen, wirkte so steil wie ein Dach. Die Rinnsteine tosten wie Wasserfälle. Als sie den Schutz der Stadt verließ, prallte der Wind gegen sie wie ein harter Gegenstand, brachte Flora um den Atem und aus dem Gleichgewicht. Wirbelnder Gischt erfüllte die Luft, sie spürte das Salz auf den Wangen und schmeckte es im Mund. Als sie schließlich das Haus oben auf dem Hügel erreichte, blieb sie am Tor stehen, um Luft zu holen. Im Zurückschauen sah sie die graue, aufgewühlte See, leer von Schiffen, und die hohen Gischtsäulen, die sich hinter der Hafenmauer auftürmten.

Sie öffnete das Tor, schloß es hinter sich und ging den abfallenden Weg zur Haustür hinunter. Auf der Veranda klingelte sie und wartete. Ihre Schuhe waren völlig durchnäßt, und vom Saum ihres Mantels tropfte Wasser auf den gefliesten Boden. Sie klingelte wieder.

Schließlich hörte sie jemanden rufen: «Ich komme ja schon!» Im nächsten Augenblick flog die Tür auf, und Flora stand einer Frau unbestimmbaren Alters gegenüber, bebrillt und nervös. Sie trug eine geblümte Schürze und Hauspantoffeln, die wie tote Kaninchen aussahen, und mit derselben Gewißheit, als seien sie einander formell vorgestellt worden, wußte Flora, daß die Frau Jessie McKenzie war.

«Ja?»

«Ist Dr. Kyle da?»

«Er ist noch in der Praxis.»

«Oh. Wann macht er Schluß?»

«Das kann ich nicht genau sagen. Heute morgen ist alles durcheinander. Normalerweise macht die Praxis um zehn auf, aber heute morgen, wegen des Unfalls, konnte der Doktor erst um halb zwölf anfangen...»

«Unfall?» sagte Flora schwach.

«Haben Sie das nicht gehört?» Jessie war hin und weg von der grausigen Neuigkeit. «Dr. Kyle hatte noch nicht einmal mit seinem Frühstück angefangen, als das Telefon klingelte. Es war der Hafenmeister, offenbar hat es auf einem Schiff einen Unfall gegeben; ein Krankabel ist gerissen und ein Stapel Fischkisten fiel auf das Deck, direkt auf einen Jungen, der da gearbeitet hat. Es hat ihm das Bein zerschmettert. Sieht aus, als wär er übel zugerichtet...»

Sie war nicht zu bremsen, entschlossen, sich einen ausgiebigen Plausch zu gönnen, die Arme über der beschürzten Brust verschränkt. Jessie war nicht dick, aber ihr nirgends eingedämmter Körper schien in alle Richtungen zu quellen. Offensichtlich war sie eine Frau, der Bequemlichkeit über Schönheit ging, und doch, das wußte Flora instinktiv, würde sich Jessie sofort in ein fürchterliches Korsett zwängen, wenn eine Whistrunde oder eine Kirchensoiree bevorstand, genauso, wie manche Menschen ihr Gebiß nur tragen, wenn sie Besuch erwarten.

«...Dr. Kyle war sofort dort, aber sie brauchten den Notarztwagen, damit der arme Kerl nach Lochgarry kommt... und Dr. Kyle ist auch hingefahren... natürlich mußte der Junge operiert werden. Dr. Kyle war erst nach elf wieder da.»

Eine Unterbrechung des Redeflusses wurde unumgänglich.

«Kann ich zu ihm?»

«Genau weiß ich das nicht. Die Sprechstundenhilfe ist nach Hause gegangen, das habe ich gesehen, also ist die Praxis vielleicht geschlossen. Und der Doktor hat den ganzen Morgen nichts zwischen die Zähne gekriegt. Ich habe einen Topf Suppe auf dem Herd, und ich rechne jeden Augenblick damit, daß er kommt...» Sie schaute Flora an, die Augen funkelten neugierig hinter den runden Brillengläsern. «Sind Sie eine Patientin?» Vermutlich dachte sie, Flora sei schwanger. «Ist es dringend?»

«Ja, es ist dringend, aber ich bin keine Patientin. Ich muß einen Zug erreichen.» Die Augenblicke glitten vorüber, und Flora wurde allmählich verzweifelt. «Vielleicht könnte ich hinübergehen und nachschauen, ob er noch arbeitet.»

«Ja.» Jessie dachte darüber nach. «Vielleicht könnten Sie das.»

«Wie komme ich zur Praxis?»

«Folgen Sie einfach dem Weg ums Haus herum.»

Flora wich zurück. «Danke. Ich...»

«Scheußlicher Morgen», bemerkte Jessie im Konversationston.

«Ja. Scheußlich.» Und damit floh sie in den Regen hinaus.

Der betonierte Weg führte um das Haus herum und unter einem überdachten Stück zur Praxistür. Flora ging hinein und fand die Praxis leer, doch schlammige Fußspuren überall auf dem gebohnerten Linoleum, Stühle an der Wand und ein paar unordentliche Zeitschriften legten Zeugnis ab von der Schlange, die im Verlauf des Vormittags hier durchgetrampelt war. Es roch nach Desinfektionsmitteln und nassen Regenmänteln. Auf der anderen Seite des Raums war durch Trennwände aus Glas ein kleines Büro entstanden, darin standen ein Schreibtisch, Aktenschränke und Karteikästen.

Die Tür mit seinem Namen darauf war am anderen Ende des langen Raumes. Floras nasse Schuhe hinterließen eine frische Schlammspur. Wer auch immer am Ende des Tages den Boden saubermachen mußte, hatte Mitleid verdient.

Sie nahm ihren ganzen Mut zusammen und klopfte. Es war keine Antwort zu hören, deshalb klopfte sie noch einmal.

Von drinnen kam eine schroffe Stimme: «Ich habe doch gesagt, herein!» Kein guter Anfang. Flora ging hinein.

Er schaute nicht einmal vom Schreibtisch auf. Sie sah nur seinen Kopf und daß er irgend etwas schrieb.

«Ja?»

Flora schloß die Tür hinter sich, und er schaute auf. Einen Augenblick lang wirkte er wie versteinert, dann nahm er die Brille ab und lehnte sich im Stuhl zurück, damit er sie besser anstarren konnte.

«Was machst du denn hier?»

«Ich bin gekommen, um mich zu verabschieden.»

Inzwischen wünschte sie sich sehnlichst, sie wäre nicht gekommen. Sein Büro war unpersönlich, es hatte weder Ermutigung noch Trost zu bieten. Der Schreibtisch war riesig, das Linoleum braun, die Wände waren margarinefarben. Sie erhaschte einen Blick auf einen Schrank mit unheilvoll aussehenden Instrumenten und schaute hastig weg.

«Aber wohin fährst du?»

«Zurück nach Cornwall. Zu meinem Vater.»

«Wann hast du diese Entscheidung getroffen?»

«Ich habe heute morgen einen Brief von ihm bekommen. Ich... ich habe ihm Anfang der Woche geschrieben und ihm alles erzählt. Wo ich bin. Was ich mache.»

«Und was hatte er dazu zu sagen?»

«Er hat geschrieben, ich soll nach Hause kommen.»

Ein flüchtiges Lächeln huschte über Hughs Gesicht. «Und du willst dich hier verstecken?»

«Nein, natürlich nicht. Er ist nicht böse, im Gegenteil. Ich habe es Tuppy erzählt, und sie hat gesagt, sie meint, ich soll fahren. Ich habe mich von allen in Fernrigg verabschiedet, und Antony hat mich mit dem Auto nach Tarbole gebracht. Ich habe die Fahrkarte, mein Koffer steht auf dem Bahnhof, aber der Zug geht erst um eins, deshalb habe ich gedacht, ich komme her und verabschiede mich von dir.»

Hugh legte schweigend den Füller weg und stand auf.

Jetzt wirkte er so riesig wie sein schwerer Schreibtisch, genau richtig in der Proportion. Er kam nach vorn und setzte sich auf die Schreibtischkante, wodurch ihre Augen in derselben Höhe waren. Sie bemerkte, daß er müde aussah, aber im Gegensatz zu Antony hatte er offenbar die Zeit gefunden, sich zu rasieren. Sie fragte sich, ob er zwischen Frühgeburt und dem Jungen mit dem zerschmetterten Bein überhaupt geschlafen hatte.

«Das mit gestern abend tut mir leid», sagte er. «Hast du dich gefragt, wo ich geblieben bin?»

«Ich habe gedacht, du hast vergessen, daß du mit mir zu Abend essen wolltest. Und dann hat mir jemand gesagt, daß du einen Anruf bekommen hast.»

«Ich hatte es vergessen», gestand Hugh. «Als der Anruf kam, habe ich alles andere vergessen. So geht es mir immer. Ich war schon auf halbem Weg, als mir unsere Verabredung eingefallen ist, und dann war es natürlich zu spät.»

«Es war nicht wichtig», sagte sie, doch es klang nicht einmal in ihren eigenen Ohren überzeugend.

«Ob du's glaubst oder nicht, für mich war es wichtig.»

«War das Baby gesund?»

«Ja, ein kleines Mädchen. Sehr klein, aber sie wird es schaffen.»

«Und der Junge von heute morgen, auf dem Boot?»

«Woher weißt du das?»

«Ich habe mit deiner Haushälterin gesprochen. Sie hat es mir erzählt.»

«Typisch», sagte Hugh trocken. «Was den Jungen betrifft, wissen wir erst in ein paar Tagen Bescheid.»

«Du meinst, vielleicht stirbt er?»

«Nein, sterben wird er nicht. Aber vielleicht verliert er das Bein.»

«Wie schrecklich.»

Hugh verschränkte die Arme. «Wie lange bleibst du bei deinem Vater?»

«Das weiß ich nicht.»

«Was machst du hinterher?»

«Ich nehme an, was ich dir gestern abend gesagt habe. Ich gehe nach London zurück. Suche mir Arbeit. Suche mir eine Wohnung.»

«Kommst du wieder nach Fernrigg?»

«Tuppy hat mich eingeladen.»

«Und kommst du?»

«Ich weiß nicht. Es kommt darauf an.»

«Worauf?»

Sie schaute ihm direkt in die Augen. «Auf dich, nehme ich an.»

«Ach, Flora...»

«Hugh, stoß mich nicht zurück. Wir waren uns so nahe. Wir können wenigstens miteinander reden.»

«Wie alt bist du?»

«Zweiundzwanzig. Und sag nicht, du könntest mein Vater sein, denn das stimmt nicht.»

«Das wollte ich nicht sagen. Aber ich bin alt genug, um zu wissen, daß du noch alles vor dir hast, und ich will nicht der Mann sein, der dir das nimmt. Du bist jung, du bist schön und etwas ganz Besonderes. Vielleicht bildest du dir ein, du seist wie durch ein Wunder schon eine reife Frau, aber in Wahrheit fängt dein Leben erst an. Irgendwo, irgendwann wirst du einen jungen Mann finden, der auf dich gewartet hat. Einen, der nicht schon einmal verheiratet war und dir mehr zu bieten hat als nur das Zweitbeste – einen, der es sich eines Tages leisten kann, dir all das Schöne zu geben, das du dir wirklich verdient hast.»

«Vielleicht will ich das gar nicht.»

Er schüttelte den Kopf. «Mein Leben ist nichts für dich. Ich habe gestern abend versucht, dir das klarzumachen.»

«Und ich habe dir gesagt, wenn dich jemand liebt, wird es dadurch ein richtiges Leben.»

«Ich habe diesen Fehler schon einmal gemacht.»

«Aber ich bin nicht Diana. Ich bin ich. Und was ich damals zu dir gesagt habe, ist unverzeihlich, aber wahr. Indem sie so gestorben ist, hat Diana dich zerstört. Sie hat deinen Glauben an Menschen zerstört, dein Selbstvertrauen. Sie hat dich so verändert, daß du anderen Menschen weh tust, nur damit dir nicht weh getan wird. Es ist grauenhaft, wenn man so ist.»

«Flora, ich will dir nicht weh tun. Begreifst du denn nicht? Mal angenommen, ich liebe dich? Mal angenommen, ich liebe dich zu sehr, um zuzulassen, daß du dein Leben zerstörst?»

Flora starrte ihn finster an. Was für ein unglaublicher Augenblick, von Liebe zu reden, mitten in einem Streit. Denn es war ein Streit, so lautstark, daß Jessie McKenzie, wenn sie so neugierig gewesen wäre, das Ohr an die Wand zu legen, jedes Wort verstanden hätte. Hugh zuliebe hoffte Flora, sie werde es nicht tun.

«So leicht bin ich nicht zu zerstören», sagte sie. «Nachdem ich die letzte Woche überlebt habe, kann ich alles überleben.»

«Du hast gesagt, Tuppy hat dich eingeladen, wieder nach Fernrigg zu kommen.»

«Ja.»

«Wirst du kommen?»

«Ich habe dir doch gesagt, es kommt darauf an...»

«Es war lächerlich, so etwas zu sagen. Wenn du wiederkommst...»

Flora verlor die Geduld. Offenbar war es nicht möglich, seinen sturen Stolz zu durchbrechen, ohne laut und deutlich zu sagen, daß er sich wie ein Idiot benahm. «Hugh, entweder komme ich zu dir zurück, oder ich komme überhaupt nicht wieder.»

Flora schwieg einen Moment, selbst entgeistert über ihren Ausbruch. Doch dann fuhr sie stockend fort, mit der hoffnungslosen Verzweiflung eines Menschen, der weiß, daß er alle Brücken hinter sich abgebrochen hat. «Obwohl ich mir nicht vorstellen kann, daß dich das interessiert. Ich glaube nicht, daß du dir besonders viel aus mir machst.» Sie funkelte ihn zornig an. «Und deine Krawatte löst sich», fügte sie hinzu, als sei das der Tropfen, der das Faß zum Überlaufen bringe.

Die Krawatte löste sich tatsächlich. Vielleicht hatte er sich schnell und ohne Sorgfalt angezogen. Vielleicht war sie im Verlauf des Vormittags von selbst aufgegangen, wie es bei der Krawatte ihres Vaters so oft der Fall war, und…

Ihre Überlegungen kamen plötzlich zum Stillstand, als sie schlagartig begriff, was sie eben so gedankenlos gesagt hatte. Sie starrte die elende Krawatte an, wartete darauf, daß Hugh sie selbst in Ordnung brachte, starrsinnig, wie er war. Wenn er es tat, würde sie das Zimmer verlassen, den Hügel hinuntergehen, in den Zug steigen, abfahren und nie wieder an ihn denken, das schwor sie sich.

Aber er machte keine Anstalten, etwas gegen den unzulänglichen Sitz der Krawatte zu unternehmen, sondern blieb mit verschränkten Armen sitzen. Schließlich sagte er: «Warum hilfst du dem Übel nicht ab?»

Vorsichtig, langsam ging Flora zu ihm. Sie zog den Knoten fest, rückte ihn ordentlich zurecht, genau in der Kragenmitte. Es war erledigt. Sie trat zurück. Er rührte sich immer noch nicht. Es gehörte mehr Willenskraft dazu, als sie je für möglich gehalten hätte, aufzuschauen und seinem Blick zu begegnen. Zum erstenmal wirkte er so entwaffnet und hilflos wie ein ganz junger Mann. Er sagte ihren Namen, und im nächsten Augenblick, mit einem Laut irgendwo zwischen einem Schluchzer und einem Triumphschrei, lag Flora in seinen Armen.

«Ich liebe dich», sagte sie.

«Du unmögliches Kind.»

«Ich liebe dich.»

«Was soll ich nur mit dir anfangen?»

«Du könntest mich heiraten. Ich werde eine wunderbare Arztfrau abgeben. Stell es dir nur mal vor.»

«Ich habe mir in den letzten drei Tagen nichts anderes vor-gestellt.»

«Ich liebe dich.»

«Ich habe geglaubt, ich kann dich gehen lassen, aber ich kann es nicht.»

«Du wirst mich aber gehen lassen müssen, denn ich muß den Zug bekommen.»

«Aber du kommst wieder?»

«Zu dir.»

«Wann?»

«In drei, vier Tagen.»

«Zu lange.»

«Länger dauert es bestimmt nicht.»

«Ich rufe dich jeden Abend bei deinem Vater an.»

«Das wird großen Eindruck auf ihn machen.»

«Und wenn du kommst, stehe ich auf dem Bahnsteig, mit einem Rosenstrauß und einem Verlobungsring.»

«O Hugh, keinen Verlobungsring. Es tut mir leid, aber von Verlobungsringen habe ich die Nase voll. Könntest du keinen Ehering daraus machen?»

Er lachte. «Du bist nicht nur unmöglich, du bist unerträg-lich.»

«Ja, ich weiß. Ist das nicht furchtbar?»

Endlich sagte er es. «Ich liebe dich.»

Jessie machte sich Sorgen um den Topf Suppe. Wenn der Doktor sich auch nur noch einen Augenblick Zeit ließ, würde sie völlig zerkochen. Sie gönnte sich schon ihr Mittagessen: Kartoffelreste, ein kaltes Hühnerbein, eine Büchse Baked Beans. Ihre Leibspeise. Zum Nachtisch wollte sie Pflaumen aus der Dose mit Vanillesauce essen und sich dann eine starke Tasse Tee kochen.

Eben wollte sie an dem Hühnerbein in ihrer Hand nagen (wenn man allein war, konnte man so etwas ja machen), als sie Stimmen hörte und Schritte auf dem Weg zur Praxis. Ehe sie

Zeit hatte, das Hühnerbein wegzulegen, flog die Haustür auf, und Dr. Kyle stand vor ihr, an der Hand die Frau in dem marineblauen Mantel, die nach ihm gefragt hatte.

Die Frau lächelte. Der Wind wehte ihr das Haar ins Gesicht. Und Dr. Kyles Gesicht war ein Bild für die Götter. Jessie wurde nicht schlau daraus. Eigentlich hätte er erschöpft sein müssen, bedrückt von der Arbeit und von den Sorgen. Er hätte schwerfällig aus der Praxis herübertrotten müssen zu dem Teller Suppe, der stärkenden Brühe, die sie, Jessie, für ihn zubereitet hatte.

Statt dessen strahlte er über das ganze Gesicht, verströmte gute Laune und sah aus, als könne er weitere achtundvierzig Stunden durchhalten, ohne ein Auge zuzutun.

«Jessie!»

Sie ließ das Hühnerbein fallen, doch er schien es überhaupt nicht bemerkt zu haben.

«Jessie, ich gehe zum Bahnhof. Ich bin in zehn Minuten zurück.»

«Gut, Herr Doktor.»

Es regnete immer noch, und obwohl er keinen Regenmantel anhatte, schien ihm das nichts auszumachen. Er ging wieder hinaus, die Frau immer noch im Schlepptau, ließ die Haustür offen, und ein messerscharfer Wind drang in Jessies Küche.

«Was ist mit Ihrer Suppe?» rief sie hinter ihm her. Zu spät, er war schon fort. Sie stand auf und schloß die Tür. Dann ging sie zur Vorderseite des Hauses und öffnete vorsichtig, weil sie nicht beobachtet werden wollte, die Haustür. Sie sah die beiden zur Straße hinuntergehen. Sie hatten die Arme umeinander gelegt, und beide lachten, nahmen keinerlei Notiz vom Wind und vom Regen. Jessie schaute ihnen nach, wie sie durch das Tor und den Hügel hinunter zur Stadt gingen. Ihre Köpfe verschwanden hinter der Mauer, erst der Kopf der Frau, dann der von Dr. Kyle.

Sie waren fort.

Kopfschüttelnd schloß Jessie die Tür. Hatte man so was schon erlebt? Nun, früher oder später würde sie jemanden finden, dem sie diese unglaubliche Geschichte erzählen konnte.

Foto: Kristina Jentzsch

Rosamunde Pilcher

Die Königin des romantischen Liebesromans

Lieferbare Titel:

Das blaue Zimmer
Roman 3-499-13922-7

Die Muschelsucher
Roman 3-499-13180-3

Ende eines Sommers
Roman 3-499-12971-X

Heimkehr
Roman 3-499-22148-9

Karussell des Lebens
Roman 3-499-12972-8

Lichterspiele
Roman 3-499-12973-6

Schlafender Tiger
Roman 3-499-12961-2

Schneesturm im Frühling
Roman 3-499-12998-1

September
Roman 3-499-13370-9

Sommer am Meer
Roman 3-499-12962-0

Stürmische Begegnung
Roman 3-499-12960-4

Wechselspiel der Liebe
Roman 3-499-12999-X

Wilder Thymian
Roman 3-499-12936-1

Wolken am Horizont
Roman 3-499-12937-X

3-499-23118-2

B 4/1

Foto: Bavaria

Very British: Landschaften der Liebe

Unterhaltung (nicht nur) für Frauen bei rororo

Rosamunde Pilcher
Die Muschelsucher
Roman. 3-499-13180-3
Wintersonne
Roman. 3-499-23212-X

Kitty Ray
Nells geheimer Garten
Roman. 3-499-23238-3
Als die Literaturdozentin Ellis in das kleine Cottage ihrer verstorbenen Großtante Nell zieht, entdeckt sie deren Tagebuch. Es erzählt die Geschichte einer tragischen Liebe und eines großen Geheimnisses. Ein Geheimnis, das Ellis einen Weg in die Zukunft weist.
Die Gabe einer Liebe
Roman. 3-499-22851-3
Rückkehr nach Manor Hall
Roman 3-499-22852-1
«Eine charmante Liebesgeschichte.» (The Times)

Diana Stainforth
Unter den Hügeln von Wales
Roman
Alex Stapleton lebt mit ihrem Mann Robert glücklich in London. Als Robert, ein bekannter Arzt, in Bosnien durch eine Landmine ums Leben kommt, bricht für Alex eine Welt zusammen.

3-499-23436-X